女不强大天不容

六六
九枚玉 ◎ 著

小说

长江出版传媒 长江文艺出版社

北京长江新世纪文化传媒有限公司

www.cjxinshiji.com

出品

目 录
CONTENTS

职场"小鲜肉"

1999 年的夏天，江州的天气诡异多变。先是一个月酷热干旱滴水不见，而后便是止不住的瓢泼大雨。7 月中旬，江州的雨越下越大，已经整整持续了一个星期。

《江州都市报》对这场雨的报道角度不停变化。从一开始《盛夏酷暑渴盼甘霖》到《我市普降及时雨　预计雨带将徘徊两天》，再到《公交车大雨趴窝　消防车神速营救》《十八只井盖被冲走　三十六条马路内涝严重》，淹没、垮塌、毁损、救急、增援等字词的见报率越来越高。

暴雨新闻的位置越提越前且篇幅越来越大，标题字号已经涨到头号超粗黑。因为这场豪雨，连市长王闻声会见日本久留米贵宾这样的重大消息都不能在头条上露脸……大雨、暴雨、特大暴雨，宣传部发到各新闻媒体的新闻提示，对这场雨有了最新定位：百年不遇。

此时，21 岁的郑雨晴刚刚入职，担任《都市报》的实习记者。这似乎注定了她今后不平静的职业生涯。

郑雨晴跟着指导老师刘素英，在大雨里已经跑了一个星期。凌晨时分，刚刚发完稿件，踏着淹没脚踝的雨水，拎着一颗时刻防备掉进窨井的小心，千辛万苦回到家。刚把澡洗完，她爹郑守富一个电话把她召唤到单位。郑守富是《都市报》的群工部主任，他深知新闻如战场，这种恶劣天气，记者是要随时冲到一线采访突发新闻的。

深夜的采编大厅，灯火通明。郑雨晴发现刘素英和几个老记者也都和自己的爸爸一样，根本没离开报社，他们发完稿子，拉开桌边的折叠床边休息边听候吩咐。

"集中全社采编力量投入到抗洪报道之中!"总编傅云鹏在简短的动员大会之后,将全员分成十个报道小组,只等天一放明便撒向全市各个角落。

傅总编刚一收声,会议便直接进入抢线索抢口子的环节:"我去城中村!""凤凰山,归我!""我这就去交警指挥中心……""民政系统,养老院福利院!"记者们纷纷举手报上自己负责的口子,不等傅云鹏发话,便拿起雨具出门,一个个消失在黑暗的雨夜中。

郑雨晴坐在角落,本来瞌睡连连,现在却感觉浑身上下充满了斗志:"刘老师,我跟你去江心岛!"

刘素英看看外头的瓢泼大雨,再看看郑雨晴单薄的小身子骨,有些犹豫:"算了。你个小丫头家的,甭去了。我和张国辉去就够了。"

三十多岁的刘素英,稳当干练。她的桌子下面随时备着应急包,拎着就可出发。

可摄影记者张国辉根本不想去江心岛:"市里早通知岛上居民撤离了,上面没人了!"

刘素英却很肯定,有几户人家舍不得网箱里的鱼苗,又悄悄回去了。

张国辉讨价还价:"天那么黑,哪有船啊!路况这么差,万一有个闪失,你家娃就没娘了……"

刘素英果然被说得有些犹豫。但这犹豫仅仅持续了几秒钟,她便果断答:"明天早上十点半截稿,现在不出发肯定赶不及版面了。就得现在走!"

张国辉从嗓子里挤出"疯子"二字,意兴阑珊地放下相机,去上厕所。

然后,他就一箭射得没影了。

刘素英等不及,抄起办公室电话打张国辉手机,电话里张国辉哀号:"掉茅坑里了!脚崴了!疼死我了,走不了路了!大姐救我!"

结果是,郑雨晴背着相机与刘素英手挽手走进雨夜——真是手挽手,一撒手怕给水冲走。

轮渡码头空无一人。候船厅里的积水已经没到膝盖,惨淡的顶灯晃啊晃地照亮墙上贴着的通知:即日起渡轮停开。落款的时间正是当天。

她们摸到值班室,值班员很奇怪:"这天气你们上江心岛干什么?

渡轮昨晚被市里抽到郊县参加抢险去了！"

刘素英急了："哎！哎！岛上还有居民没撤离！你们哪能不管他们？"

值班员答："这真不关我们的事。早就通知离开，非要有人与岛同进退，我们又不能绑他们。"

刘素英亮出记者证："同志，我们是《都市报》的记者。我们必须立即赶到那里采访，请你帮我们想想办法。"

值班员狐疑地上下打量这两位弱女子，又仔细地核查记者证，用不敢相信的语气问："就凭你俩？这大半夜的？不要命啦？黑灯瞎火的！不要添乱！别岛上没事，明天你俩上报纸！"说完把门嘭地关上。

刘素英不急不忙地敲门："同志啊！同志，你帮我们想个办法嘛！要不你给岛上打个电话，问问他们现在的情况，咱也好回报社交差。"

门里传来声音说："都孤岛了！电话不通，手机不通，你就别想了。"

刘素英也不恼，慢条斯理："同志啊！你就帮帮我们嘛！你想，说起来我们与岛上的人也没有亲戚关系，冒着危险去采访，说到底还是想帮他们走出来。也许有人想出来，但出不来，还有人就算不想出来，我们去做做工作，说不定就出来了。好歹是几条人命，丢了咱心里不愧疚吗？麻烦你帮个忙，帮个忙啊！"

里面传出闷闷的声音："你还让不让人睡了啊？！"

刘素英只好停止拍门。

郑雨晴无助地问："老师，现在我们怎么办？"

刘素英说："咱们在四周寻寻，看有没有摇船的老大肯过去。"

四周一片漆黑。刘素英从应急包里掏出一支手电，拧亮了就要出发。

值班室门开了，值班员一边套雨衣一边说："你们真是！作死！水都漫成这样了！去哪？！过来！没摇船有腰子盆，你们敢上吗？"

腰子盆形似猪腰，就是木质平底采莲船。大家可以脑补一下"江南可采莲，莲叶何田田"的浪漫场景。说是船，其实比澡盆大不多少。风平浪静的时候坐一坐，还是很有意境的，可现在这大风大雨的，腰子盆能抗得住吗！郑雨晴脑子一阵发蒙。

刘素英随手抄起挂在墙上的救生衣，递给郑雨晴一件，自己穿一件。她粲然一笑，跟着值班员，抬脚便跨进了腰子盆。郑雨晴虽然害怕，但看到刘老师如此轻松坚定，便一咬牙跟着跳了上去。她这一跳简直是没轻没重，腰子盆激烈晃动起来，若不是值班员一把拉住她，郑雨晴便一个跟头掉水里了。

刘素英问她："你会游泳不？"

郑雨晴哆哆嗦嗦地答："会……以前是校游泳队的。"刘素英拍拍郑雨晴："那我就放心了。"

腰子盆一摇三晃地离开岸，踏着秧歌步子，进两步退一步，一点点向江心岛划去。值班员喘着大气用力划船："你们两个女记者真猛！比一般的男的都猛！"

他又说："两位记者同志手把船帮子逮紧了，坐稳噢，江上的浪头大了！"

一叶小舟在江中穿梭颠簸，郑雨晴的心也跟着忽上忽下。雨衣的帽檐不停唰唰滴水，浪头一个接着一个袭来，溅起的水花打得人眼睛都睁不开。她紧紧偎着刘素英，隔着两层雨衣，郑雨晴感到从刘老师身体里传递出来的温度，暖烘烘的，让她踏实。

她悄悄问："刘老师，你会游泳吧？"

看着渐渐清晰的江心岛，刘素英微笑道："不会。"又对郑雨晴说，"真翻船了，你只管自己往岸上游，莫回头！"

郑雨晴给惊着了。

江心岛已经断电断水，那几个偷偷潜回来的人，不仅鱼苗网箱没能守住，连自己也身陷绝境。在村中央的宗祠里，他们看到两位女记者，简直像看到了女神一般，拉着她们的手不放："谢谢记者同志，谢谢记者同志！你们来了就好了！"

值班员恨恨地答："几条贱命，活活添乱。你们几个加一起都不如一个记者大人的命贵！"

这些人七嘴八舌：

"原以为过来把网箱加固一下就能回去，哪里想到有来无回了！"

"这里还有几个老太太，死活不走，那边那个是我妈，你讲我能撇下她不管吗？我真不是为鱼！"

……………

刘素英问："这里谁家损失最多？"有个人回答："永刚家。"

永刚家损失特别惨重，十几个网箱被大水冲走，全部家当赔得盆干碗净，女人受不了这样的打击，急得要自杀，被人拦下后就病倒在床上，三天水米不进。

永刚老婆头上扎着一条脏兮兮的毛巾，形容憔悴地在床头缩成一团，两个半大的孩子偎在她的怀里。

刘素英熟门熟路地弯下腰，从她的床下，摸出一只小马扎坐下，人趴在床头边，拉着女人的手，轻轻摩挲，细声细语地说："大姐，你是有政府的人，几个网箱算啥？"

永刚老婆突然来精神了，一把解开头上的毛巾，紧紧握住刘素英的手："大姐！你是政府派来的吧？政府会把网箱赔我不？"

旁人插嘴："她是记者！你烧糊涂了！"

永刚老婆更惊喜了："记者同志啊！你就是我们的恩人啊！五年前鱼塘闹灾，就是你们帮着向上面反映问题的！你们比政府还管用啊！"

郑雨晴没见过这样的夸赞，差点没笑喷。

刘素英拉着永刚老婆的手："留得青山在，不怕没柴烧！你有啥困难，先跟我说说？"

女人于是号啕着，开始哭诉。两个半大的孩子也开始哭，还拿脏脏的小手为妈妈擦泪。永刚前年车祸去世，老婆婆查出是晚期肺癌，借钱置办的网箱又给大水冲跑了，女人独木难支，没有活下去的信心，确实可怜。

刘素英的眼圈也红了："可不能这么说。你还有俩娃呢！他们需要你。你只要挺住了，这个家就不会倒！"

郑雨晴有眼色地端起床头的杯子，递给女人。

围观的人见到永刚老婆止住哭接了杯子，都松了口气："好了好了，想开了想开了，她开始喝水了！"

郑雨晴从来没见过这样的场面，简直是连琼瑶的苦情戏都写不出这样的悲惨。她觉得自己入错了行，笨嘴拙舌，安慰人的话一句也说不出来。"振奋精神""自强不息"这样的演讲词貌似在这里显得傻呆呆的。

刘素英趁着永刚老婆喝水的工夫，把屁股下的马扎抽出来让郑雨晴坐，耳语道："你记。"自己则蹲在床边的地上。

郑雨晴也不谦让，坐定之后，顿时觉得存在感附体，福至心灵，她掏出纸巾给那两个孩子擦眼泪抹鼻涕，还学着刘素英的口吻，接着劝永刚老婆："大姐，我们帮你在报上呼吁呼吁！你放心，社会和政府都会伸出援手的！"

永刚老婆端着杯子，呆呆地问："姑娘，你刚才说烀什么……鱼？我家没鱼了，鱼苗全被冲走了……"接着又痛哭失声。

完了，郑雨晴气得掐自己的大腿，在心里直骂："郑雨晴，你不会说话就别说啊，插什么嘴啊，简直是捣乱嘛！"

采访结束后，刘素英和郑雨晴回到祠堂，就着地上一根摇曳的蜡烛写稿。不知不觉间，天已蒙蒙亮，该回去发稿了。

刚走到门边，永刚家的小儿子跑过来，拉着刘素英的手说："记者阿姨，我妈说你们肯定饿了，让你们去家吃饭！"

郑雨晴赶紧摆手："我们要赶回去发稿子，不……"她话没说完，手被刘素英一把抓住。刘素英笑眯眯俯下身，对小光头说："你带路，咱这就走！还真饿了！"

见到刘素英她们进屋，永刚的大儿子端上两碗面条。永刚老婆抱歉地说："请二位记者不要嫌弃，家里只有面条。"

刘素英接过碗，一挑筷子，发现还有鸡蛋："大姐，可不只是面条，你这底下还打埋伏呢！"说完埋下头，大口大口吃起面条来。

郑雨晴也是饿了，接过面碗道个谢，便用筷子挑面。可是……她突然觉得嘴里有点异样，仔细拿舌头挑拨，好像是布又好像是纸，滑滑腻腻缠缠绵绵的，与面条搅和在一起。郑雨晴一阵恶心，真想把碗一推，宁可挨饿也不再碰这碗面了。

她求助般地瞟了一眼刘素英，借着灶膛里的火光，她一眼发现，刘素英的碗底有黑乎乎的一团！郑雨晴睁大眼睛仔细分辨，那竟是，一团乱发！

但刘素英就跟没看见一样，面色不改，一口一口，把面条连同那团头发，全部吃了下去！连碗底的汤都没剩下一滴！把碗递给永刚老婆时，刘素英还由衷地说："大姐，这个时候能吃上这碗面，真心不容易！香！"

永刚老婆说："也是您不嫌我们脏！江水倒灌进塘里了，洗洗涮涮吃喝拉撒，全指着门口的当家塘呢……"

刘素英拍拍永刚老婆："注意卫生。我们一回去就派船来接你们！"

郑雨晴闭上眼睛，尽量不去联想，也不敢咀嚼，心里一横，囫囵吞枣地把那碗面条全部倒进肚里。

"有人说记者是份体面的工作，是无冕之王，是社会的一面镜子。我也是从记者岗位上干出来的，这几十年我一直努力在寻找一个确切的答案，记者到底是什么。我想记者意味着关爱，意味着付出，意味着责任。我们要二十四小时全天候待命，随时准备应对突发新闻，无论是在家里还是在单位，无论是冰天雪地还是暴雨如注，无论是在白天还是在午夜，我们随时准备冲向现场，冲向第一线，冲到所有人的前面。记者还意味着永无止境地追寻真相，哪怕真相让我们目瞪口呆，让我们怒不可遏，让我们泪流满面。当那些大大小小的事件发生时，当那些真真假假的新闻浮现时，我都能在现场，我都在苦苦追索，这就够了。"傅总编在表彰大会上发言。

台上披红戴绿地站着十名记者。刘素英赫然立在中央。

郑雨晴忍不住地落泪，鼓掌把手都给拍肿了。

不经历生死，你很难理解"我在现场"这几个字的分量。记者，是拿生命与热血在书写报章。

二十二岁的郑雨晴，初出茅庐便旗开得胜。她跟着指导老师刘素英，以一组贴近生活贴近现实的民生报道《百年大水中的江心孤岛》，夺得当年的省新闻一等奖，并因此提前半年转正。据说总编辑傅云鹏在看她稿子的时候，异常欣赏，还吟了两句诗：小荷才露尖尖角，雏凤清于老凤声！

李保罗经常拿提前转正与她说事："郑雨晴啊，新闻一等奖你分了一千块的奖金，又早我半年拿上报社的全额奖金和转正工资，算算你多占多少便宜？就连每个月的卫生纸，都比我多发好几包！"

郑雨晴佯怒："你就这点出息，卫生纸你也跟我比？我是女人诶！"

"我知道啊，我虽是男人身，可是……哎，有句俗话你听说过没有，十男九痔啊！"

郑雨晴哭笑不得："你滚蛋吧。"

李保罗装死，把头往桌子上一磕："人家不滚。反正，你得请客，否则天理难容天打雷劈……"

郑雨晴入职时，纸媒风光无限。都市报社一片欣欣向荣的繁荣景象，不停地增容扩版招兵买马，报纸发行和广告收入翻着跟头见风长。

广告科长屁股后头成天跟着一帮人求着要版面，像苍蝇叮狗屎一样轰都轰不走。连他上厕所都有人堵在外边敲门："黄科，您啥时候给我们百大广告安排上版啊？我们的钱早转账啦！"

黄科长手一摸纸盒，怎么是空的？正无法脱困，隔壁从墙缝塞塞窣窣递进一摞手纸。是冰箱厂的广告员在献殷勤："黄科，这星期三天的封面封底……您对我们厂长说的，一定要算数啊！"

厕所水箱轰隆一声响，黄科长拉门走出来，喜忧参半含嗔带怨："拉个屎都不安生！我这便秘的毛病，报社得算我工伤！好了好了，你们放心吧，这周天天增版，广告全部摆平！"

候在走廊里吃包子的洗衣机厂办事员听到这话，叼着半只包子就冲进来了，面色慌乱地求："黄科黄科！你还差我们家三个整版呢！"

黄科长劝他："同志，江州不止我们一家报，你何必总盯我一个人呢？电视报啊晚报啊晨报啊，你们适当地也在他们家做做广告嘛！"

年终总结会的时候，黄科长故作沉重，一字一顿地自我批评："我们报，广告业务量的，迅速增长，使得，我们的版面，发展速度，无法跟上，业务发展的脚步……"

他说到这里抬起眼睛扫一圈会场，对着大家解释："我刚才这话的意思呢，就是请求领导继续扩版。我老黄在这里给大家立个保证，保证扩十个版我增十个版的广告，扩一百个版我增一百个版的广告！明年《都市报》的广告量，至少达到五个亿！"底下欢声雷动。

发行科长苦逼兮兮的，跟在广告科长的后面做总结。他是真的很沉重："同志们啊，真的不能再扩版啦！我的发行员，背不动啊！一份报纸八十个版，你们回家去称一称，少讲也有三四斤重！如果碰上铜版纸，那就上五斤了。每个发行员最少送一百份报，加起来三四百斤的重量，压得自行车都推不动了……"发行科长对着广告科长使眼色。

广告科长大大咧咧地叉着腿坐着，大冬天的也整出一脸的油汗。他抹一把脸，财大气粗地问发行科长："四百辆电动车，你够不够？"

发行科长伸出一个手指头："再加一百辆？"

广告科长一拍桌子："成交！五百辆车，不就置换几个版的广告嘛，下月到位。不过你要保证，我的重要客户每天必须第一时间看到报纸，我客户要求的投放地段和受众人群，每天在规定的时间内精准投放到位！"

隔三岔五的，财务科长的电话会打到各个部门："速度啊，每个部抽一个人到我这里，领钱！"发钱的名头五花八门，卫生奖、节能奖、全勤奖……甚至有一次，全社职工集体领了一次计划生育奖。

李保罗对郑雨晴抖着五十块："雨晴，这钱不对啊？"他跷着兰花指一张张抹平钞票："你我两个正值青春年少，有个术语就是形容我们这类人的，叫什么……能繁期！"

郑雨晴翻他一眼："注意你的措辞，母猪才叫能繁呢！人类那叫育龄！"

李保罗一点头："对，咱俩是育龄，想生十个八个都是有能力的。但咱俩却一个孩子都没生。"

郑雨晴打断李保罗的话："你别咱俩咱俩的，听得我别扭死了！"

李保罗从来也不会生郑雨晴的气，他改口："你和我，能生却不生，这个计划生育奖，我们应该拿双份才对啊！他们都有家有口，凭什么跟我们一样拿五十？"

郑雨晴："你一个未婚人士，报社还给你发计生奖金，已经不错了！"

李保罗听她这么说，歪着脑袋想了一会儿，龇牙一笑："释然了！"

滴滴答答领小钱，一个月加起来，也不算少。那个时候钱也禁用啊，猪排骨也不过三五块钱一斤嘛。所以，郑雨晴笑嘻嘻地拍出三十块，足可以请李保罗在报社门口的小饭馆里，像模像样地小撮一顿。

李保罗总是抹着油嘴，开心地说："雨晴，咱俩小日子过得不错，你看看这顿，有鱼有虾！"

郑雨晴："我真担心你这么吃下去，玉树临风的体形，早晚成残花败柳。你说说，咱们哪回出去采访你亏着嘴了？你跑政法口子，跟律师一样嘴都吃油了，吃了被告吃原告！"

李保罗反驳："你跑经济口是不知道我们政法口的苦啊，上回采访碎尸案，我还对着一副腰子吃盒饭呢！警察叔叔都夸我勇敢。"

郑雨晴大笑:"经济口也不都是好的!前天去生物药厂采访,完事了人家送我两只死兔子!刚刚做完解剖,瞪着红通通的大眼睛,也不知道这是做什么药理实验,有没有毒……"

"这生物药厂可是国企啊,国企现在日子都不好过。不过,效益再不好,送点什么不比死兔子强啊?"

郑雨晴叹惜:"想当初他们多红火啊!厂门口随时蹲着几辆大卡车,等着拉货。不知道怎么回事,说不行就不行了!"

李保罗点点头:"江山代有才人出,各领风骚——我看最多也就十几二十年吧!放眼望去,干啥都不如干媒体!"

正说着话,张国辉带着一帮人也进饭店吃饭。郑雨晴抬头跟张国辉打招呼,李保罗却眼皮都不抬一下,酸话声音说得老大:"唉,记者也分等级和档次的。咱们这类人,虽然够不上铁肩担道义,妙手著文章,但还是怀揣新闻理想心存正义感,绝对不会乱用手中的话语权。可有的人就不行了!"他冲着张国辉的方向一努嘴:"毫无文人风骨,见着平头百姓,鼻孔朝天,见着领导,谄媚得腰都快断了。手里的相机成了他个人利益的转换器!"

郑雨晴吓得拿胳膊捣李保罗:"酒喝大了啊?"

李保罗做出哆嗦的样子:"哎哟我好怕怕啊!"

郑雨晴和李保罗的名字在《都市报》上是肩并肩膀挨膀出现的,郑雨晴的文字配李保罗的图片。经常见郑雨晴坐在李保罗的车后座上,拿手箍着李保罗的腰,脸架在李保罗的肩膀头子上,摩托车蹿出去老远了,笑声还撂在原地。有一次遇上车祸,情急之中李保罗为了保护郑雨晴,拿自己当缓冲垫,扑在郑雨晴的身下,结果李保罗当场断了胳膊,而郑雨晴毫发无伤。

两个人彼此说起话来又口无禁忌,天天打闹逗笑你招我一下我回你一下。报社里几乎人人都认为,这是天设一对地造一双的金童玉女,不出半年就能喝上二人的喜酒,噢不,可能直接就上满月酒!

所以,当大家接到郑雨晴的结婚请柬,发现新郎名字是吕方成时,都傻了。

李保罗倒心无芥蒂,还傻呵呵给郑雨晴当伴郎去。

状元的克星

郑雨晴和吕方成，那是战斗中结下的情谊，牢不可破。两人经过"沦陷区"三年、"国统区"四年和"解放区"两年的洗礼才正式步入主席台。

郑雨晴高中考进一所全国百强学校，开学典礼上代表新生讲话的就是吕方成。郑雨晴站在下面操场上听女同学们交头接耳，才知道吕方成是本校响当当的学霸。数学物理奥赛拿奖不说，担任本市小荧星合唱团的主唱，拿过本市与德国友好城市共同举办的油画展金奖，还是省少年组国际象棋冠军！最闪瞎人眼的经历是，一家民办高中出资十万，要拉吕方成入伙。害得百强学校的校长一个夏天恨不能吃住都蹲在吕方成家门口，最好找公安局把小子铐起来才能让他安心睡觉。

十万啊，十万！当年郑雨晴爹妈工资加一起，一个月也才三五百。郑雨晴百思不得其解，跟吕方成好上之后，问过几次："这么多钱，你那单亲妈妈，硬是不动心？"吕方成一笑。

吕方成这一辈子跟郑雨晴开得最多的玩笑是："你是我十万块钱买来的媳妇。"

郑雨晴从出生落地起就符合儒家文化"中庸之道"的审美，个头不高不低，身材不胖不瘦，既不是天才也不愚钝，她的成绩嘛，属于那种中不溜的学生。可她偏科得厉害，文科学得轻轻松松，什么演讲比赛辩论赛作文比赛，总能和吕方成拼一拼。可一遇到理科，基本是"无缘对面不相识"——不管她怎么下死力气去学，理科成绩都是班级里的垫底货。所以高二分科那年，郑雨晴有些惆怅。她坐在教室后方"高级娱乐VIP避暑区"，看着教室前方学霸位子上的吕方成，在心里跟他默默就此别过。

可是吕方成大咧咧在文理分科表上刷个"文"字，班主任抖着表格劝吕方成："方成，虽然你文理兼修，但老师还是建议你学理。理科出来，天高地阔的，室内室外，高山流水任跑，当官也当得比文科大，不要自己把路走窄了。"

吕方成头一昂："老师，咱学校出过理科状元，还差个文科状元吧？我给您补上！算是学生给母校的一份薄礼。"

班主任老师立马住嘴，大喜啊！逢人就夸吕方成有想法有抱负！虽然全校一千多的毕业生，但校长老师都憋着一股劲，一树枣子望他红，指着吕方成给学校争个大脸回来。

中学生的小爱情，朦胧美好，指东打西。他天天激怒郑雨晴，真看到郑雨晴伤心了，又暗自鼓励一下她，让她赢一局。他眼见着郑雨晴活得像一条在干涸陆地上张嘴的鱼一样焦躁，却从不表明心迹。

死吕方成，十八岁就像八十岁姜太公那样沉稳老练等鱼上钩。

直到这一天，窗户纸被吕方成捅破，郑雨晴才恍然大悟，原来对方的心思和自己是一样的，原来两人之间的好感早如野草一般，扑啦啦蔓生了一地。

班主任在班会课上说："希望同学们抓紧时间，取长补短。最后这两个月，大家最好结对子搭班子，共同过好人生最紧张的这一段日子。"

男女同学都睁大眼睛等吕方成挑选。吕方成却是不动。

同学们一个一个报结对子的名字，郑雨晴像筐里被拣剩下的菜一样，孤单单挂着。这个年纪的姑娘，最怕遴选，最怕孤单。

高飞很是仗义地冲老师喊："我跟郑雨晴结对！我俩住得近！有问题能互相问！"

吕方成突然站起来说："郑雨晴是我的。我和她早就说好了。"

全班同学听了都掩鼻嘿嘿笑。郑雨晴却差点泪奔。

她假装淡定，根本不去看吕方成一眼，好像真是他俩早已约定。

其实他们私下里经常互相帮助——不是互相，是单方。数学考试开始前，郑雨晴还缠绕在云山雾罩的数学题海中。吕方成看起来都等不及了，一把夺过郑雨晴正做的习题本子，歪头看一眼郑雨晴的草稿，手指头划两下说："这里，公式用错了。""这里，代下来的数字错了。""这里，加一条辅助线。"说来也怪，彼此没有共同语言的定理公式，经吕方成轻轻点拨，如架桥一般顿时通畅。郑雨晴那一脑袋的糨糊，和剪不断理还乱的思路好像只有靠吕方成才能捋得清楚。

吕方成常仰天长叹："郑雨晴啊，我终于明白那句话：上帝为你打开一扇门时，必给你关上一扇窗。你那扇逻辑思维的窗，不仅仅是关上了，还从外头钉上钉子了。"

郑雨晴的好处是，面对嘲弄，不急不躁，依然笑眯眯："我为了配合你的表现欲，做了多大的牺牲啊，简直是自甘堕落。来，你再说两遍，巩固巩固你的好感觉！"

只是吕方成公开宣布和郑雨晴结对子，让班主任很犯难。他找吕方成："你起什么哄呢？你要拿今年的文科状元，分不得半点心，你跟第二名王苏雅结对不是挺好吗？说不定一个状元，一个榜眼都在咱家。"

吕方成淡淡回一句："我和她谈不来。"

一句"谈不来"把班主任的心都给烧了："谈学习就是要旗鼓相当啊！你还想谈什么？我看要是只谈学习，你和郑雨晴才没有共同语言！"

吕方成依旧软抗："老师，我就当帮助后进同学好了。她也没那么差吧？"

"那让她帮助高飞好了，这才叫帮助后进同学。"

吕方成回答："老师，你要是让郑雨晴跟高飞结了对子，那才是影响我学习呢！"

班主任只好挑明："吕方成，你们……不是借着学习谈恋爱吧？"

吕方成头一昂："老师，你放心，谈不谈的，这状元都是我的。"

班主任给他噎得无话，只好找郑雨晴："郑雨晴，你是个乖孩子，有问题可以问老师嘛。吕方成可是咱们的准状元，我不希望你耽误他的时间，拖了他的后腿。"

郑雨晴避重就轻，嬉皮笑脸："老师，状元跟常人是不一样。吕方成还分前后腿啊？"

高考前一个月，高三生基本都在家里备战备荒，只有吕方成和郑雨晴，雷打不动日日到校。

那天，两人在教学楼的天台上，先是抽背历史，吕方成再辅导郑雨晴地理，直到繁星点点。他们嘻嘻哈哈跑到教学楼的底楼，楼道门早已经被上了锁。

郑雨晴把铁门晃得哐哐响："锁上了，我们怎么出去呢？"

吕方成踮着脚伸长脖子，向着学校大门门口那边望："保安室肯定有人，咱喊他们过来开门吧？"他刚要大声叫人，郑雨晴一把捂住他的嘴："你疯啦？！"

吕方成这才想到，学校上个月刚刚处分了两个早恋的学生。"抓到这种孤男寡女放学后不按时回家的，"校长在广播里声色俱厉，"一律直接开除！不商量！"班主任也打人情牌："还有一个月就高考了，你们在这关头，千万不要出岔子！已经谈上的，求求你们不要散伙！还没开始谈的，忍一个月出了考场你们到我家谈，我给你们做饭！我在这里拜托大家，不折腾啊！要以不变应万变，安安稳稳平平静静迎高考！"

吕方成却大大咧咧："你怕什么啊，身正不怕影子斜！我们是学习，又不是恋爱！"

郑雨晴忧心忡忡："这都晚上九点了！跳到黄河也洗不清了吧……"

吕方成调皮地问："你，是不是心里有鬼啊？"

郑雨晴急着分辩："你胡说！谁心里有鬼？！"

吕方成嘿嘿笑："那你着什么急呢？你看我，君子坦荡荡……保安！"

郑雨晴急了，再捂他嘴。吕方成伸出舌头舔了舔郑雨晴的手指。

郑雨晴一脸被恶心到的样子，"噫"了一声，赶紧把手指上的口水蹭在吕方成前襟上。吕方成"腾"地热血冲头，在郑雨晴抽手的一刹那紧紧攥住她的手。

郑雨晴抽两回没抽出来，脸一下红了，嘴里说着"讨厌"，脸别过去。

吕方成第一次和女孩子距离那么近！光洁的额头，弯弯的眉毛，亮晶晶的眼睛，浓密的睫毛，小巧玲珑的鼻子，因为窘迫而半咬着的嘴唇，还有年轻的脸庞上，那一层细密可爱的绒毛。夜色里，那层绒毛让郑雨晴的脸，更显柔和神秘……吕方成有一种冲动，想抱一抱眼前的姑娘，只是单纯地抱抱，让她与自己靠得更近一些，除此之外，别无奢求。可是，他还是忍住了，怕吓着她。他只是将自己的脸庞，轻轻地贴了贴郑雨晴的小拳头。

郑雨晴还是吓了一跳。她前所未有地发现这个男生，个头怎么突然变得很高，肩膀又怎么这样宽呢，他的呼吸又是那样的粗重。她眼花缭乱，无法看清他的脸，她猝不及防，若不是拳头被吕方成拉着，只觉得自己快要晕倒了。

之前她一直不理解，暖风熏得游人醉，那个"熏"字用在诗里，到底有什么妙处。可是在那一刻，她突然就开窍了！吕方成身上，少男那种特有的汗味，干净纯洁，带着热气腾腾的霸道和侵略性，有一点点酸，有一点点腥，又好像有点甜。对，这就叫"熏"！不由分说从头到脚地裹挟住她，让她动弹不得。郑雨晴被这气息笼罩着，无比陶醉。吕方成轻轻掰开郑雨晴的手。少女的小手跟男孩子粗糙的手确实不一样！软软的，嫩嫩的，香香的，热热的，湿湿的。在那右手中指第一关节处，有一个硬硬的突起的茧子，这和自己的一模一样！俩人瞬间对上暗号！这是苦逼高三党的党徽，是长期握笔写字留下来的印迹。

郑雨晴由着吕方成拉着自己，两个人一路快跑，上到二楼，吕方成停下来，喘着不匀的粗气。

郑雨晴跟着停了下来，不知所措，脑袋缺氧，嗡嗡作响。吕方成指着一处对她说："郑雨晴，我们从这里跳下去吧！"

郑雨晴吓了一跳："跳楼？！"

吕方成用力掰开两根栏杆，将两个人的书包扔下楼，自己小心翼翼钻了出去，悬在半空中："我先跳，在下面接住你。"

郑雨晴伸头往下一看，黑灯瞎火的，模糊看到楼下的一圈绿化带，她顿时恐慌了："这这这不行！"

"我先跳，给你探个路。"

"哎呀别跳！这底下是什么都看不清楚！"

男孩子胆气倍增："你别怕，看我的！"吕方成说罢纵身跳下。

郑雨晴在楼上，都能听到吕方成落地的时候，骨头发出咔嚓一声。

她又担心又害怕，压低了声音询问："吕方成！吕方成！你怎么了？"

半天没听到吕方成的动静，吓得郑雨晴带着哭腔问："吕方成，你说话啊！你受伤了吗？"

吕方成还是没回应。郑雨晴吓得哭了："来人啊！来人啊！救命啊！吕方成，你……你不能死啊！你说话啊！你要是死了我怎么办啊！"郑雨晴长这么大都没绝望过。

远处已经有手电筒的光飘来。吕方成还是无声无息。郑雨晴不禁悲从中来："吕方成……你说话呀！你忍忍！保安马上就来了！"

黑影里，传来吕方成沮丧的声音，他闷声闷气地说："白跳了！早知道开始就喊保安了。"

郑雨晴一听，"哇"的一声大哭起来："吕方成……你讨厌！你刚才干吗不说话！你吓死我了……呜呜呜呜呜……"

吕方成吸着冷气说："哎哟我 ×！疼死我……我的脚，好像断了！"

准状元跳楼跌断了腿骨。

老郑的脸，挂得像长白山那样长。待到高考如期而至，郑守富臊眉耷眼地从单位要了车，不是接送女儿，而是作为赔偿，接送瘸腿的未来女婿吕方成。

郑雨晴的高考成绩无功无过，一如她稳当中庸的性格。遇大祸不惊，遇大喜不乱，她考上本地一所重点大学，读新闻专业。

打着石膏的吕方成，翘着一条腿参加考试。他不负众望，最终兑现了自己的承诺，给学校拿了个文科状元回来。喜得校长一笔勾销了他和郑雨晴的所有过错，甚至还写了篇洋洋洒洒的文章——《论高考生早恋的正确引导及教师的心理干预》，登到《教育报》上，获得了优秀论文奖。

以吕方成的成绩，北大清华任他挑选，但是他却跟着郑雨晴一起去读那所本地院校，读经济系。恨得校长老师牙根痒痒："你这孩子傻不傻啊？北大清华，多少人梦寐以求啊，你居然眼睛不眨就放弃了！迟早你会后悔！"

吕方成一本正经："我跌断一条腿，才换来和郑雨晴在一起，比北大清华贵多了。"吕方成的妈真是厉害角色，吕方成这个重大的决定做出后，她又一声不吭地接受了。也许不知心里咒骂郑雨晴多少回，但郑雨晴和吕方成大学报到之后第一次回家，她还是不冷不热下了一碗面端上来。

郑守富那个时候是《都市报》群工部主任，主要工作是接待群众来信来访。群工部的工作虽然拉拉杂杂甚至婆婆妈妈，却是一竿子从上通到下，上通政要下达民情。郑守富的办公室内，因此挂着一溜感谢的锦旗，一年到头都坐一圈上访告状的人。郑守富早就嘴皮磨薄了，耳茧听厚了，也练得一副嗯嗯哈哈的好脾性好耐性。纵是这样，当年遇上宝贝女儿早恋的事情，郑守富像被人挖掉心头宝一样，一跳三丈高。后来吕方成真得了状元，郑雨晴假装不经意将《都市报》扔在家里茶几上，吧嗒吧嗒走出门。郑守富追问："去哪儿？"

郑雨晴答："去找状元。"郑守富回头一看茶几上的报纸，吕方成正在头版头条上昂着头，少年得志，意气风发。

郑雨晴和吕方成的爱情，拿吕方成的话来讲，叫"五初俱全"：初牵、初搂、初抱、初吻、初夜，水到渠成一气呵成。基本上大学一年级就把今生应该干的事全干完了。他们奉献并享受了彼此所有的第一次——那是在大学体育馆的储藏室里。在布满鞋印的跳高棉垫上，郑雨晴一面担心没挂窗帘的小窗户外有人偷窥，一面紧张刺激到忘记流血的疼痛。到这个时候才恍然大悟，那天晚上，当和吕方成一同被锁在学校的楼道里，她从吕方成身上闻到的那股好闻的熏得人醉的味道，究竟是什么。

而高飞也上了同一所学校。不过他是大专。没人对他不满意，他自己也觉得蛮好："本来嘛，我反正又没怎么用功，能上大专已经足够好了。"这三个人牢牢地焊在一起，从同一所高中又到了同一所大学，关系越发亲密。

郑雨晴大学毕了业，仗着报社元老的身份，郑守富将女儿安排进报社做实习生。他拉着郑雨晴的手，去领导老师那里，认门子拜山头。连郑雨晴的入门师傅刘素英，也是郑守富亲自挑选的。

报社这样文人成堆的单位，认的是能力和才气，你会写新闻，你能出稿子，你能得大奖，大家就尊重你服气你。一辈子不谋官的名编名记，靠着自己的一支笔，有时活得比总编主编要潇洒自在，且名利双收。在业务上干不出啥名堂的，没指望当名记者名编辑的，都低人一头。在报社里，基本上你看不出来谁是官谁是兵，大家平等和气，彼此称呼也是老郑老傅。

郑守富去找总编傅云鹏，因为傅云鹏年纪小自己几岁，郑守富便大言不惭地喊他："小傅！我把丫头拜托给你了。你以后让刘素英带她。"

小傅笑答："老郑，刘素英是你一手带出来的，与其跟着徒弟，不如直接让雨晴跟着你这个师爷了！"

郑守富直摆手："自家的菩萨，不灵的！她哪把我放在眼里？"

郑守富是吃过丫头亏的。

去报社报到前一夜,郑守富伏案写了一封长长的工作交代信,对上要怎样,对下要怎样,对工作要怎样,对采访对象要怎样,那是字字珠玑,传女秘籍。

他殷切地将其放在郑雨晴书桌上,期望半夜郑雨晴该约会约会完了,该恋爱恋爱累了,回家以后能瞅两眼。岂料这呕心沥血的岗前培训,就换来郑雨晴一个"噢"。

老婆许大雯还气他:"就你自作多情。我看那纸,都没动过。"

等郑雨晴一出门,郑守富就发怒:"她以后要是给我丢人,我把她的腿打断!"

许大雯嘲笑郑守富:"你这就叫关门狠。你这些话,怎么不当她面讲?她丢你人也不是一次两次了,看她的腿,跑得还挺快。"

好在郑雨晴争气,让她爹没小辫子可抓。她的表现和成绩,也闪亮得让所有人表示服气。因此,郑雨晴从学校到单位的过度,非常顺畅,当年就拿了"最佳新人奖"。

从学校毕业后,高飞经常感叹换了人间。这个上课就打瞌睡的人,脚一踏上社会就活泛起来。耳听六路眼观八方,酒桌上一圈的人,谁要好好服侍,谁心甘情愿认小服低,明明不认识,进门一搭眼,高飞基本能摸个八九分。一场酒下来,所有人都能被高飞码得整整齐齐、舒舒服服。该敬酒的敬酒,该奉茶的奉茶,该夹菜的夹菜。见人说人话,见鬼说鬼话,从来不会失误。他进了当地著名的冰箱厂跑广告,负责与各大媒体的广告科对接。噢,那个给黄科长从门缝里塞纸的业务员,就是高飞。能及时地送上擦屁股纸,那是因为他提前把厕纸从卫生间里拿走了。机会总是留给有准备的人。

遇到那些手握实权的中年妇女,高飞更适时扮个萌卖个傻犯个贱要个嗲,哄得她们开开心心。中年妇女,基本沦落到性别不那么明朗的境遇,家里家外都走更年期综合征的戏路,看谁都很碍眼,少有心宽气顺的时候。赶上手里攥有点小权,更有过期作废的紧迫感。你找她们办事,不折磨你已经算阿弥陀佛了。突然有个干净高大的青春好少年,愿意哄着自己,开个无伤大雅的小玩笑,大姐阿姨们被高飞的俏皮话逗得咯咯直笑，荷尔蒙突然回来了，大有重返青春的幻觉——反正生意都是要做的，不如照顾这个大男孩啦！所以高飞这一路的策马扬鞭，财运亨通，全仰仗一系列"资深美女"的青睐。高飞失去不多，得到不少，冰箱厂厂内厂外，城市从南到北，被他耍得上下通吃。

与郑雨晴的水到渠成和高飞的一马平川相比，吕方成显然有些命运多舛。这个当年的状元一度觉得自己像被拧错地方的螺丝钉，哪哪都不那么对劲。按说学的专业是经济，进的单位是银行，应该算学以致用了；他在大学里连年拿奖学金，毕业成绩是系里第一名，进银行时的考试，他也考了第一名，可是，书本和实践之间的距离，就好像唐僧与西天之间的距离，隔着十万八千里。单独上柜第一天，他就出状况了。不过是普普通通的存钱取钱，生生在结算时少了五百块！！

领导劈头盖脸毫不留情地当众训了吕方成一顿。长这么大，吕方成第一次体会"没脸没皮"的感觉。想高飞这么多年被老师揪着呼来喝去地骂，当年自己常起哄讪笑他，现在才知道得多强的心理素质才能活到那个份儿上。

那五百块钱，是吕方成用第一个月工资赔的。也就是说，第一个月，吕方成就得了个下马威。

银行这个行当，虽然讲究做业务，却有着相当深远的裙带关系和血缘传承，往往上一辈有一人做银行，能带着小半个家族都进金融系统。半年之后，吕方成总算搞清楚状况：这人和那人，是姑舅，这家和那家，上一代结亲。加上同学会老乡帮，拨拉来拨拉去，好像整个营业部，只他一个是外人。

他还觉得自己丧失了部分语言功能。

"大妈您好！请问您这笔钱，想怎么存呢？要不要买个理财产品？"点钞机哗哗点了两万块，吕方成端着职业性微笑，坐在柜台里，问那个大妈。

大妈皱着眉头反问："啥？"

"我是问您啊，这两万块钱，您打算存活期还是定期？"吕方成尽量用平时的口头用语。

大妈怀疑地看着他，还是一头雾水。

营业部姚主任终于看不下去，他手撑柜台，头伸到外面，冲大妈用方言吼道："俺问你，要死要活？"

大妈这回懂了，眼睛一亮："俺要死的！"

姚主任吩咐吕方成给大妈存了定期。

吕方成这才发现，学校和社会，运用的是两种语系。

姚主任说："吕方成，你别干柜员了，先学学怎么跟人说话吧，去干大堂助理。"

所谓大堂助理，其实就是个接待。客人进来，吕方成一拉门，满脸堆笑："欢迎光临，请问，您办理什么业务？"客人办完事，吕方成再一拉门："谢谢光临，您走好！"不会写字的老人，吕方成要代填单子。年轻妈妈清点钞票，吕方成立即接过她怀里的孩子，噢噢地哄着逗着。有个带小狗来存款的女士，尽管吕方成厌恶那狗，因为它把自己的左腿当成母狗，不停地骑跨着来回蹭，却不得不爱怜地假笑："您的小狗好可爱噢！"然后在用户等候的时候把狗牵到门外站着。

社会的阶梯，不按学业成绩排名。

他没有高飞察言观色的本领，也不像郑雨晴有爸爸的人脉可以依赖。那段苦到黄胆水倒流进胃的日子，吕方成都不敢跟郑雨晴讲实话。只有妈妈端上一碗清汤面，跟他讲："从前做徒弟，都要吃三年萝卜干饭，要给师傅师娘端汤送水倒痰盂洗尿布的！进社会，就像坐班房一样，头三天都要睡马桶边上，杀杀你的傲气。"

吕方成的傲气，一夜之间，不剩毫分。

吕方成的转运，要从那个老头踏进银行大门的那天起。

那天还下着雨，为保持营业大厅干爽，吕方成携保洁员一起每三分钟就要拖一次地上的水。给伞套上塑料袋的业务，吕方成比点钞还娴熟。

营业部赶巧不巧来了一个衣衫不整的干瘪老头，带着两腿豪迈的泥浆，一步一个脚印走进来。他头发结成疙瘩，身上散发着常年不洗澡的酸臭气，像个移动的生化武器，所到之处，三米之内，人不能近身。

老头拎着两袋零钞要存。若是买理财产品，柜员也就接了，可他偏偏是往外地账号打款，真没啥油水。当班的职员都退避三舍，保安直往外轰。只有吕方成主动接了这笔业务。他蹲在大厅的一隅，忍受着老头发出的阵阵酸腐，整整数了四个小时，才帮他清点出又脏又臭的七千多块。站起来的时候，吕方成因饥饿加熏天的臭气，差点晕厥，他被老头身手矫健地一把抓住。吕方成稍微能自主呼吸，开口讲的第一句话是："大爷，你不要把所有钱都汇回家，搁家里，钱都死了。你应该在这里买个理财，让钱生钱。"这个老头是个职业乞丐，脏是脏，但收入却不低。之后隔三岔五，要饭老头便会扛一麻袋零钞，点名找吕方成理财。银行人惊讶地发现，他们的收入远低于一个要饭的。

老头是跑惯江湖的人了，人的眉高眼低向来看得很清楚，之前不知道在多少家银行门店都吃了闭门羹，只有吕方成耐心接待了他。老头认定吕方成这人心眼不坏，不仅自己在这里开了户，还号召江州市里大大小小的同行，都到吕方成这里来办业务。毫无背景和人脉的新手吕方成，居然就成了吸储能手。

营业部姚主任虽然嫌这些人脏，不入流，但那些零零整整的钱源源不断地进来，也抵得上几个小微企业，他自是喜笑逐颜开。业务会上，姚主任还对那些有意见的员工说："聚沙成塔，集腋成裘嘛！"

与吕方成同期入行的徐文君在会上酸溜溜地说："咱们以后都得带眼识人！小吕到底是状元郎，有水平啊！小吕啊，你现在算得上江州的丐帮首领了吧！哈哈哈哈……"

徐文君讪笑吕方成的时候，双胸跳如脱兔。

吕方成曾经对自己的职业，有过万千美好的设想，但却怎么也想象不到，自己入职之后，第一位固定的吸储大户，居然是一个讨饭花子。

银行的业务就是一手钱进一手钱出，进是吸储，出是放贷。"吕方成同志在咱营业部进步很快，善于和基层群众沟通交流，当大堂助理屈才了，去跑贷款业务吧！"营业部姚主任说，"今后江心岛那一片，就归你了。"

江心岛上都是养殖户，像永刚家一样。这块业务可不是啥肥差，否则也轮不上吕方成。

在银行里，好收好贷的大客户，自有与之相关的爷爷奶奶占位。比方说本市新华系统的账款，自有新华系统的孩子们把守，本市交通系统的账款，自有交通系统的老婆们看护。你想凭空横插一杠，肯定水泼不进。江心岛，谁都不愿意去。这里位置远不必说，既脏且累，苍蝇嗡嗡叫，蚊子轰不走。贷出的款子和铁路公路这样的大户比，简直是鸡零狗碎，但责任却不小。姚主任对吕方成说："到期要是还不上来，你要负九成的责任。"吕方成很想问问主任："贷款绩效是不是和责任也挂钩呢？"一个老业务员像是看穿他的心思似的，笑着说："去年我贷出去164笔，绩效不到500块。"

吕方成接班换岗之时，正是年底还贷之日。一场百年不遇的特大暴雨，冲走了网箱，飞走了鸡鸭，让郑雨晴事业腾飞起步，却直接让吕方成抓瞎。他先去那个养鸡专业户，踏着鸡屎一步一步向前，一不留神，头顶上还落鸽粪。养鸡户连本带利，一分钱都没有。再催逼，就给200只小鸡雏让吕方成养俩月，成鸡子以后算利息。

再转到永刚家，站在门口想了又想，吕方成最终还是硬着头皮进门。永刚老婆当然知道吕方成的来意，她只流泪，不说话。快过年了，患肺癌的婆婆也从医院接回家来，窝在床上的被窝里。屋里寒气逼人，两个半大的男孩，光着脚跐着踩平后跟的单薄布鞋，含着口水，围着堂屋里的桌子团团转。那上面有几包慰问品，看样子是有人刚刚送来的温暖。除此之外，这个家里没有一点过年的气氛。

吕方成和妹妹吕方圆自幼丧父，兄妹俩跟着妈妈长大，作为长子，吕方成深知单亲家庭的艰难。此时，他心里酸酸的，鼻子也酸酸的，早忘掉自己的来意。一摸口袋，还好，今天早上工会发了一百块钱的超市购物卡，吕方成递给永刚老婆："大姐，这个你收下，给孩子买点过年的零食……贷款的事，不急啊！你安心过年！"

回到营业部，姚主任劈头盖脸就是一顿冲："吕方成，我们这里是银行，不是舍粥铺子！你要搞清楚，银行是干什么事的！银行是晴天非要把伞借出去，雨天非要把伞收回来的单位！你不适合做金融，倒像个散财童子慈善家。都像你这样，迟早大家都喝西北风去！"

主任顿一顿又说："这个月的绩效工资你自己往上缴！"

逢吕方成不拿钱，郑雨晴就发福利。吕方成看到郑雨晴手里提溜着鸡蛋笑嘻嘻进门的一刻，如见鸡瘟般惶恐："拿回去！拿回去！我现在根本不能接受和鸡屎发源一处的东西！"

雨晴知道方成的两难，眼珠滴溜溜转两圈，便率领李保罗再登江心岛，来个《受灾群众这半年》专题报道。本来看着脏兮兮臭烘烘不招人待见的小雏鸡，给李保罗拍得像小宠物一样楚楚动人怯怯生生，小黑眼珠在版面上如宝石般闪亮，然后就当宠物给爱心百姓认购了。吕方成这才要回他第一笔贷款利息。报道一出，市长一指示，银行领导主动免去永刚家今年利息，又免息贷了明年的。到第二年，风调雨顺，鸭没病，水没灾，江心岛顺顺当当把款还了。郑雨晴靠江心岛都能吃一辈子记者饭了，她又做了一期《有爱才有家》的江心岛翻身致富的报道，又拿了大奖。

一到年底，各单位都忙着选优评优。郑雨晴也不知是仰仗爹妈的底子，还是真有慧根，大小奖项总能捞回点儿。

吕方成第一年放了个空炮，第二年就有些摩拳擦掌。评优这事，从前都重精神鼓励，现在银行全改为物质刺激。评上优秀，奖励出国游，七万块七天，地点自己选，还可带一名家属——吊得大家胃口足足的。为公平起见，银行大都采用自荐和他荐相结合的办法，每个营业部产生一个候选人，上推到行里参加评定。

业务单位当然凭业务能力说话，吕方成掂量掂量，自己这两年的业绩摆在那里，有目共睹，除了丐帮，江心岛也特别争气，小贷都快整成"托拉斯"了。吕方成帮着他们做了个经济联合体，晓之以理，动之以情，让鸡鸭鱼肉入股，这样防着谁家收成不好了，也能吃个股息不至于大灾一来全盘抓瞎。

方成的这些业务整合与归纳，被雨晴包装一下，就成了银行新推出的业务，《战无不胜贷无不利　银行小额贷款普惠于民》，报纸新闻一宣传，行长老有面子了，大会上都点名表扬了吕方成。吕方成自己内心思忖，放眼望去，整个营业部，被行长一年里点名表扬的除了他，真没旁人了，想来这个优秀，无论是自荐还是他荐，应该十拿九稳。他一边整理自己的优秀事迹，一边对郑雨晴说："抽空去照个相，把护照先办掉。"

郑雨晴不解。

吕方成端出一个地球仪，拿手拨动着："你选个地方，过年我带你去旅个游！"

郑雨晴说你还没评上就开始嘚瑟了！但吕方成胜券在握，并跟郑雨晴保证，我一个说拿状元就拿状元的人，弄个优秀不是小菜一碟？！一天一万的额度，哎呀妈呀，得住多好的酒店啊！

郑雨晴眼都花了："一天一万？！你们单位太舍得下血本了！能……能要求折现吗？"

吕方成刮一下郑雨晴的鼻子："看你那出息！眼光要放远。这点小钱就把你给收买了？告诉你吧：从大局上说，银行那是钻石饭碗，一辈子不脱手；从小义上说，你跟的人是钻石王老五，以后这样的待遇，只怕你都玩腻了不想去。"

郑雨晴一撇嘴："哼！也不晓得是谁，一上柜台就丢五百块。还有啊，你也别那么信心满满，你们那个徐文君……"

吕方成一听到徐文君，烦躁就上来了。

徐文君和吕方成一拨进银行。吕方成他们都是凭实力一路考进来的，传说徐文君是凭体力一路睡进来的。吕方成观察许久，觉得不像："长那个样子，谁愿意睡？"

徐文君长得是不好看，倒吊眼鞋拔脸，来路也很奇怪。说起来行里除了老职工子女，其他一定要收本科生，她一个非银行子弟，又是小中专生，倒活得一点不小媳妇。哪里有领导，就往哪里上——陪吃代酒凑牌搭子，各种活动场合，她都萦绕在营业部姚主任的左右。

行长下来视察，随口一说："窗户玻璃很亮啊，你们卫生保持得不错。"

很平常的一句话，徐文君立即把巴掌拍得山响，晃着一对奶子从座位上跳起来，对着行长娇笑："哎哟哟，行长您太英明了！目光如炬！玻璃，我每天都擦，窗明几净就是我的精神面貌！"

行长要是诧异地看她一眼回一句："这句话不错，窗明几净就是精神面貌。"

她立刻接上话说："哎呀，多谢领导表扬！真的好感动，您身居高位连这点事情都看到……好激动，都不知道怎么表达才好……"

一屋人听了要呕：你他妈啥时候擦过公家的玻璃？你置银行花钱雇的保洁于何地？

领导本来都转身准备走了，这下立即停了脚步，眼睛停在徐文君窜动的胸口上，笑眯眯饶有兴趣地问："你叫什么名字？"

一般这时候，徐文君会恰到好处地一只手半遮乳沟，半侧脸，上挑眉地递个笑过去："徐文君。"

吕方成回来感叹："她应该再加'小奴家'仨字，才能把这气氛烘托得更加不要脸。"

郑雨晴打趣："她要是读书多，混个女状元，这三个字就会加了。"

吕方成忍不住摇头："这女人无论走路说话，胸部都不断窜动。真是技术活。"

郑雨晴由衷地："胸前二两谁都有，搁我身上叫浪费资源，在她那里叫盘活存量。"

别看徐文君在领导面前满脸是笑，但她好像吕方成的天然敌人，专门踩他一头。人和人之间，似乎有着某种神秘的气场。像郑雨晴和李保罗，天生气场和谐，同样是工作伙伴，吕方成和徐文君就是十三不靠，哪儿哪儿都不对付，话不投机半句多。吕方成好不容易稳定了那帮乞丐客户，安定日子没过上几天，徐文君跟姚主任嘀咕几句，吕方成就给支到江心岛跑贷款了。吕方成一走人，他那些乞丐客户就被姚主任拨到徐文君的手上。她坐享其成还大言不惭："银行大门朝南开，客户自己上门来，又不是他吕方成出去拉的。打不散的业务那都是我维护的！"

徐文君为了自荐的事情，径直来找吕方成："小吕，今年报先进，我觉得你推荐我合适。我已经推荐我自己了。"

吕方成像听到晴天霹雳："啊？！"

"要饭花的生意，得有耐心爱心加恒心，换你是做不下的。我们营业部，就报我了。就这么定了啊！"徐文君说完转身离去，留下哑口无言的吕方成，站在原地半天没缓过劲来。

吕方成悄悄问同事："这是什么意思？"

同事几乎用唇语回答："没啥深意，请按照字面理解。"

吕方成再问："那……这是谁的意思？"

同事捂嘴笑说："真摸不清。反正她都挨个打招呼了……"

"这么直白……那你们打算怎么办？"

同事摇头："有她在，估计我们也荐不上吧？不荐就不荐呗。"

吕方成小心翼翼地问："那你们推荐谁？"

大家互相张望一下，暧昧一笑说："谁都不推。"

偏偏副主任是个女同志，看不下眼，咽不下气。"吕方成，你怎么不自荐？我觉得你各方面都不错……"她低声道，"咱们营业部推荐她，等于心甘情愿拉低自己的档次。"

吕方成犹豫半晌，赶在最后一分钟填交了自荐表。

岂料徐文君晚上十点打来电话，劈头盖脸大骂吕方成："吕方成！你做人太不地道了！看起来老老实实，没想到那么阴毒！背后下刀子！你也不秤台上称称，你有什么资格评优秀啊？"

吕方成不解："小徐，你什么意思？"

"你装什么装？在我面前答应得好好的，转脸就往姚主任门缝里塞表格。你以为做得神不知鬼不觉？我告诉你，你交了也白交！"咔地摔掉电话。

吕方成手里拿着话筒叹："劣币驱逐良币，这是货币法则。"

吕方成的表，果然都没拿出来被营业部评估。全营业部，就推荐了徐文君一个人。

姚主任最后总结陈词的时候当着全体员工的面说："小徐看样子在工作表现上，那是毫无争议啊！全营业部大家因为她突出的表现，都主动让贤。但小徐同志吧，工作水平不错，文字水平真是一般，往上报的材料，还是让我们的文科状元小吕给润色一下吧！毕竟，小徐代表我们营业部，拿了优秀，也是我们营业部的光荣。你说是吧小吕？"

吕方成感到姚主任的话是迎面打脸，憋一肚子气，还得拿出吃奶的劲给徐文君改"事迹"。他把推荐表假想成是自己的，把自己蹲地上一分一分数钱的回忆写在徐文君头上，徐文君的事迹简直到了可歌可泣的程度，全行都不好意思跟她争优秀。主任的话那都是带着威胁的，要是徐文君评不上，那就是吕方成的责任了。

徐文君拎着箱子去马尔代夫之前，偏偏把手头工作交给吕方成代理，吕方成那一段时间肝代谢怎么都不顺畅。他搂着郑雨晴溜达环城公园，在郑雨晴跟前叹："赤脚的不怕穿鞋的，徐文君这种人，我真拿她没办法，恬不知耻，毫无规矩，像泰森似的，我们都在戴棉手套拳击，她上来就咬耳朵。这比赛没办法再打，我得另找门路。惹不起还躲得起。"

郑雨晴有些不忿："马勒戈壁的，明天我就写稿子发你们行徐文君一路靠卖去国外！"

吕方成一把搂住郑雨晴："你疯啦？！你断我生活啊！"

郑雨晴怒："我气不过！你干吗走？你走了，不是给她腾位置？再忍几年，等她结婚生了孩子，她的奶，除了抖给儿子看，还能抖给谁看？我就不信她四五十岁了还能靠卖生存！"

"你别吓我了！四五十岁！我等不及了，不到那时候我就给她气死了！完全不在一个维度和空间，也不是一个语系，想好好沟通对话都不大可能。她那种谄媚的话，我一辈子都说不出口。领导也真瞎眼，怎么欣赏这样毫无素质的人。"

"领导需要你这样埋头拉车的纪晓岚，也需要溜须拍马的和珅，一手抓业绩，一手抓欢愉。不然领导坐车上多闷多无聊。你这个人啊，也是，你都有业务傍身了，就不能说几句凑趣的话，让领导高兴高兴？"

吕方成鸡皮疙瘩立刻涌上臂膀。

郑雨晴："再不行，提高点情商，去领导家送送礼……"

吕方成一听，头更大了："送礼？送什么？去了说什么？"

郑雨晴想了想："啥都不用多说，扯几句闲话就行了。我们报社刚发了一条火腿，这要在商店买，至少三百多呢，挺拿得出手。"

吕方成扛着火腿，在姚主任家小区里转了整整两个小时，硬是没好意思敲门上去。眼看着小区高楼里的灯一盏一盏都灭了，他心一横：奶奶的，老子高考挤过独木桥，干掉全省同侪，送根火腿算个什么难题？！这样想着，拎着火腿，视死如归地准备往楼上冲。

刚迈出阴影，就见徐文君窜动着胸，拎着大包小袋的礼盒哼着歌从姚主任家楼上下来。吕方成突然想起，主任家老婆在郊外陪孩子读书，只有周末才回市里。

吕方成冷汗吓出一身来，要不是胆小熬了俩钟头，不识趣地敲门进去，只怕火腿没送出去，倒是挨上一腿给踢出来。

吕方成颓丧地拖着火腿扔回给郑雨晴："幸亏没送出手，火腿再好也是老腊肉，哪比上人家张开腿的小鲜肉？我还往领导家送礼，人家都从领导家拎着礼物回去。这一进一出，差别太大了！"

郑雨晴两腿一盘，托着腮嘟着嘴生气："你们那里，真是坏人升天！幸好我们单位还一身正气的，不然社会没法子混了！"

风水轮流转

雨晴是自己要求在夜间记者站值班的。她这种进步要求，源于她爹郑守富。因为他把吕方成当贼一样防着，严重阻碍了年轻人正常的爱情生活。郑雨晴和吕方成都恋爱六年了，谁都知道他俩板上钉钉，迟早要成夫妻的，难道恋爱六年后还正襟危坐吗？但在郑守富眼里，他家闺女郑雨晴要么就没发育，要么就是不解人间风情的仙女。

第一次训吕方成，是因为吕方成与郑雨晴手挽手肩靠肩进报社大院，郑守富觉得抹不开面子。"像什么样子！满大院的同事都看见你俩勾肩搭背，走路没个正形！是瘫痪还是不良于行啊？没个支架不会走啊？！"郑雨晴不乐意了："是我拉的他。"郑守富训女儿："那他就是不为你的未来和名声考虑！他不珍惜你的荣誉！"

那天晚上，吕方成连晚饭都没吃成就慌不择路跑了。

第二次训吕方成，是因为郑雨晴带他进屋关门了。郑守富示意许大雯几次去敲门，一会儿送点心，一会儿送水果。在郑雨晴第三次把门关上的时候，郑守富忍无可忍地拍案而起："家里老人都在，你俩光天化日地关啥门？防谁？有话大大方方说！不要鬼鬼祟祟地让人看不上！"

郑雨晴二话不说，拉着吕方成就出门大方了。

许大雯眼看着雨晴咣当一声用力关门扬长而去，掉脸就点着郑守富的鼻子，骂道："这下好了吧？你痛快了吧？放家里看在眼皮底下你不满意，非把他们赶出去！现在天高任鸟飞，上外边野了！"

郑守富铁青的脸，又拉得跟长白山一样长。

郑雨晴跟吕方成说："我怀疑我俩谈六年都没分手的原因，主要是每年都有跟我爹妈抗战的新主题。他俩要是早早承认我们是凡夫俗子有七情六欲的现实，说不定我俩已经分手了。"这话是在吕方成宿舍里说的。

银行房屋富余，位置不好的旧房子，都腾出来当新员工宿舍。吕方成和另一个营业部的同事分了一套二居室，各占一间。这同事啥都挺好，就一坏毛病，喜欢拉着吕方成和郑雨晴跟他和他的女朋友一起打升级。郑雨晴后来都怕去吕方成宿舍了，俩人憋得心急火燎的，刚一进门，那小两口就欢呼雀跃地迎出来要打牌，打到天昏地暗，他俩回房放纵去了，郑雨晴跟吕方成俩人和大学时一样，衣服都来不及脱速战速决。郑雨晴一边提裤子，一边就催吕方成赶紧送她回家。

吕方成有些意犹未尽，哀求雨晴："你就在我这里住一夜吧。"

郑雨晴也不舍得走，但又不得不走："乖啊，快点送我回家，太迟了老头老太会怀疑。"

吕方成很是懊恼："怀疑什么？他们不会觉得你我谈恋爱这么多年，你还是处女吧？"

郑雨晴犹豫片刻，不确定地答："真有可能。在他们眼里，我哪会干这么下流的事。话说回来，你能想象你爹妈躺床上造你的样子吗？感觉跟平时训我们的样子，不搭。"

吕方成扑哧笑出声来："是啊，我都不敢想象，你爹头上那撮特地留长的毛，为盖住大部分贫瘠的头皮，平时都用发胶粘上，风吹一下都要用手捂着，那在床上，和你妈……"

郑雨晴一拳头捅在吕方成小腹上："滚！"

吕方成："你轻点儿！捅坏了你没得用了！其实你爹妈都是过来人……"

郑雨晴："他们那辈人古板。"

吕方成走出房门，仰望星空，叹口气说："想想挺悲催的，毕业几年了，女人早都有了，还跟那些毛头小伙儿一样，满头满背憋得都是青春疙瘩脓包疮。都没有快快活活一夜七次过。"

郑雨晴不忍。吕方成抬头仰望的刹那，狼一样孤寂与悲伤的样子，一下就刻进了她的心。

一横心，她积极要求在夜间记者站值班，守着热线电话。

报社不到紧急情况，一般夜班的活不派女记者。所以老傅知道郑雨晴主动请缨，特地给郑守富打了个电话："老郑啊，你这丫头，培养得真是大气磅礴，多少男人都比不上！文字功底又扎实，大小奖都要被她一人承包了！我私下给你透个底，上面要求建设第二梯队，我第一个报的，就是你闺女。这可绝对看的不是咱私情。咱都是凭本事说话！"

郑守富心里那个美啊！就忽视了哪怕是夜间记者站，也不必夜夜站岗到通宵的事实。

郑雨晴和吕方成，从此开始非典型同居生活。她新配了手机，开通了呼叫转移，在吕方成的小宿舍里欢娱的时候，也没耽误值班大事。

这天半夜十二点，两人刚刚春风一度，突然电话铃声大作，郑雨晴拎起话筒，里面传来压低的声音："我有重要事情向报社反映，你们记者现在能过来一趟吗？"

郑雨晴给这声音带着，不由得也压低声音问："在哪里？什么事？"

对方断续神秘地说："江心岛……化工企业，正在放毒……居民跟他们对抗，要出人命了……"咔嗒一声挂了。

郑雨晴一听到"江心岛"三个字，顿时肾上腺素加快分泌。江心岛可是郑雨晴的福地啊！两次新闻一等奖都出自这里，哈哈，现在，第三个一等奖正在向她招手。化工厂建在岛上，这么大的事，郑雨晴竟然不知道！

郑雨晴顿时周身充满神圣的使命感，立即推开缠着她的吕方成，连夜赶去江心岛。

岛上以前茂密的杂树丛，这两三个月不来，竟然被夷为平地！一个在建大工程夜间都在轰鸣。工地已经被居民层层包围，土方车被人群阻挡着，不能前行。居民们正扯着横幅抗议："还我洁净家园！""把污染企业赶出去！"带头的人竟然是永刚的妈，那个得癌症经常住院大部分时间站不起来的人。她和岛上另几个行将就木的老人一起，盘腿坐在土方车前，口里大喊："朝这轧，朝我这轧！我反正是快死的人了！"

施工单位出来几个血气方刚的小伙子，开始驱赶永刚妈和几个老头老太，老头老太的子女就不愿意了，上去把施工单位的人给围起来，双方剑拔弩张，互相问候对方的上好几代亲人。

郑雨晴与江心岛的百姓都混成亲人了，一看到这架势，怒火中烧，把记者证一亮，冲施工单位的人大喊："你们要干什么？！放开他们！

我是《都市报》记者！"

江心岛的居民看到雨晴，就跟看到包大人一样，热泪纵横七嘴八舌，开始控诉施工单位："小郑啊！你可来了啊！我们要是没有你们，都给他们欺负死了啊！"

"周围的省市转一圈，没人要的企业，为啥在江州落户？"

"严重污染啊，不出两年，我们这里的人要得怪病的！"

郑雨晴听了半天，总算听明白大概：这个在建项目是中外合资企业，之前已经周游几个省市，现在落户江心岛上。刚开始来宣传的时候，把话说得花好稻好，有了这个产业，岛上的人再也不要风餐露宿风吹日晒，土地归工厂管理，人到厂里上班，连老带小都被厂子养起来。

岛上人欢呼雀跃了没几天，有心眼的人就嘀咕了，这么好的事，为啥不放城里让领导子孙受益？四处打听一下，吓一跳，污染企业！

永刚老婆从人群中挤过来，拉着郑雨晴的衣袖："郑记者哎，你再帮帮忙吧！听讲这个不得了的，有剧毒哎！相当于原子弹的！以后生下孩子三头六臂，是哪吒相！"

另一个老太婆老泪纵横地说："……这是小日本的项目，他们坏到头上长疮脚下流脓，当年杀了我们那么多人，现在又跑到这里来放毒！"

施工单位有些受不了："有意见，去市政府闹去！我们这是有工期的，连天加夜干都忙不完，天天跟你们搅和。赶紧滚蛋！"

两边又要打起来了。

郑雨晴劝居民："先冷静下来，不要冲动。"又说，"请大家放心，我们报社一定把这件事情查清楚，给大家一个交代。"

回来后，郑雨晴连夜上网查资料，发现 PC 项目并不像岛民说的那样耸人听闻，只要环保到位，措施得当，产生的污染是完全可控的。虽然她有点失望，这个稿子不像自己原先设想的那样，是个得奖的题材，但她仍然以昨天晚上的事件，发了条小新闻，《江心岛的化工厂是定时炸弹吗》。还特意在新闻稿件后面，加了小常识，向读者解释什么是 PC 项目。

谁知道这条小稿子见报之后，却掀起轩然大波，效果堪比八级地震。江心岛居民倾巢出动，头扎白布带，手拉大横幅："化工厂是定时炸弹！""反对 PC，反污染！"一路呼着口号，围住市政府大楼请愿，队伍中还有人派发报纸：看一看！看一看啊！记者都说 PC 工程是定时炸弹！

江州的主要马路因此封闭交通一小时。

市长王闻声拍着桌子震怒："这个傅云鹏，搞什么搞！"

傅云鹏人在外地出差开会，立即被市长电话叫回。市长的声音在电话里炸响："你傅云鹏要是不想干，你自己辞职！"

傅云鹏哼哧哼哧一头大汗跑到市政府，都不知道发生了什么事，先低头鞠一躬，连对面的人是市长还是秘书都没看清，就先检讨："我错了，我真的错了。"

市长砸到傅云鹏身边脚下的笔记本、报纸、矿泉水瓶，都快把傅云鹏给淹没了。"PC 项目是今年市里招商引资的重头戏，几个亿的投资啊！市里几轮艰苦谈判，才从别的省市手里夺下来！现在好了，你们闷不吭声，几百个字把几个亿要全部捣掉！你现在官做大了啊！你连稿都不审就让、就让这种东西上报纸！"

噼里啪啦报纸又丢傅云鹏头上。"你自己看看！你看看马路上给人堵成什么样！你叫我这张脸往哪儿搁？对面宾馆住的就是日本客人！""这个记者，叫什么？郑雨晴！你怎么带的兵？！哪个老师教的？题目用定时炸弹？！哗众取宠耸人听闻！你以为你是《苹果报》《太阳报吗》？！"

"为什么不到政府调研？！你要给我说清楚！"市长气得满脸通红，傅云鹏自始至终脸都没抬起过。

老傅用眼角迅速扫读地上的《都市报》，从自己口袋里掏出餐巾纸给市长递过去："您擦擦汗！注意血压。"

市长一挥手给他推好远。

傅云鹏："这篇稿子我看了，快讯，没什么实质内容，只是标题党，主要内容还是在做解释工作，告诉大家一些常识……"

"为什么要搞标题党？！煽风点火？！你手下的记者，会不会好好写文章？这是党的报纸！你们是严肃的媒体，不是靠耸人听闻博出位的！这种标题，代表什么舆论导向！"

傅云鹏一张嘴，就说错话了："这个记者吧，年纪小，思维还没训练上路，我回去批评教育她。"

市长勃然大怒："这种素质，是批评教育能解决问题的吗？她不适合当记者，退回学校去！"

傅云鹏一听要坏事，赶紧回答："领导，出了这样的事情，板子应该打到我身上，我是总编辑，稿子是我审的，版样是我签的……"

市长立即戳穿他："为了给手下打掩护，你现在说谎都不打草稿了！这稿子你审的？这版样你签的？你是我一个电话刚从外边叫回来的！忘了？"

老傅赔笑："领导目光如炬！领导，这个小记者已经毕业小两年了，早过了保质期，恐怕学校不收退货，您看……年轻人，哪有不犯错误的呢？我今天能在这个位子上坐着，也是一沓一沓检查摞起来的。回去以后，我开她批斗会，让她在全社人员面前深刻反省！"

"哼哼，小记者！一颗老鼠屎坏我一锅汤，PC 现在不得不缓建！傅云鹏，工程刚刚开始打地基桩，就解决五百个就业指标！这还只是一期！全部完工有四期，GDP 增长全靠它了，现在这一缓，还不知道缓到猴年马月！让那个小记者从采编岗位下岗！让她到资料室去！永远不能再上版面！"

傅云鹏连连答应："领导放心，报社一定吸取教训，对年轻记者加强新闻素质的培训，对这个郑雨晴严肃处理！以后这样严重的政治错误，绝不能再犯！"

郑雨晴还浑然不知。她值了一晚上的夜班，正赶上第二天是周末，便跟着吕方成一起去了郊外。晚上十一点，郑雨晴满脸红光一身轻松进了家门，但见郑守富黑着一张脸，坐在饭桌前。

郑雨晴："咦，这么晚了，你们还没睡啊？"

郑守富啪地一拍桌子："浑蛋东西，这一天手机为什么关机？！"郑雨晴这才想起，白天泡温泉，手机关机锁柜子里了。

郑雨晴撒谎："哟，一天找不到就想我啦？我开了一天会，会场要求关机……"

郑守富又拍桌子："你撒谎！老实交代，你跑哪去了！"他把报纸摔到她面前："看看你干的好事！"

郑雨晴翻了翻，不在乎地说："怎么了？"

郑守富怒了："怎么了？！郑雨晴，你上班第一天，我呕心沥血扒心扒肺给你写的工作要点你看过没有啊？新闻工作无小事，来不得半点马虎！我苦口婆心面面俱到，而你是左耳朵进右耳朵出。我的肺腑之言你哪怕听上一句半句，也不会出今天的大事！"

郑雨晴也火了："爸你至于讲得这样严重吗？总共两百来字，能出多大事？"

郑守富大喝一声："你把我的脸，都丢到市里去了！我打断你的腿！"

许大雯赶紧从房间里冲出来，拉着郑守富不让他动手，又制止郑雨晴："你虚心点！早就该听你爸爸的话，不然也不会这样，今天江心岛闹事了！举着你这文章游行示威……"郑雨晴诧异，这怎么可能？稿子里没有煽动字眼，全是在解释 PC 无害啊！

郑守富："你标题怎么回事？"

"这是反问句，反问句！修辞手法你懂不懂啊？"

郑守富扶着桌子，拿手点着郑雨晴："你才学了几年新闻，你才写了几年新闻？会几个术语就端得起新闻饭碗？告诉你，早得很呢！你呀，你根本不要叫领导批你，明天一早，你自己把检查递上去！"

郑雨晴不服气了："长这么大，没写过检查。"

郑守富拍桌子了："你今晚开始练！练！练！"

许大雯开始和稀泥："哎呀！女儿一路长大，就是没写过检查嘛！你写过，你就帮帮她，让她一次过关嘛！雨晴！你去拿笔！你爸口述！"

郑雨晴犟着脖子，出去了。

郑守富跟后头喊："你去哪儿！你翅膀硬了是吧！老子写的检查都比你写的新闻稿多！"

许大雯被郑守富给气乐了："哎呀！楼上楼下，都听见啦！你真是，江湖走了这么多年，你还不知道？没写过检讨的，那都不算记者。你女儿今天也要写检讨，说明她正式把饭碗捧在手啦！"

郑守富把邪火发老婆身上："你滚一边去！你女儿就像你，一屁三谎！大礼拜天的，还说开会关机！"

第二天上午，郑雨晴一踏进报社大门，就听到四下里都在议论昨天江心岛游行的事情。大家看她的眼神都跟平时不一样了。李保罗一见到郑雨晴，赶紧蹿起来，拉她到墙角："事情搞大了！都在传，这次的事情可能老傅会给搞下班。"郑雨晴顿时心里咯噔一下。

刘素英站在新闻部的窗户前远远眺望市政府门口抗议的队伍。

郑雨晴一见到刘素英，像见到救世主一样："姐，我会倒霉不？"

刘素英缓缓地叹口气："雨晴啊，要倒霉，第一个也轮不上你啊！"

郑雨晴这下真急得要哭了："老傅会骂我不？"

刘素英再叹气："他要是骂你，倒没事了。你赶紧写检查吧！去呀！别站着了！急又不出活儿！"

"刘老师，你怎么和我家老头一个腔调？这个检查我怎么写？我没错啊！"

"领导说你错，你就错了。想不通，错就更大了。你别老杵我这儿了，我也要写检查呢！"

郑雨晴眼眶都红了："师傅，都是我，连累你了。"

刘素英提醒："这检查你要亲笔写，不能用电脑打。弄个打印稿送上去，市领导觉得你偷懒不认真，又加一条罪过。"

郑雨晴咬着笔杆头，苦思冥想，才憋出一百来个字。检讨，比新闻稿难写多了。

这几天，夜间记者站不让雨晴值班了，手机也给爹妈收走了。她只能乖乖待家里专心写检查。可是检查没憋出来，倒是把吕方成的荷尔蒙憋炸了。他在QQ上埋怨："不就一检查嘛，就那么难写？弄得跟便秘似的！"

雨晴委屈："便秘是有货拉不出来，我这是没货硬要拉！没错我怎么认错？"

"简单啊，高中叙述文，怎么去的，看见了什么，回来做了哪些事，造成了什么影响，以后不干了……凭你功底，信手拈来，划拉划拉就是三千字。"

郑雨晴得了吕方成的点拨，终于写成平生第一篇检查。

谁知道傅云鹏刚看了个开头，就给她打回来了："回去重写。"

郑雨晴长这么大，第一次被退稿。

吕方成作为文科状元，使出浑身解数，参阅大量检讨资料，亲自动手，帮郑雨晴又写出一篇洋洋洒洒情真意切的三千字检讨稿，尤其提到了"犯了功利主义的毛病，奔着拿奖而去，忽视了政治影响"。

郑雨晴拿着优等生的检讨，赶紧给老傅送去。老傅正忙得焦头烂额不可开交，看了一个开头，又打回去："未触及灵魂。"

郑雨晴一肚子火冲给吕方成："都怪你！要不是你总缠着我，我不会去值这个夜班，不值这个夜班，我哪会接这个电话，不接这个电话，我根本不写这条稿子，没这条稿子，我何至于去写检查！我写通不过也就算了，你一文科状元，连检查都写不好！都是你，全都怪你！"

吕方成都愣了："你不讲理的样子，倒有点像领导。"

他反思片刻，恶狠狠地给郑雨晴留言："看样子写检查这样深刻的事，是学渣们的专利，我找高飞帮忙去！"

高飞看了吕方成版和郑雨晴版的两份检讨，哈哈大笑。他大大咧咧架着二郎腿，调戏吕方成："没想到啊没想到！我以为这辈子，只有我抄你，没想到也有一天，是你抄我啊！来，让后进生给你示范一下真正优秀的检讨是怎样炼成的！"

高飞唰唰唰奋笔疾书，炮制出一篇让吕方成不忍卒读的检讨。

吕方成手都抖了："这这这，这不合适吧？你这检讨，得万人唾弃，五马分尸的错啊！"高飞一挥手："哎！你听我的，没错！检讨这玩意，我是专业啊！从小到大最拿手的应用文就是这个了！你要想明白，她犯了啥错误？"

吕方成："她写了一篇题目耸人听闻的新闻稿，推波助澜了群众的愤怒情绪。"

高飞一挥手："错！她写了啥，引起啥后果，这都不重要，她惹领导生气了，这才是事实！领导生气了，你唯一能让领导高兴的法子，就是使劲骂自己，骂到不是人，猪狗不如，不配吃饭拿工资，不配活在世界上。只有让自己变成臭狗屎，才能纾解领导心中的气。你们这些学究，谁关心你们犯了啥错误啊！"

吕方成拿着检讨："这这这！这太没有尊严了吧！"

高飞哼一声："你们的问题，就是读书太多造成的尊严太多。张爱玲的一句话送给你最合适：低到尘埃里。喏，你把自己看得连屁都不是，你再走上社会，带着谦卑的心和时时惶恐，你就能算个屁了。"

吕方成转脸出去的时候，高飞又嘱咐一句："记住，让雨晴发挥她小姑娘的优势！一定要哭啊！当领导面，痛哭流涕！"

郑雨晴看了一眼检讨就看不下去了，想想反正不是留着恶心自己用的，索性一字不动抄了一份交给老傅。

风水轮流转，在一身正气的新闻单位里，郑雨晴也没法混了。

这段时间，傅云鹏也在写检查。不光是他自己写，几位副总编、新闻部主任刘素英、编辑部主任和发稿的当班编辑，大家都在忙同一件事情，写检查。

多年经验积累，傅云鹏已经掌握了一个规律，如果稿件出了问题，引发不好的社会反响和领导的震怒，那最好老实点，他不仅让当事人写，而且让大家一起写。一排人按职务大小站成队伍轮番低头检讨认错，会让盛怒的领导有君临天下的舒心感和当众保持修养的压抑，也让错误的严重性通过大家的检讨摊薄摊匀。500斤担子一个人挑会压死人，10个人挑，手拎即起。

傅云鹏本人写检查的技艺已经炉火纯青，一套文字行云流水，酣畅淋漓，有感情有文采有思想有深度，揭盖子挖根子，形成了自己独有的检查方式。领导拿起一看：嗯，教训是深刻的，认识是触及灵魂的。嗯，很好嘛。

郑雨晴拿着第三稿检查，按高飞导演的布置，滴了眼药水，哭丧着脸来找傅云鹏。老傅第一次屁股坐在板凳上，翻页看完。老傅认真地点了点头："嗯，这次触及灵魂了。"

郑雨晴眼泪夺眶而出，有一部分确实是真实的眼泪："写完这稿，我整个人都觉得不好了，感觉自己像泡臭狗屎，活着费粮食。"

老傅有些不忍，也怕孩子心理负担太重，会出事："虽然触及灵魂了，不过好像都捅穿了。你也没那么差嘛！这稿检查写得不错，除了说自己是臭狗屎，检查是要进档案的，你还要注意下措辞。总之，务虚的方向是对的，不要务实。领导不要看事件的过程，你前几稿写的，什么意思？还想跟领导讨价还价？按你前两稿的意思，不是你错了，是领导批评错了是吧？还非要弄个是非曲直，责任五五开是吧？别哭了，擦擦眼泪。写检讨嘛！干这一行必备素质之一。不会写检查的记者，不是好总编。"

郑雨晴被老傅逗得鼻涕泡都吹出来了："还总编呢，我能再当记者就不错了……"想想又难过得掉眼泪。

老傅转身抄来个文件夹递给雨晴："喏，看看。"

郑雨晴翻开文件夹一看，扑哧笑了，文件夹面子上写着"我的检查"。老傅一指后排书架："喏，这一排，都是。"

如果检查也算作品，那这些年傅云鹏也叫著作等身。不过倘若领导认真去看傅云鹏的检查，就会发现这个老傅写的全是废话——确实痛骂了自己，但却搞不清他犯了啥错误。幸好领导是隔三岔五换一茬，否则，领导一定会觉得每篇检讨是如此地面熟，好像前生哪里遇见过。

郑雨晴前面交来两稿都没获得通过，并非他老傅有意为难郑雨晴，也不是抠门，不愿意给郑雨晴传经送宝点拨捷径，而是老傅一厢情愿地认为，郑雨晴是可造之才，可造之才怎能不会写检查呢？！他傅云鹏之所以能够在总编位子上坐着，并且将一直坐到退休，不至于像前任老王那样，忽然就被调离新闻单位，发到某个区办企业当厂长，全凭着这门独有的生存技能。

不过，傅云鹏当上总编，这辈子官路就算到顶了。以他的人品、能力和才干，干个宣传部长绰绰有余。可惜老傅身上文人气过重，清高到从不跑官要官，又爱才惜才。像这种替人挨板子做检讨的事情，老傅不知道做了多少回。每次干部选拔，组织部长翻着老傅档案里那一年比一年厚的检讨，直叹气："唉，这个傅云鹏！真拿他没办法！"

傅云鹏领头，带着手下大大小小的报社中层干部，从副总编到部门主任，加上值班编辑和闯祸的郑雨晴，一串人马联袂组团参加扩大会。这可能是江州市委历史上，规模最大的一次常委扩大会了。会议室地方不大，傅云鹏带来一帮人，呼呼啦啦铺开来居然站不下，郑雨晴按资历被挤到门外了。她面前是参差不齐的三四排人，只能看着一溜高高低低的后脑勺，有的毛多有的毛少。瘦小的郑雨晴，混在一群高低胖瘦的大佬里面，她这个始作俑者，反倒边缘化了，成了一个无足轻重的小喽啰。

傅云鹏站在第一排，第一个代表报社沉痛宣读检查。他双手捧着检查，抑扬顿挫，中气十足，表情严肃，痛心疾首。报社其他人都跟着沉痛庄严地低头配合，只有郑雨晴夹在人缝里，好奇地左右偷看，来之前的担心和害怕不翼而飞，反而觉得有点像唱戏般的可笑——这个舞台上的每个人，都兢兢业业地唱自己的戏份，全情投入地忘记了没有观众。

傅云鹏读完检查，跟着就是各人宣读各人的。挨到最后轮着郑雨晴念的时候，时间已经过去三小时，领导们对念检讨这事情产生了审美疲劳，稀里呼噜地，抬抬手，通通过关！

回到报社后，郑雨晴老老实实到行政科领了围裙和套袖，穿戴整齐去了资料室——不许上岗的结果，她是真切听见的。

傅云鹏晃晃悠悠地走进资料室，挑眉一乐："哟，来报到啦？"

郑雨晴噘嘴不搭话。

老傅问："你们学校怎么教你的？做文章做文章，文章是要靠人来做的。这里面大有技巧。常言道，一句话叫人笑，一句话叫人跳！你这次的报道，虽然字数不多，却影响不小，搞得领导和报社都被动。我希望你今后无论是做新闻还是干其他事情，先问问自己的初心。"

郑雨晴诧异："初心？"

"我知道你对江心岛有感情。正所谓，成也萧何，败也萧何。你的初心是帮他们，现在的结果呢？新闻报道，要摆事实，讲道理，不能听风即雨，他们那些人，大多没什么文化，不懂经济，也不了解科学，事实上，你采访的对象，大多都是这样的。但你不能和他们在一个水平上啊！领导批评咱的话里，有一句是非常正确而且有水平的：你不能光听采访对象怎么说，你还得听听专家的意见，了解政府为什么做这个决策。还原事实真相，这才是记者的本分。"

郑雨晴把套袖一摘，丢桌子上，嘴巴噘得老高："反正不当记者了。您今天既然给我上课，我就把您当成我的老师，学生有事不明，向老师请教。新闻工作者的职责是什么？就是追求真相！我大半夜跑去江心岛，听到的看到的就是真相！我把这些写成稿子，有什么错？"

傅云鹏被眼前的小姑娘给逗乐了："怎么？写三稿检讨，气堵在心口消不掉啊？"

"四稿！"

"还不服气！你那稿子是道听途说，就是有闻必录！你知道什么是有闻必录？"

有闻必录出自清朝张春帆的《宦海》，拿清朝的标准来套当下的新闻，这也太不与时俱进了。郑雨晴知道自己确实是错得可以。

老傅让她想想："这次为什么会借你的标题生出这么大的事？因为宣传的确有导向作用。你看，我给你换个标题，这稿子一点问题都不会有。"老傅在纸上写："江心岛为何建化工厂　听本报记者为你答疑解惑"。

郑雨晴一撇嘴："四平八稳，味同嚼蜡。"

老傅笑了，转身离去："小姑娘，你要是搞一辈子报纸，能像我这样四平八稳做到退休，你就算功德圆满喽！"

郑雨晴又戴上套袖，走进资料间问资料室主任："我干什么？"

但资料室根本没她的活，主任还抱怨，我这又不是流放地，怎么一有错误就说要发配过来？

郑雨晴："我……我回不去了。"

主任："那你回家！我没接到你调岗的通知。这里没你的岗。"

郑雨晴一下就愣住了，"下岗"就是这意思吧？眼泪嗖地就涌上眼眶。

正站着，手机响了，郑雨晴接电话的声音都哽咽了："喂，刘姐……我在资料室。"

刘素英大惊："你在资料室干吗？！我这一屁股事等你干呢！赶紧回来！"

郑雨晴蒙了："不是……不是把我发配到资料室了吗？会上老傅都跟领导汇报过了。"

刘素英哈哈大笑："快回来！你难道不知道报社都是地下工作者吗？"

郑雨晴彻底迷惑了。

郑雨晴又回新闻部了。

刘素英把几个采访任务腾腾腾丢给郑雨晴，临出门前半真半假地指着郑雨晴的脑袋："你戴罪立功啊！想偷奸耍滑那是不行的。你让我们一屋子人都为你写了检讨，你拍拍屁股就想走人啊！哪有那么好的事！赶紧干活！"

郑雨晴开始解围裙套袖。

郑雨晴将犯错误以后写的第一篇稿子交上去的时候，刘素英把郑雨晴叫到身边："都让你去资料室了，你怎么还敢这样写稿？这不是给领导添堵吗？"

郑雨晴彻底崩溃了："大姐，我去资料室了，你把我叫回来，我回来了，你又让我去资料室，你们是不是想开除我呀？"

刘素英嘿嘿笑了，刮郑雨晴的鼻子："不是叫你戴罪立功吗？咱这里一个萝卜一个坑，该你干的活一点都少不了，但你的名字不能出。你这名字一上去，领导又火冒三丈。改个笔名，继续报道。"

郑雨晴擦眼泪问："那我叫什么？"

刘素英回头问同事："上次朱宝华出事以后，笔名叫啥来着？"

同事回答："牛玉十。"

刘素英思索片刻，指着郑雨晴的名字说："那你就叫关一日吧！关的时间也不长。很快就放出来了。"

郑守富看到郑雨晴的新笔名，叹息："小傅这次真的是搞残废掉了，PC 项目停建了，他升半级的希望又破灭了。"

许大雯一撇嘴："他呀，他不升官，倒是帮了他。他那个臭脾气！"

吕方成翻报纸，发现一个新名字，关一日，跟见到新大陆一样："咦，雨晴，你们报社还有人叫这种怪名字，这人男的女的？"

郑雨晴一巴掌拍他头顶上："这就是我。"特别不好意思地补充一句，"化名。"

吕方成大笑不已："我的乖啊，你在共党报纸上搞化名，算哪家的地下工作者呢？"

郑雨晴有些不耐烦："哎呀，就关一日，马上就放出来了。都赖你！我告诉你，这名字，也是对你的警告，要节制！"郑雨晴伸出一根手指。

吕方成笑得滚到床上。

郑雨晴打他屁股："你还笑！你还笑！就你毁我前程！"

吕方成色瘪瘪地凑近雨晴："小关，一日就是一天，一天就是一日啊！"

"地沟油"惊魂

关一日同志在放出来之前，又出事了。

这次是私事。

郑雨晴怀孕了。她噼噼啪啪冲着吕方成就是一顿粉拳："你可把我害惨了！"

吕方成笑了："你都这把年纪了，不是我害你，也得别人害你。还是我害你的好，至少我能娶你。"方成捉住她的手放在自己的唇边亲吻："雨晴，这是孩子催我们结婚呢！现在这样，不由你不结了。我们堂堂正正当爹妈。这一次，我们全家再不分开了。"

郑雨晴听到这话，想了半天，犹豫地点点头。

只是，郑雨晴不想顶着"关一日"的名号成婚。若是去年结婚倒也罢了，一手捧新闻大奖，一手抱胖娃娃，这叫双喜临门。现在倒好，她怎好意思四处跟人发帖说："请来喝我的喜酒，关一日要结婚了。"郑雨晴憋了一口气，想做个大新闻，扬眉吐气一把，至少摘帽以后，再谈个人的事情。可眼下，她纵然有豪情万丈，也敌不过肚子里红线两行。

"那，嗯，要不，咱先不要孩子？"

郑雨晴怯生生地跟吕方成说，吕方成立刻沉下脸来："你到底是不想要孩子，还是不想要我？"

郑雨晴吓一跳，没想到吕方成反应这么激烈："我……不是……那意思。咱现在都没房子……"

吕方成一下轻松了，他并不知一个处分对郑雨晴的影响还挺大，他一直当个笑话看的："你放心，孩子绝对不会落大街上。报社和银行，哪个是缺房子的地方啊！你这个周末，就去把户口本拿出来，咱去领证。"

郑雨晴犹豫着："你……可千万不能让我爹妈知道我怀孕啊！"

吕方成心突然就横下了："不行，我就得亲口告诉他们。别让他们以为我吃素的，没这功能。你们家好像活在童话世界里一样。"

"哎呀！你讨厌！咱结婚归结婚，怀孕归怀孕，别两码混一起。不然，我爹肯定要生气。"

"他气什么？本来就是要完成的人生大事，不过顺序前后倒倒而已。"

"人家正背着处分呢，他肯定得说我，干正事不咋样，干邪事……比谁都行。"

吕方成笑了，捧起郑雨晴的脸："来，嘬一个，干点邪事。你是我十万块钱买来的媳妇。"

一回到家，郑雨晴就像演员一样跟父母演戏："我要户口本用一下，我得马上跟吕方成结婚。"

许大雯和郑守富一下就惊了："出啥事了，为啥得马上？"

"他们单位分房子，得凭结婚证。下礼拜五就截止。"

郑守富还没搭话，许大雯就掏钥匙开始找户口本了："快快！千万别塌了这班车！这几天能把证领回来吗？"

郑守富不乐意了："急什么急，明年报社分房子，到时候雨晴也能分上。"

许大雯也不乐意了："报社房子能有银行好？再说了，到时候也不耽误咱再申请一套嘛！"

郑守富连集体宿舍都不让郑雨晴申请，现在更反对许大雯的多吃多占："一共就三口人，你囤那么多房子干啥？"

"我住一套看一套不行吗？"

郑守富恍然大悟："你想另立山头搞独立？休想！"

许大雯白了他一眼："要你管？"

郑雨晴在俩人斗嘴中就把户口本给拿到手了。

吕方成开始操持他人生第一次装修。出乎意料，是方成妈提出要重新装修。他妈家的房子都十几年没动了，卫生间里的水泥槽子和裸露在外的水泥管子，让吕方成感到惨不忍睹。最后一次装修，是往地板上刷了红漆，那是他爹为家做的最后一次贡献，没多久就中风去了。房子虽然一天天破败，但因为承载有关于父亲的记忆，所以吕方成一直没想过要改天换地。尤其是妈妈还住在里面。

太破了，会招孙子嫌弃。方成妈说这话的时候，一脸坦然，好像一眼看透郑雨晴的肚皮："雨晴月子在这里坐，你俩住正房，让你妹住你宿舍。"

装修的钱，结婚的钱，生娃的钱，单位集资房一笔交清的钱，妹妹吕方圆读书的钱……

钱钱钱！吕方成都快掉钱眼里了。

每天打手过那么多张票子，竟然没一张能给自己用。怪不得师傅告诉他，在银行，钞票就是一张纸，你要是真把这票子当钱，那是需要定力的。

吕方成感觉定力有点不够用。

正想瞌睡，就有人给吕方成送枕头。

小顾那天风风火火地来找吕方成："我要贷款，一大笔款！生意太好了！得扩产！"

小顾就是江心岛那个 200 只小鸡当宠物卖的汉子，去年开了个炼油作坊，贷款 50 万，说两年还完，谁知半年就还清了。

吕方成问："你贷多少？"

小顾说出的数字让吕方成一惊："200 万！不是我权限范围以内的，你得往行里打可行性报告。"

小顾说不会打报告，不如我带你去厂里看看，你讲行，那就行。吕方成看他信用记录一直不错，又念及过往的交情，就说："好，我替你打报告。你信用好，应该能批的，找个保就行。"

谁知吕方成一走近小顾的油厂，二百米之外就快晕倒了。

"你这到底是炼油，还是处理垃圾？"

"炼油！这些都是我的宝贝。你别小看这些脏不兮兮的车，这些都是我的财神爷！你看！"

原来，小顾炼的是地沟油。苍蝇满天乌泱泱地低飞，泔水车一辆辆排队在厂门口。那肮脏的泔水和清亮透明的成品，形成强烈的对比。

吕方成问："不是肥料？"又问，"给人吃的？"

小顾肯定地点点头："卖到饭店，一大桶才三百来块钱，看着跟正牌的色拉油一样一样的！经济效益可好了！"

吕方成突然就先于郑雨晴有妊娠反应了。他胃里翻江倒海，鼻腔里火辣辣地泛着油酸味儿，他狂奔出厂，还没跑远，就蹲在田埂上哇哇地吐开了。

小顾追出来跟在后头喊："一本万利！我现在就苦恼产量太小了！"

吕方成吐得都没力气跟他吵架了："你……你……你离我远点！你这款，肯定贷不下来！我要是知道你上次贷款是干这个，我绝对不贷给你！"

小顾一下就受伤了："吕经理，你怎么这样呢？我哪点犯错误了？我不是提前还款了吗？"

吕方成："你不觉得恶心吗？这能上桌？这吃了怕是要得癌的吧？你要积德！这种油怎么能卖呢？"

小顾看着吕方成："吕老弟，我真当你是我朋友，实话告诉你，这样的油吃了得不得癌，你说不算，我说也不算，估计得吃十好几年才知道。但我孩子，现在就病着，需要钱，她不是需要一点点钱，她那病，要好多钱！我好不容易找到个挣钱的法子，堂堂正正不抢不偷，你为了那些都不知道会不会得病的人，对我女儿见死不救？你这才叫不积德！再说了，我特地，把这油没卖到本地，我都卖外地的。要吃死，吃死人家，这可以了吧？"

吕方成摆摆手，很嫌恶地看了小顾一眼，径直走了。

吕方成都快走到田埂尽头了，小顾在后头狂喊："小吕！我求求你！我多给你利息！我给你 15 个点！多的 7 个点，归你自己！！！"

吕方成犹疑了一下，接着往前走。

"20！我给你 20！"小顾绝望地大叫。

吕方成依旧踉跄往前走，走着走着，又吐一口。

回到宿舍，吕方成整个人都是瘫软的。碰上另一个开始早孕反应瘫软如麻的郑雨晴。

郑雨晴不敢回家，这种早孕表现，许大雯那老法师一眼就看穿了。

她得尽量减少在家里露面的时间。

吕方成对躺在单人床上的郑雨晴说："往里挪挪，我躺会儿。"

俩人就那么无言地躺在床上。

吕方成突然幽幽地吐出一句："24万。"

"什么24万？你今天又去放贷了？"

"我在想，我的良心值不值24万。"

郑雨晴大惊："你疯啦？哪来的24万？你别犯罪啊！"

吕方成清浅一笑，眼睛有些迷离，却又很清晰："我是状元，怎么可能犯罪？我要是犯罪，100个人都抓不住我。"

"你别神神道道的，说！你肯定有事儿！我跟你讲，我肚子里有你孩子，你要瞒着我，你对不起我们俩！"

吕方成说："今天，那个小顾，要贷款200万，但他凭他实力，根本贷不下来，他说，我要是能给他贷出这笔钱，他给我20个点的利息，银行只要8个点，剩下的归我。"

"小顾要做什么生意需要200万？他别拿去赌博！到时候你款要不回来，都别说什么24万不24万，你工作都保不住。"

"不可能。他的生意非常赚钱，我去考察过了。"

"非常赚钱？现在还有这样的生意？那给他做，不如咱们做了。"

吕方成又要吐了："你我做不了。那味道，你别说闻了，一说我就要吐！"

"到底是什么生意？"

"你知道地沟油吗？"

郑雨晴打电话问李保罗："你知道地沟油吗？"

李保罗那头正欢快地吃着炸串子，不亦乐乎地回答："不知道啊！别耽误我吃大老刘鸡胗！"

郑雨晴一阵恶心："赶紧扔了！那玩意儿有毒！"

"哎呀，我就是个滤芯！过三五十年死了，想到该吃的吃了，该喝的喝了，不遗憾！"

大半夜的，李保罗开着他的小电驴，后座带着郑雨晴满市溜达，俩人装成情侣恋爱的样子，热烈相拥，从衣服缝隙里伸出相机，对着大酒店后门拉泔水的车，和趴地上拿着长把勺子冲着下水道捞浮油的人，悄悄拍照。

照片输入电脑，李保罗对着屏幕跟郑雨晴说："嗨！干票大的！明天见报！"

郑雨晴一把按住李保罗："赶紧关上，删掉。不要露一点马脚。"

李保罗愣住了。

郑雨晴老谋深算的样子："有闻必录会打草惊蛇。这篇稿子发出去，是瞎子摸象、听风是雨。人家捞地沟油犯法吗？捞完了回家不能种菜喂猪吗？"

李保罗不吭声了，想了想问郑雨晴："那要怎么样？"

"吕方成跟我说，江心岛上有个制油点，就是你上次拍鸡娃娃的小顾那家，你明天早上去看看。"

李保罗低头想想说："我一个人去不合适。我跟他们不熟。江心岛上的人，只认你。他们把你当亲人，不防着你。我去，他不会告诉我的。"

郑雨晴非常想告诉李保罗，自己怀孕了，闻不得那味道。也非常想告诉李保罗，江心岛的人是她的亲人，她不忍心自己去捅这个脓包。但想了想李保罗说得也对，就咽下了。也许，做记者这个行业，很多时候，是不能带有私人情感的，就叫六亲不认吧！

第二天，郑雨晴坐李保罗的摩托去了江心岛。

没走近郑雨晴就开始哇哇地吐了。

幸好李保罗也吐了，所以李保罗一点没看出郑雨晴有什么异样。

郑雨晴从包里拿出餐巾纸，撕两坨塞进鼻孔，拖着象牙一样的白纸，张着嘴呼吸，才走近小顾的阵地。

小顾一看到郑雨晴，热情迎出来，高兴地笑了："吕老弟都告诉你了？！我知道他不方便出面！给你也是一样的！"

郑雨晴索性将计就计："你这报告，他不能帮你写，得我帮你写，所以你要说清楚，钱你拿来干什么。"

小顾一五一十就竹筒倒豆子了。

郑雨晴包里的录音机不停地转。进了厂区机器轰鸣，郑雨晴觉得录音机肯定录不清楚，索性掏出来了。

小顾狐疑地看着郑雨晴："你在录音吗？"

郑雨晴哈哈一笑："废话，我不录音，你干的这行我又不懂，我万一记不下来，怎么给你写报告？"

小顾立刻很仗义地答："我告诉你，不叫吕老弟为难，昨天晚上，我跟我们村的人都商量过了，大家入股，共同担保，我一个人虽然没有200万，但这么多人凑一块儿，绰绰有余！"

雨晴一下惊了："共同担保？"

"对！永刚家，万盛家，他们都入股！"

郑雨晴不忍心了，原来只以为牵扯小顾一家，现在整个江心岛全带进去了。小顾说："一个村的人，要共同致富。我有难的时候，他们都帮我，我不是小气人，有钱大家一起赚！你相信我，很快就回本了！上次那50万，不到半年本利全还了！"

郑雨晴问："可是，万一你机子买了，产量扩大了，人家下游不收你油，你不就抓瞎了？"

小顾肯定地答："你放心，他们有多少收多少！多少都卖得掉！你也不想想，全国有多少人都在吃这个啊！那什么水煮鱼，水煮牛肉的，老板为什么舍得那么多油就哗哗地放你碗里啊？"

这下轮到李保罗吐了。他想到昨晚吃的炸串子。

小顾特别善良地安慰李保罗："你放心，我卖良心油，我不卖给我们城里，我卖外省去！"

待李保罗吐干净了，郑雨晴拽着他逃离了现场。她站在村口，把鼻子里插的纸塞拿出来，深深吸一口气对小顾说："报告我大概知道怎么写了。但就是最后一章银行一定要看的：你的还款能力。"

小顾拍着胸脯说："没问题！还款能力杠杠的！你看我上次借50万，半年还了！这次200万，一年还掉！"

"200万是4个50万啊！要两年！"

小顾嘿嘿一笑："要说你们搞文字的，算账真不行。我50万是因为量小啊！我200万生产能力可不止过去的4倍，生产得多，那卖的钱就多啊！"

郑雨晴还表示不信："你这个生产，又没有技术门槛！我们市里也没有那么多泔水，没原材料你哪有油呢？"

小顾一下就兜底了，掏出一张皱巴巴的纸："这些店是我的客户。"

又掏出一张画着大小圈圈的地图，"这些是我将要攻克的堡垒。"又说，"市里几家五星级饭店和大餐馆都被我包了！我跟他们是长期战略合作伙伴关系！以前他们这些哪有收入呢？是我让他们废物利用的！"

李保罗啧啧赞叹："银行要是看到你们这些实力雄厚的合作伙伴，肯定批钱！"说着，拿起相机对着纸拍了张照片。

得知小顾的司机下午要送货，郑雨晴决定跟着过去看看："我要确定他们把你所有的货都收了，才能给你写申请。不然银行收不回钱，难道收你油抵债吗？方成是我老公，我得仔细点，不能害他丢工作。"

小顾恨不能把心掏给郑雨晴："唉！小郑啊！你也不想想，咱们是啥感情！那是生死之交！我们整个村，一辈子都不会忘了你冒着生命危险坐腰盆子来救我们。我这命，都是你给的！我有今天的生活，那也都是你三番五次帮忙得来的！你放心，我亏了都不能叫你亏了！我说句实话，我为啥要让吕老弟做这单生意？有好处大家分，喝水不忘挖井人，我从心里想回报你们。你们这都要结婚了，就当我送的礼！"

郑雨晴的心，一下就软了。她拉着李保罗的手，坚定地说："走！回去！不做了！"

李保罗知道郑雨晴舍不得小顾和乡亲，拎着相机，跟雨晴抬脚走人。

小顾以为郑雨晴不做这单生意了，急着喊道："小郑！你别走啊！你不管我们了吗？"

郑雨晴立定。她突然意识到：她自己，正罩着这个小岛；而《都市报》，则罩着整个江州的百姓。

"那，我下午，跟你司机的车去买油的地方。我见见买主。"

小顾差点喜得蹦起来："哎！哎！我这就给他们打个电话。他们在南边三省交界的地方，开车过去得四五个小时，到地方就夜里了。我让他们给你们备饭！"

郑雨晴赶紧嘱咐："不说报社，不说银行，说你贷款的保人要看看他们。最好去了能带份包销合同来。"

小顾依约打电话，放下电话跟郑雨晴说："他们说，包销合同让司机带回来，你们别去了。"

郑雨晴果断地答："那不行！我连他们人在哪儿都不知道，就把钱给你。到时候你剩一张纸给我，我咬你啊？"

"你不相信我？"

"我信你，但我不信他们。他们要是打一枪换一地儿呢？我去看看规模，也替你长个心眼。你太老实。到底 200 万呢，万一糊弄你，你就成村子里的千古罪人了。"

"他们不让看。"

"你别告诉他们。我们去了他们还能打我？"

郑雨晴他们乘着司机小赵的车，"突突突"地奔三省交界处去了。

车开出去俩钟头，吕方成上岛找小顾。小顾看到吕方成，欢呼雀跃，像见到亲人一样。

吕方成说："你贷款的事，我想过了，我给你办！"

小顾一脸了然："我知道啊！你不是让你媳妇帮我打报告吗？"

吕方成立即脸色陡变，他用最快的速度叫上高飞，开着高飞的车，直奔三省交界。

货车司机一路放着流行歌曲，酒廊发廊放的那种，吵死个人。但对郑雨晴和李保罗有利。俩人在驾驶室的后排不时低语。郑雨晴问李保罗："这车，你会开吗？"

李保罗一看是手动挡，立即摇头。

郑雨晴有些愠怒："妈的，早叫你学开车你不学，艺不压身你懂不？关键时刻能救命！"

"说不定屁事没有，还请咱吃顿饭呢！"

"先想逃命的事。"郑雨晴看看自己脚下的球鞋。李保罗也穿着球鞋，一线记者习惯性穿球鞋，经常遇到奔命的状况，不是跟同行抢新闻，就是跟恶势力做斗争。

车一路颠簸，颠下大马路，到小马路，再到土路。看着车下辅路，日头渐西，光线暗淡而没有路灯的时候，郑雨晴开始后悔了。女性的敏感是天生的。郑雨晴的心一直在惶恐乱跳，总觉得有什么不好的事要发生。她打开手机看看，手机有电，几乎满格。心里略微好受。定睛一看，信号是河南的！又过一条路，手机信号又换到湖北。

车忽然停了。四周没有一点灯光，司机在打电话约送油的地点。现在不仅郑雨晴惶恐，连李保罗也开始犯嘀咕："我怎么觉得这不是送油，这是贩毒？"

司机通完电话，又把车往前开。这次根本连土路都不走了，直接下了田埂，穿过农田，开到一个破落的打谷场停车。打谷场尽头是一盏昏黄的灯和一排谷仓。

司机和几个人在交易。"22桶油，每桶337……""来来来，来人把这个抬库里去！"

郑雨晴和李保罗下车，俩人假装没事地四处张望。

远处走来一个彪形大汉和一个瘦削的看起来不像农民的精干男人。彪形大汉问郑雨晴："你们，干什么的？！"

"跟着一起来送货的。"

彪形大汉："不是跟你们说了，不要来那么多人吗？"

"那你开玩笑！我那么多钱搁里头，我怎么也得看看它能不能给我带籽儿啊！"

瘦削男一直在旁边听，突然冒一句："听你口音，像河南人？"

两个人口音一对，原来是邻县老乡。气氛于是变得松快一些。郑雨晴边往谷仓走，边指点那个瘦削男："仓库那头再开一个门，一个进货一个出货，像现在这样，先进来的油总堆在最里边，时间放长了不就给祸祸了？你要上架子，平敞着放货太占地方了……你要添置卸货机器，别疼钱，这些都是替你挣钱的帮手。"

瘦削男听了，对郑雨晴刮目相看："咦！我现在是真相信你是投钱的保子了！我开始还不让你来！我寻摸着，你们净是来捣蛋地！没想到你还来对了！老乡！晚上别走了！我请你喝酒！"

远处李保罗做个OK的手势，表示该拍的地方他全拍完了。

郑雨晴看到了，就说："不啦！不搁你这吃饭啦！回去还有事儿哪！"

司机发动了车辆，李保罗拉开后门让郑雨晴先上。瘦削男人打手机给小顾："你今天来的担你钱的保子，可是个人物！我以后的钱，也想从她那儿走，可有水平了！"电话那头小顾一下就得意忘形了："那可不是！人家好歹也是报社记者、大学生！"

瘦削男突然面色狰狞，恶狠狠看着郑雨晴李保罗，对电话说："你说啥？！报社记者？！"

保罗前所未有地机敏，一把把司机从驾驶座上揪下来，自己跳上去，摇了一下手杆，踩了两下离合器，车突突跳着就往前跑了。后面一群人追着喊："别跑！去开车！你们追呀！扒他车！"

车顶上有个人趴着，伸手够郑雨晴的车窗。郑雨晴抄起后座上的扳手上去猛砸一下，对方嗷嗷叫着给砸下了车。

郑雨晴感觉车咯噔一下，她尖叫："李保罗！你轧着他了吗？"

李保罗大喊："是田埂！是田埂！"

"太快了太快了！"

"我不能减挡！！回头加不上去！"

"那你踩刹车踩刹车！"

"不敢！踩了也加不上去！"

后面有车的大灯追上来。郑雨晴哀号："他们追上来了！他们追上来了！"

李保罗看不见前路，等发现车已到路头了，他一个急打方向盘，车呼啦啦，掉下路牙，直接下山，俩人在尖叫声中掉下悬崖。

四周一片死寂。

好半天，郑雨晴在黑暗中，摸着头轻轻喊，带着哭腔："李保罗，你还活着吗？你还在吗？你听得见我说话吗？"

没有一点回声。

死寂。

郑雨晴开始哭了："来人！救命！"

还是没有一点回声。

郑雨晴慌里慌张打开包，在里面摸摸索索好久，摸出手机，她顿时松口气，开始拨打110。

没有一点反应。

仔细一看，没有一点信号。

郑雨晴放声大哭："来人啊！我掉山里了！李保罗！方成！"

李保罗声音幽幽地淡淡地飘来："没死呢！"

郑雨晴喜极而泣："哎呀！你没死！没死！你伤哪儿了吗？"

"不好说，浑身疼。腿肯定是断了。"

郑雨晴又哭："那，那怎么办呀？"

　　李保罗让郑雨晴拿手机照照四周的环境。郑雨晴试着爬到车边缘，车晃动得厉害。郑雨晴探探头，果断地说："不动了。我看不清。不知啥状况。"

　　远处，传来嗷嗷的狼嗥声。

　　李保罗有些凄凉地笑着逗雨晴："肚子好饿，刚才人家留你吃饭，你吃就好了。至少咱做个饱死鬼。"

　　"你听见狼叫没？"

　　"让它吃你吧，我没肉。"

　　"还是吃你吧！我不能被它吃。"

　　"你这个人，真不仗义，听说过以身饲虎没？"

　　"我要是肚里没孩子，我就以身饲虎。为你，我愿意的。可现在不行了。"

　　李保罗大叫："雨晴！你怀孕啦！哎哟哟！我真是太高兴了！"

　　"高兴啥呀！都不知咱能不能活到明天。"

　　"雨晴，咱这回要是大难不死，我能给你孩子当干妈吗？这辈子我也没啥大志向，只想听人叫声妈。"

　　郑雨晴惊得一跳，车身乱抖："你，你真是？"

　　李保罗粲然一笑："吓着你了？"

　　郑雨晴犹豫地点头又摇头："难怪我总有跟姐妹在一起的错觉……"

　　"这种感觉是对了。我一直想，什么时候告诉你合适，现在也不用想了，过这村没这店了。"

　　郑雨晴好奇地问："你……你喜欢的人是什么样的？"

　　"我呀，我喜欢书生型的。聪明，白净，好脾气，会疼人。"

　　郑雨晴有些犯嘀咕："你，说的是我家方成吧？你天天跟我混，以后离我家吕方成远一点！"

　　李保罗嘿嘿一乐。

　　郑雨晴警惕了："防火防盗防闺密！你保证，不打我男人的主意！"

　　"我保证。我还保证，今后给你们的孩子每个生日都拍一组照片，一直拍到他二十五岁。等他二十六岁娶媳妇的时候，我给封个大红包。"

　　郑雨晴听了，只是嗯了一声，再没吭气。

　　李保罗猛一回头，有些娇俏："但你得让他管我老！当娘一样伺候！"

越夜越冷。

李保罗像条蛇，嗞嗞地从牙齿缝里吸吐着空气："多好的空气啊！多闻闻，怕以后闻不到了。"李保罗闭上眼睛，不说话了。

郑雨晴也懒懒地不说话。

突然郑雨晴醒悟过来，她抱着李保罗的头摇晃："保罗，咱不能睡，得一直醒着！说话，说话！"

她掏出手机查看，已经过去五个小时了。天都快亮了。李保罗却没声音。

郑雨晴摸着李保罗的手："保罗乖啊，别睡过去啊。我唱歌给你听。"她开始轻轻唱歌。

《甜蜜蜜》《大海》《最浪漫的事》《小城故事》《夜来香》《爱像一首歌》《光辉岁月》……属于郑雨晴大学时代的歌，一首首回忆起，雨晴都唱了一遍。歌声在黑夜里轻轻飘荡，山谷里的风，把它们抖散，又带向远方……最后，她甚至唱了那个电脑开机曲：灯，灯灯灯灯！

李保罗气若游丝："雨晴，我要是能活着出去，我就出本《逃难记》，把我们一次一次从黑医院，到黑矿场，到黑地沟油逃跑的照片都登出去。以前，老觉得记者美美的，哪晓得过得这么狼狈，算醒世恒言吧！"

郑雨晴满脸是泪。泪水掉到李保罗的脸上，他抬手一抹："哟！你这都听哭了，给我感动的吧？"

雨晴抱着保罗，哭得不可自持："保，罗，我可以……以身饲虎了……"

李保罗立刻警觉起来。他艰难地转身，打开相机，冲雨晴按一下快门。闪光灯下郑雨晴两腿之间鲜血淋漓。

李保罗慌了，他开始扯嗓门喊："来人！快来人！"

他慌乱地不停拨打电话，到处拨打。

天光放亮。一群警察在山崖边开着吊车，此时雨晴与保罗的车，正挂在山崖间的一棵大树顶上。

"护蛋"计划

关一日和李保罗的稿件终于见报，足足用了三个版面。不多久，《焦点访谈》跟着线索去挖了好几条地沟油生产线。市长王闻声甚是欢欣鼓舞，特地把傅云鹏叫去夸奖："你们这个记者关一日啊！非常有眼光！而且有胆识！怎么，我听说他腿都断了？"

傅云鹏低声答："断腿的是摄影记者，文字记者在被黑作坊追杀的过程中，怀孕的孩子掉了。这一战，损失也蛮惨重的。"

市长大力拍了一把桌子："好！这是什么样的精神！这是什么样的新闻素质！这样的记者才是我们新闻宣传的脊梁骨！优秀事迹要大力宣传！大力报道！这个记者，我要见见他！很久没有看到这样有新闻理想的人了！我以前见过吗？感觉没见过，好像从来没听说过。"

傅云鹏呃呃了半天，递话过去："关一日同志，其实就是上次您批评的郑雨晴同志。您当时批复，要让她转岗，我们考虑到年轻人，以教育为主，就……让她戴罪立功。"

市长莫名其妙地看着傅云鹏："她犯了什么错误要转岗？"

傅云鹏哭笑不得："可记得上次 PC 事件了？"

市长想半天说："哦！我记起来了！年轻人，错误也犯，改正错误也快！上次的报道，的确造成了不好的影响，但这次的报道在全国范围内有极大的影响，一功一过，相抵。让她恢复岗位吧！"

"所以说，响鼓还是要重锤。没有您的敲打，这孩子很难有今天的成就啊！当年您骂她骂的，也是狗血喷头得很，小姑娘为此哭鼻子哭好久。"

市长哈哈大笑说："小丫头，面子薄。领导批评她，那是帮助她进步。葡萄怎么变成葡萄酒的？雪菜怎么变成雪里蕻的？那就靠践踏践踏践踏！她现在，正在通往葡萄酒的路上！好酒几年后就出窖啦！"

这组新闻获得中国新闻一等奖，郑雨晴当选全国百佳新闻工作者，李保罗成为当年市级先进工作者。江州市成立了专项治理小组，一举捣毁市里数个制油贩油的黑窝点，小顾被抓了。

外边热烈喧嚣，家里惨惨凄凄。赞誉和褒奖，其实都是虚的，痛苦和打击却是实实在在——孩子没了。方成妈心疼不已，但还得听着许大雯的埋怨："两个孩子不懂事，你这个过来人怎么也不懂事？还帮着他们瞒着！"又说，"像这种危险的采访，你大人知道了就不该让她去！这下好了，身体亏得吃人参都补不回来！我女儿遭罪了！你家儿子反正不用受苦！"

方成妈咬着牙，只叹气，不吭声。全国，全省，全市，郑雨晴得了一奖二奖三奖，她的心却跟挖肉一样的疼，看不出一点喜悦。捧着证书奖状回家，都偷偷摸摸扔柜子里，不让吕方成看见。连她自己都不想看——这些荣誉，是她孩子的命、李保罗的腿，和小顾几年的徒刑换来的。郑雨晴再上江心岛，那些曾经当她是血亲的朋友们，吓得转身就跑。小顾的老婆，一没了生路，二没了脸面，带着白血病的女儿，突然消失了。没人知道她们去了哪里。郑雨晴去了她家三次——屋门大敞，一片败象，以前热热闹闹红红火火的鸡鸭笼子，就那么孤寂地空旷着。谁都不知道，郑雨晴，后悔得，真希望自己从没去过那个三省交界的地方。

郑雨晴顺理成章评上了副高职称，成为全社最年轻的副高。

方成银行的小屋分下来，面积不大，两室一厅，但这是方成和雨晴俩人自己的小窝，可以堂堂正正夫妻生活了。

住进去第一晚，吕方成关了卧室门，郑雨晴赶紧关了灯，俩人摸黑上床。

吕方成突然醒悟过来："这是咱俩的家，干吗要关门呢？不行！我得把门开开！"

吕方成昂首挺胸去把卧室门开了。

郑雨晴也醒悟过来："咱俩都结婚了，干吗要关灯呢？现在哪怕旁边站着人看我都不怕！咱是合法的！"

俩人又把灯开开。

对着敞开的门，站在雪亮的灯光下，小两口却尴尬了，妈的，以前偷摸的搞成习惯，现在堂堂正正，倒不知道怎么办事了。最后，还是关了房门关了灯。

郑雨晴叹口气，环顾暗黑的四周："我老觉得，周围有好几个小家伙跟着我。我好造孽的。"

吕方成抚摸着郑雨晴的头发说："过去的事，不再提。我们现在万事俱备，只差孩子，就一门心思直奔这个而去吧！"

但是，他们突然发现，孩子不是你想要他就愿意来的。小半年了，环环空靶。

结婚前月月怕出意外，郑雨晴大姨妈驾到，欢天喜地，第一时间给吕方成发短信："北京喜讯到边寨。"解除警报！吕方成顿觉一身轻松。现在反过来了，郑雨晴清晨从厕所出来，一脸沮丧。吕方成一阵懊恼：完了，上个月又白干了！脸上还得装出一副没所谓的表情，安慰雨晴。

"奇了怪了！意外时时有，计划完不成？估计是……"

吕方成赶紧张开臂膀邀请说："频率问题！必须加大力度和密度！来！"

郑雨晴离他八丈远："以后要做一个有节操的人！节约操练，子弹省着点用，非排卵不操练。懂？"

吕方成想想，好像也对，可又觉得自己挺委屈："求安慰，抱抱总可以吧？"

郑雨晴轻轻拍他一巴掌："不行。哪回都从抱抱开始的，你止得住吗！"

禁欲令的同时，雨晴又颁布一项健身令："强我体魄，壮我中华。"小夫妻贪睡早上起不来，她就每天晚上拉着吕方成去街心公园绕圈跑。街心公园绕一圈，大约五公里。出校门好几年了，吕方成早已小腹微挺，昔日的六块腹肌集中变成一块。郑雨晴也不比他强多少，第一次跑，其实两个人是在挪。吕方成喘着粗气扶着栏杆说："五公里怎么这么长！"

郑雨晴累得不想讲话，但还鼓励："将尿尿一窝，你跑不快，小蝌蚪速度必定也慢。要不能回回关在我大门外边？多跑跑就有成效了！"

成效确实体现在速度上，原先绕一圈一小时，后来只要半小时。小两口一心二用，脚下跑着，脑子想着，一个构思稿件，一个脑补报告。一圈跑下来，俩人活儿也干得七七八八。

吕方成因为这跑步的速度，曾经发生了两回大事。一是银行系统跑马拉松，吕方成轻松就夺了冠，二是抓了一个毛贼。

可惜郑雨晴的肚子还是没有动静。

高飞毅然放弃了国有上市企业的肥缺，投身创业大潮，没过多久就结婚了，新娘子吴玲身披白纱挺着七个月大的肚子，娇羞又骄傲地挽着高飞的胳臂，接受众人的祝福。郑雨晴盯着那个浑圆的大肚子，突然觉得眼涩心酸。吕方圆也结婚了，当年就干脆利索地生个大头儿子。方成妈边准备小衣裳边嘀咕："大麦不熟小麦熟……"收拾好这些小铺盖，她搬去女儿家长住，帮着方圆小两口带孩子去了。

雨晴掐着指头算了算："哎妈呀方成，你家妹妹这儿子，也是先上车后买票的！"

吕方成闷闷地说："大惊小怪吧，现在也就在你家拿这算个事。"

郑雨晴现在看到人家怀里的小婴儿，眼神变得馋痨痨直勾勾的，恨不能把人家孩子挖到自己怀里。方圆儿子的满月酒上，雨晴抱着这个孩子亲来亲去亲不够，一顿饭根本没撒手。还有一次从吕方圆家回来，婆婆让抱一个冬瓜走，郑雨晴抄着孩子就回家了，吕方圆追到楼下才把儿子截回来。

吕方成忍不住责怪："你好歹掩饰点，你现在恨不能上街抢劫了。"郑雨晴幽幽地来一句："好多人贩子，其实不一定是要卖孩子，搞不好是爱孩子。"

郑雨晴每年1月2号早上八点到单位计生员那里领生育指标，但年年到12月31号，造人计划都落空。眼见得郑雨晴二十八了，许大雯开始着急："你肯定是小月子没坐好，赶紧去医院开点药补补身体。"

结果，医生瞄着化验单说："你双侧输卵管粘连堵塞。"

流产给郑雨晴的身体带来很大伤害。现在，她必须为年轻时犯下的错误买单。

医生问雨晴："今年多大了你？"

"二十八。"

医生唰唰开处方："幸亏是二十八，你要是三十四岁……"

吕方成恭维："那您也是有办法的！"

医生无奈地摇摇头："那个岁数再想怀孩子，就是火星撞地球的概率了。去，先通输卵管。做这个很辛苦的噢。"

郑雨晴赶紧大声说："我不怕辛苦！"

雨晴从此每周去医院通输卵管，脸色惨白地回来，提着大包小包的中药，在家天天煎熬。在满屋弥漫的中药香味里，郑雨晴把新婚照片和油画全部摘下，换成满墙的招子图。

吕方成下班进门，抬眼看到客厅里贴一溜胖娃娃，以为自己走错了门。见到郑雨晴在餐桌前喝中药，才放心进门。

进卧室他又吓一跳，床头贴着一溜稀奇古怪的催生帖安胎符。见到雨晴一副等着点赞的表情，吕方成菊花都紧了："你把家里布置得神神道道的，好瘆人的！"

郑雨晴得意："会不会夸人啊你！这是一派欣欣向荣生生不息的景象。"

吕方成四下看看，点点头："是是是，不错不错。"

雨晴一有空便抱方圆的儿子回家，进门先给孩子撒掉尿布，随着那孩子翘着小鸡鸡到处撒尿。还不许吕方成拖地打扫，弄得家里臊味驱之不去，连中药味都掩盖不住。郑雨晴还解释："这是释放欢迎光临的信息。那些四处游荡准备投胎的小鬼们闻着味，哟，此处人家，父慈母爱，安全可靠，甚好甚好！跟着就进家来了。"

"你好歹是共产党员，说出去叫人笑话！"

"我党会原谅我为共产主义创造接班人的赤子之心。宣传先行懂不懂！你们银行开发新的理财产品，也得在报上做广告，上大街散传单嘛！让你妈带孩子再多来几趟，强化宣传一下。我要告诉他们，我这里名额有限，先到先得哦！"

雨晴那副想要孩子恨不得上房揭瓦的猴急样子，方成妈看在眼里疼在心上。她宽慰儿媳："雨晴啊，尽力就行了。孩子有最好，没有也别强求。只要你跟方成这辈子和和美美的，有没有孩子，我都无所谓。"

雨晴嘴上不说，心里反驳：你当然无所谓了，手上抱着外孙子，哪还在乎我有没有孩子呢！

不过雨晴对婆婆的不满，在见到自己妈妈之后，统统就消解了。人和人，就怕有比较。

郑雨晴现在不大愿意回家，一回去，许大雯就给她上课，塞给她各路民间偏方求子秘籍。搞得她精神格外紧张。这次她跟雨晴讲，每天吃一对猪腰子，可以强肾健身。

郑雨晴说："方成没毛病，用不着强肾。"

"是你吃！男保肝女补肾！女人的胎能坐稳，全靠着那口肾气提着。那些肾气没劲的，弯个腰孩子都能掉出来。"又说，"早吃早好了，活活耽误了几年。"许大雯摸摸雨晴的头发，"你肾是不好，头发没光泽。"

除了这些，许大雯还发布各种生子消息。她妈说的每条消息，在郑雨晴看来，都是在给她颁发生子诏：老同学中谁去美国给儿子带孩子，当研究孙了。谁家姑娘上个月结婚这个月就测出怀孕，谁的儿子要生双胞胎……

"钱惠玲前天上家来发喜蛋，阔气啊，每家每户二十个红蛋！他家大头当爹了，说连着你爸爸也跟着普调一级，当爷爷了。可把你爸爸高兴得啊，跟自己得个孙子似的。老郑，是不是啊？"

郑守富："你说话别夹枪带棒，同事家里添丁进口，我总不能哭丧着脸吧……"

"那是一般同事吗？她怎么第一站就上咱家来啊？看你一脸的笑跟蘸了蜜似的甜，回头我倒要瞧瞧，钱家那个孙子是不是随你，没头发。"

"当着孩子的面说这些没根据的话有意思吗？"

"咦，说说怎么了，说说能把没的说成有的吗？我偏说！"

许大雯和郑守富吵完之后，最后总要对雨晴加上一句："看看人家，怀胎生孩子跟吃蜜蘸糖似的，手到擒来。你怎么就这样难呢？方成那么好的状元基因，你得给人家传下来啊！"

郑雨晴有点心灰意冷。

为了怀上孩子，从来不吃动物内脏的她决定试试清水炖猪腰。不是说偏方能治大病吗？结果雨晴还没吃先吐一回。那满室的猪尿臊味，不比小顾的地沟油好闻。

也是盼子心切，雨晴吐完之后，擦擦嘴，一闭眼心一横，不过是猪腰嘛，我连永刚老婆那碗面不也吃过？

在郑雨晴艰苦卓绝的努力下，终于验孕棒上显出两道浅浅的杠杠！全家人欢欣鼓舞，方成妈知道好消息，忙不迭放下外孙子，洗净双手给观音娘娘上香："阿弥陀佛，阿弥陀佛，谢谢观音菩萨保佑，老吕家这下有后了……"

然而好景不长，一个月之后，雨晴发现自己隐隐出血，担心是流产先兆，方成赶紧带着她去了医院。医生检查后当头一棒："什么流产，你根本没怀上。这是假孕，你想孩子心里坐下病啦。"

这次假孕让雨晴隆隆烈烈的求子活动偃旗息鼓，步不跑了，猪腰也不吃了，各种迷信活动自动消失，晚上窝在沙发里她一动不想动，意兴阑珊。人家产后抑郁，郑雨晴，孕前就抑郁了。

同事都不太敢跟她说话，看她面色寡淡地天天趴桌子上，一言不发，时而怏怏地看着窗外，跟她说话都有一搭没一搭的。旁人要这工作态度，刘素英早上去一顿批了，但对郑雨晴不能。因为她不是不会怀孩子，她是在工作中，把孩子弄掉的，全社上下，都欠她一个娃。

可怀孕这事吧，谁都帮不了她。

周末，吕方成推出自行车，冲趴床上不吃不喝的郑雨晴说："走，我带你去学校转转。"

郑雨晴怏怏地，抬眼看看他："干吗？"

"忘了？今天是什么日子？"

郑雨晴又斜眼看看吕方成："什么日子？"

吕方成一把把郑雨晴从床上揪起来，任她不情不愿，不高不兴，身体扭成麻花。

吕方成把自行车停女生宿舍外头，拉着郑雨晴的手，满校园溜达，问郑雨晴："你记得吧，我们那次在这个小亭子？"

吕方成再问："你记得那次，我们在这个放映厅？"

吕方成又问："你记得不，我们在四百米操场后头……"郑雨晴头皮都麻了："别说了别说了，一脚屎！"

郑雨晴的情感和嗅觉，突然就回到了十八九岁的青春时代。

郑雨晴趴在吕方成膝盖上，听他轻轻读诗："夏天的飞鸟，飞到我的窗前唱歌，又飞去了。"

郑雨晴忍不住和："秋天的黄叶，它们没有什么可唱，只叹息一声，飞落在那里。"

草地上，夕阳西下，霞光一片，将雨晴脸庞映得绯红。

天黑了。吕方成拉着雨晴七拐八绕来到学校体育馆，摸黑进了器材室里。一进门就将郑雨晴抵到墙壁上，像当年那个青涩又冲动的少年一样，热烈地亲吻她："雨晴，你记得吗……"他呼吸急促，二话不说撩起她的裙子。

雨晴忽然想起，今天是她和方成金风玉露初试云雨的纪念日。九年前的今天，也是这里，也是这个时间。

九年！

郑雨晴这次真的怀孕了！医院化验室门口，拿着那张化验单，对着上面敲的两个字——阳性，看了又看。她喜泪落下。

吕方成恰好发来短信：？

郑雨晴立即回了一个：！

对着医院的化验单还不放心，小两口又在家里用验孕棒试了几次，次次都是两道杠！

吕方成啧啧称赞："你看看，状元的孩子不一般，上来就是中队长！"

郑雨晴说："这是我孩子发给我的保护符，我得贴床头一张，告诫你，男色勿近。"

郑雨晴如愿以偿穿上早就准备好的孕妇裙和防辐射背心。行走坐立一举一动，缓慢夸张，如怀胎八月。刘素英上下打量，意外又欣喜："哟，我的妈呀！你！"

郑雨晴骄傲地小幅度点头："打今天起，我宣布我的护蛋计划正式启动！"

总编室主任马上退休。表面上看不过是少了一个主任，但遇上这种情况，报社会对中层干部来一次大挪窝。总在一个口子工作，不免有倦怠感，也会因为人头混得太熟，利用职务之便谋点个人私利。但老傅这次不准备大动，只将刘素英调到总编室当主任，让郑雨晴来接刘素英的班，当新闻部的主任。

报社向来不乏快嘴，啥消息都瞒不了五分钟，老傅要提拔两员女将的消息，很快传开。啥议论都有：有人说刘素英和郑雨晴算是实至名归，能力与职位必须匹配；也有人说老傅咋一点不避讳，两个全是女同志，不免让人产生点联想。

郑守富很开心，他觉得自己受益最大，一个是自己带出来的徒弟，一个是自己家的亲闺女，手心手背全是肉，嫡系部队这下全都上去了。得到消息的郑守富走路都哼着小调，背着手，将黑公文包拍在身后，轻快地打着节奏，浑身上下透着喜气。

郑雨晴在老傅办公室听到任命的消息，竟面无喜色。

老傅说："看不出你小郑，这样稳当，喜怒不形于色啊！我的眼睛还是很准的，我这位子，以后肯定是你坐啊！"

郑雨晴很苦恼："我不坐。"

老傅愕然："怎么啦？"

"老傅，你不找我，我也要找你。不是当部主任的事儿，是请假的事。我要请保胎假。"

老傅震得半天没回过神来："啊？你真怀孕了啊？"

郑雨晴扑哧一声，又气又笑："你什么意思啊？社里上下是个女的都怀孕了，怎么我就不能怀啊？"

不怪老傅这种反应，郑雨晴都雷声大雨点小好几年了。

郑雨晴说："部主任，你另找人。我错一错二，绝不能错三。现在我重中之重，就是生娃。明儿起，我不来上班了。"

郑雨晴转身走了。

老傅在她身后"哎！哎！"了几声，都没留住郑雨晴的脚步。

老傅忍不住叹气："这孩子！最大的问题是，她永远不按正常轨迹走。"

刘素英非常理解："去吧去吧！多大的官都换不来一个胖娃娃。"

郑雨晴手摸着肚子："我觉得吧，当记者不如当妈有成就感。我当记者，一年一个大奖。想当个妈，这一通折腾，多少年！我呀，先把妈当瓷实了，等老娘生完娃再回来，又是一条好汉！"

郑雨晴说的这是理想国境界。基本上，女人一怀孕，跟事业就不沾啥边儿了。怀胎十个月，哺乳六个月，小蹦豆子两三年，说有去无回夸张了点，但从孩子落地一直到上幼儿园，当妈的就围着奶瓶锅台转吧。

刘素英告诉她："事业这种东西，是留给女绝户的。你看世界领导人一出来，男的都是携一个老婆带俩孩子，还跟一条狗，那是成功男人形象。你再看看成功女人，赖斯、吴仪、朴槿惠，你见过几个女领导领着丈夫带着孩子还拖着狗的？"

郑雨晴不寒而栗："我以后还是老实在家带娃算了，事业，不要了！以后就指着我们家方成了！"

郑雨晴前头刚放弃事业，转身就后悔了。因为张国辉从摄影部换岗到新闻部当主任，成了郑雨晴的顶头上司。一想到那张雀斑脸，黄黑龅牙，满身烟味儿加三角斜眼现在天天管着自己，郑雨晴就咽不下这口气。

张国辉上来第一件事，就是收拾郑雨晴。

郑雨晴夜里孕吐，折腾得死去活来，天亮刚睡没多久，部门电话就到了："主任让你来开会。"

郑雨晴："我请保胎假了。"

电话里声音有些畏惧又有些犹豫："部门没批。"

郑雨晴噌地热血就涌头了。她又开始吸气吐气调息大法，尽量不让声音颤抖地回一句："批不批的，我就歇了，扣工资好了。"

电话那头突然传来张国辉恶心得让郑雨晴能立刻犯孕吐的声音："雨晴啊，这可不是扣工资的问题，翻遍《劳动法》，没保胎假一说啊！我们部门现在实行新政，开始考勤，有规章，10次缺勤就开除。你点个卯，爱去哪去哪，但早晚，你得到啊！这，我已经很照顾你了啊！今天早上，算第一次缺勤。"

如果不是有孕在身，郑雨晴可以做到直接揣着锤子去敲那个死不要脸的头。妈的，等老娘平安把娃生下来，我要你死！

郑雨晴趿上布鞋，顶着一张跟张国辉一样的雀斑蜡黄脸，往单位奔。

冬天，办公室里供暖，外头冰天雪地。以张国辉为首的烟枪们，足不出户，公然在办公室里吞云吐雾。郑雨晴前脚把窗户打开，后脚张国辉就关上。

郑雨晴懒得搭理他，就坐在窗边继续开。

办公室里其他人受不了了，跟郑雨晴说："雨晴同志啊，北风那个吹，雪花也快飘了，老这么开窗，我们还能忍，你肚子里的孩子，会冻病的呀！"

郑雨晴说："屋里烟味太大，我受不了。"

有些男同事不好意思打个哈哈赶紧把烟掐了。可张国辉故意把烟往郑雨晴的方向吹，眯缝着眼，一脸邪邪地挑衅："大家都是做新闻的，苏丹红你们做过吧？毒奶粉你们做过吧？地沟油，小郑，这个是你自己做的吧？生活环境都这样恶劣了，处处是毒药，室内空气太干净反而不好，反差太大容易生病。我呀，我这是牺牲我自己的健康，给孩子提前放放毒，相当于打预防针，孩子一落地，顿时有久违的亲切感！吃吗吗香，连奶里，都是一股熟悉的叔叔的香烟味道！哈哈哈哈！"

对这种把无耻当有趣的人，唯一的方法就是逃避。郑雨晴二话不说，自己拎着电脑站在走廊的窗台边干活。大冬天的穿堂风，又吹得她手脚冰冷鼻涕直淌。

待到雨晴怀孕五个月，身体越发臃肿，上公交车成了她的心病，好像是撞运气。运气好点，一上车就有人给她让座——大多都是为人母的女人；运气不好就要命了，她挤在人堆里，被人推来操去，手都不够用了，又要护着肚子，又要抓吊环，还得护着自己的包包，几次都差点摔倒。前后左右的小青年，对着她这位大龄孕妇熟视无睹。司机连着开几遍小广播：请给需要的人让个座。根本没人起身，甚至还有人冷漠地说："你上一天班我也上一天班，哪个不想坐下歇歇！""就是啊，一块钱还想多舒服？想舒服你坐私家车嘛！"

郑雨晴经常好奇，在动物世界里，一头怀孕的母狮子或者母狼，是怎么生存下来的？人的世界与动物世界相比，哪个更残酷？

雨晴这天下车，鞋子给踩掉了，站在路边，踢踏着，想蹲下去提鞋，可是包啊围巾啊，背带裤带子啊，轮番往下掉，肚子也大了，没那么灵巧，正自己懊恼着呢，被从后面赶过来接她的吕方成看见了。

吕方成不声不响蹲下去，给雨晴把鞋跟拔上，把鞋襻系好，搀扶着郑雨晴往家走。方成的手里，是俩素菜包子。郑雨晴跟饿狼一样，接过包子就往嘴巴里塞。刚吃完，又吐一地。

第二天郑雨晴下班，报社门口停了一辆崭新的没上牌的丰田花冠。车门一开，下来翩翩公子吕方成。

郑雨晴狐疑地看着吕方成。

吕方成做个请的手势，给郑雨晴接过包，拉开车门。

郑雨晴坐车上问："哪来的车？高飞的？"

"咱家的。我刚买的。"

"多少钱？"

"十万出头。"

郑雨晴一把捂住嘴："你疯啦方成，十几大万一笔花掉！咱以后不过日子啦！"

吕方成说："能挣会花才是经济的良性循环。放那里光看不花，那不叫钱，叫纸！再说了，你是我媳妇，给你花我愿意。以后我天天接送你上下班。咱孩子，不能受挤车的罪。"

郑雨晴感动地说："我觉得，买个小 QQ 什么的足够了……"

吕方成装成生气的样子："小 QQ？你打我的脸啊？你是我花十万块买来的老婆啊！这样的老婆能坐 QQ 吗？！你等着，不出三年，花冠给你换成凌志！"

从此吕方成一天四趟接送雨晴上下班。那时报社里有私家车的人还不多，吕方成这个举动，实在给雨晴长脸，在家里见到郑守富，雨晴的头又一次抬得高高的，扬眉吐气。

头上无冤心有良知

新的一年到了，初春时分，郑雨晴迎来她人生的新阶段。而《都市报》也有了划时代的改变。

郑雨晴终于当上妈妈，她生下了女儿吕萌萌。

荣升外公的郑守富退休，赋闲在家，自此再也不提家庭妇女这个词。

《都市报》拟成立集团，奔上市而去。傅云鹏在集团成立的前夕，被调到《老年报》，属于平级调动，还是当总编辑。市里领导的意思是，看中老傅的业务能力，让他去加强那里的采编业务。顶老傅职位的，是职业经理人吴春城。他来了之后，立即着手组建都市集团，《都市报》终于发展壮大，现在已经是四报一刊一网一个出版社还加一个印刷厂的大集团。吴春城被任命为集团董事长兼总经理。

等到郑雨晴休满七个月的产假，重新上班，她觉得恍若隔世，什么都变了。《都市报》，从前那股平等友爱的人文风气，似乎随着老傅的调离而消失殆尽。文化单位变成了集团公司，首先的变化在于，一天四次打卡。这是集团的规章制度，可不是张国辉在部门内部搞的整人小把戏。编辑记者从来都是自由职业，闲云野鹤惯了的，一天四次打卡，可把人给看死了。要想跑新闻，你就顾不上打卡，如果你想打满四次，那新闻极可能漏报。反正都是扣钱，迟到一分钟扣一个月的全勤奖，漏掉一条口内新闻，这个月扣掉你的好稿奖。偏偏又是指纹打卡机，李保罗想帮郑雨晴代打都没有办法。正值雨晴的哺乳期，李保罗只好眼睁睁看着雨晴首如飞蓬疲于奔命，却无能为力。

回来上班第一个月，郑雨晴惊讶地发现自己拿的钱少了！她翻了翻银行记录，原来这个变化是从成立公司那时就开始了。自己被重新定编定岗，博命评奖得来的副高职称，现在不被认账。而她因为喂奶不能常跑外勤采访，做些编辑编务的工作，仅被定为业务第九档，相当于业务辅助，拿的钱和去年刚刚进社的大学生一样多。

不是针对她一个人，全报社员工的收入都重新定岗评级。以前的职务职称工龄，通通清零了！

工资条也不再像从前那样，光明正大地放在每个员工的桌子上。个人收入采取背靠背打分的办法，郑雨晴弄不清楚，分由谁打，这个月自己会拿多少，下个月又能拿多少。更不清楚其他人的收入，是比自己多，还是比自己少。因为集团规定不许员工们互相打听，个人收入现在都属于集团的财务机密。这叫薪密制。

最大的变化是，集团把各种经营任务分摊到记者编辑的头上，不光要完成稿件采访，还必须出去拉广告跑发行。郑雨晴快要愁死了，生个孩子，荒废疏离了与口子单位的关系，等断奶之后能把新闻跑起来就很不容易了，哪还有办法发展广告和发行的客户呢？但是，完不成这些经济任务，又要扣钱。

钱钱钱钱钱。原来，听起来高大上的准上市集团，浓缩起来只有这一个字啊！

发现自己收入减少，还不算打击，放眼一看大家都一样嘛。普遍贫穷不会导致革命，但贫富不均却绝对能够引发战争。无意中听说集团大佬们拿上了几十万的年薪，郑雨晴就不淡定了！凭什么拿这许多钱啊，就凭他们坐车上指手画脚啊！人家老傅在的时候，还亲自采访写评论呢，不过只多拿奖金的百分之二十，那个吴春城，连一个字也没见着他写！一小群对这个报社不曾做过一点贡献的人富了，一大群对报社呕心沥血的人穷了。

方成把笔记本捧给雨晴看："你看，新浪头条更新多快啊！你们报下午才上报摊，一大早门户网站上的消息就刷出来了。"

雨晴胡乱瞄了一眼屏幕："方成，我可是为了这个家，为了你和孩子做出牺牲的，不然哪轮到张国辉坐新闻部主任的位子！听说他还在运作，要拿年薪！马勒戈壁，集团那些头头没本事圈到钱也罢了，还拿年薪！方成你答应过，让我过上好日子的，你要奋斗，要拿年薪！还有，你可不能看我现在的样子，就嫌弃我，那就坏了良心！"

郑雨晴想重整河山，但缺少左膀右臂。李保罗自打腿断以后，就恢复得不怎么好，时不时腿就没力气，走着走着就被绊倒。他那么能征善战的摄影记者，现在遇到关键时候，跑不快，跳不高，抢不过，照片质量与从前不可同日而语。文字记者就不爱带他。恰逢雨晴这个奶妈也不利索，出个现场掏笔没掏出来，湿纸巾尿不湿却噼里啪啦掉一地，俩残疾人又和谐地搭档在一起，不疼不痒的新闻，大家都谦让给他俩跑，好新闻基本跟他俩没关系了。

李保罗也买了个车，跌怕了，觉得皮包铁加上他经常开小差的腿儿，容易出事故，索性铁包皮心里踏实。郑雨晴又能蹭他车了，还不必风吹雨打。

才两三年的工夫，他俩好像就安静沉稳了。以前神采飞扬，指点江山，那气势，感觉身上挂着免死金牌，腰间怀揣黄马褂，头上戴着水晶王冠，想去哪去哪，任你王权显贵，还是富甲一方，上至政务长官，下至平民百姓，只要亮一下手里的记者证，就直接踏入他们的灵魂。

李保罗开着车问雨晴："咱要去老傅那儿看看吗？好久没见了。"

郑雨晴笑："咱现在都集团了，你还用报社那一套？见主任要喊主任，见总编要喊总编，都训练这么长时间了，你还没轻没重。"

李保罗笑了："老傅不是不在咱集团吗？还喊老傅。妈的，以前报社的人，个个都是胸中有山水，现在倒好，胸中有钱，脑子进水。原来亲亲热热的，突然就给等级隔开了，你喊着刘总编，就不好意思跟她开玩笑了。"

郑雨晴的手机进了一条短信。陌生号码发来的："郑记者，我有秘密消息通报，下面地市医院涉嫌贩毒，你敢不敢采？"

郑雨晴一个激灵："有大事！"

李保罗："嘛事？"

郑雨晴把短信读给李保罗听。

李保罗跟打了鸡血一样突然就精神了："在哪儿？！"

郑雨晴正回短信，字都打一半了，李保罗突然就松懈了："你这个月工资加奖金多少？"

郑雨晴手指犹豫了，嘴一撇："3300块。你呢？"

李保罗手指不自觉就递到嘴边，假装有烟地狠狠嘬一口："3500。妈的！我进社的时候，就拿这么多钱！一改革，回到解放前了！"

郑雨晴不作声，过一会儿轻轻吐了一句："怪不得领导不许互相打听同事工资。"

李保罗不解地看看郑雨晴。郑雨晴说："他是怕真相被我们知道了。我以为就我拿得少。没想到大家都拿得少了。"

李保罗："还有谁？"

"刘大姐。她说她也有发行和广告任务。没完成，就只拿了基本工资。再加上有错别字给挑出来了，热线电话都打爆了。她又给扣工资了，所以，连着俩月，基本工资都没拿全。"

李保罗突然笑了。

郑雨晴："你笑什么？"

"老板在台上开会，跟打了鸡血一样！天天发行破纪录，广告破纪录，经营破纪录，那些实惠，怎么我们一点没得着呢？不去了！"

"不去什么？"

"没必要给他玩命。以后这些新闻线索，你就当没看见。让线人直接去公安局报案吧！就这么回他。"

郑雨晴犹豫地点了点头，说好。

夜里12点，郑雨晴给萌萌补了一顿奶，正要睡觉，手机又响，短信又至："他们正在取货！"

郑雨晴站在客厅，思忖了一会儿，还是拿起手机给李保罗打了电话："保罗，我想了想，咱还是得去。"

李保罗："去哪儿？"

"阜州。下面的一个地市。"

"干吗去？"

"还是早上那条短信。我想明白了，我们是记者，追新闻不是为了领导，更不是为了钱，而是为了对得起百姓。头上无冕，心有良知。"

李保罗声音突然伤感起来："雨晴，我去不了了。下午我去医院了。拿了我的报告，我这老摔跤，不是腿没恢复好，是运动神经元病。我以后，哪儿都去不了了。"

郑雨晴含了含眼泪，毅然拿出了双肩包。

郑雨晴赶到长途汽车站的时候，接到刘素英电话："你在哪儿？"

郑雨晴喏喏地说："在外面。"

刘素英走过来，拍了一下郑雨晴的肩膀，把郑雨晴吓了一跳。

刘素英指着她的脑门子轻轻骂："你胆子太大了！你知道你在干吗吗？你在干公安局的工作！你应该向公安机关报备！"

郑雨晴："线人说，已经跟公安机关说过了，公安没回音才跟我们说的。"

刘素英："你把孩子丢家里，你像娘吗？孩子在吃奶！"

郑雨晴："我交代给我爹妈了，正好趁这个机会我给她断奶。不错了，都吃八个月了。"

刘素英掏出两张车票，递给郑雨晴一张："走！检票了。"

郑雨晴呆住了："大姐？！"

——是李保罗通知刘素英的。

郑雨晴一把拉住刘素英："不行！回头你跑不动。你都多少年不去一线了。"

刘素英高傲地哼了一声："老娘我每天骑车上下班，就是为了保存体力，时刻准备着！"

刘素英大踏步往检票口走。郑雨晴眼泪唰地滑落。

长途车上，郑雨晴手掌揉着乳房，眼睛看着窗外。

刘素英笑："刚出门就想娃了吧？女记者都一样。我当年流着泪去采访，把我孩子锁家里。我还没你那么命好，没人给我带——你爸不是赌咒发誓不给你带孩子吗？"

郑雨晴有些凄凉地笑道："我只要跟他说是工作需要，他一定会捐弃前嫌的。老新闻工作者了，这点觉悟还是有的。"

刘素英也笑："怪不得大部分职业都是家传。同行才能理解同行啊！"

夜色里，郑雨晴和刘素英跟线人，猫身在医院附近的草窠里。

郑雨晴满头是汗，不停轻轻拍着胳膊和腿。

刘素英："没经验吧？得牛仔裤配长袖。野地里，蚊子多多啊！给！"刘素英递来一瓶风油精。

郑雨晴："以前蚊子从来不咬我！没这意识！"

刘素英："现在你一身奶香，别说蚊子咬你，我都想咬！"

线人一按她们，俩人立刻收声。

医院顶楼的一个窗户，灯亮了。

郑雨晴看表，夜里 11 点半。

她问线人："要现在上去吗？"

线人惊讶地看着郑雨晴："这是抓毒贩子！你以为赴宴？惹急了人家拿刀剁你！"

很快，灯灭了。

一切归于平静。

一辆摩托车出来。

一个人又走出来。

郑雨晴拿长焦咔咔一通拍照。

线人耳语："这个人是药剂科的王信义。"

郑雨晴："是药剂科私自卖杜冷丁？"

线人："不是。是医院官方——领导。"

郑雨晴跟刘素英对视："又是领导！"

线人不解地看着她俩。

刘素英解释道："说我们单位。"

郑雨晴又问线人："你怎么知道的？"

线人看着郑雨晴："你不认识我，可我认识你。几年前开新闻工作者表彰大会的时候，我是地方优秀供稿员。你在台上，我在台下。我以前是这个医院的职工。"

郑雨晴大惊："现在呢？你干吗去了？"

线人两年前写匿名信举报过医院卖毒，但那信不知怎么，回到医院领导手上，查出来是线人干的，找个理由就把他开除了。

郑雨晴："他们这两年一直在继续？"

线人："没有。我一直在暗中盯着。他们警惕了一段时间，发现没风声了，最近又开始了。"

郑雨晴："胆子太大了！竟然敢在医院交易！"

线人："最危险的地方往往最安全。医院有杜冷丁出售是正常的。他们是有智商的人。"

　

三个人从交易现场撤离，找了家宾馆，在宾馆里开会，窗帘密闭。郑雨晴胳膊上、腿上，全是密密麻麻的蚊子包。她边挠边问："今晚为什么不抓？"

线人："咱不能抓。他们都是亡命之徒，弄死你可以让人找不到你的尸体。"

郑雨晴气愤地骂："老子要是不搞条大新闻，都对不起我的血汗！"

刘素英对着手提电脑上的照片分析："这个不行。啥都看不清楚，拿去报案得让警察轰出来。得抓个近景。"

线人摇头："我可不打算送死。"

郑雨晴和刘大姐一对眼神："剪刀石头布！"俩人没有预演地就开始猜拳了。

郑雨晴赢了。刘素英："三局两胜！"俩人接着剪刀石头布。

还是郑雨晴赢了。她立即起身："我去现场，你去公安局。"

刘素英当然不同意。

郑雨晴说："你都输了你想耍赖啊！我腿脚快！再说了，我最烦跟有关部门的大爷打交道了。他们也不鸟我。你不一样，你气势大，镇得住他们。"

刘素英终于同意了。

郑雨晴跟线人说："明天你跟我去现场抓现行！"

线人却把头摇得像拨浪鼓："我不去，你不怕死你去！"

郑雨晴豪情万丈，恶向胆边生，啪地一拍桌子："我去！老子一个人去！"

一激动，奶就直飙，眼看着郑雨晴前襟湿了两块，印迹越来越大。线人很迷惑，忍不住指指郑雨晴。

郑雨晴一看，赶紧一溜烟跑到厕所去。

刘素英突然就柔软了："求你了。你陪她去吧！她娃都不喂了，来替你报仇。你好歹地形熟。你放心，我去公安局搬救兵。我要是搬不来救兵，我死给你看！"

郑雨晴大大咧咧甩着膀子打算英勇就义的样子，从厕所里出来了。看到线人摇头，她拍拍他肩膀："行！你歇着吧！我自己去。"

线人说找拜把兄弟陪郑雨晴。他是怕死，但他另有理由——都在这个城市消失一年多了，突然出现会打草惊蛇："明天你躲在医院里不出去。我在外面盯着，他们一进去，你就下去。"

雨晴愣了："下去？他们在顶楼欸！"

线人坚定地说："下去。"

第二天下午，郑雨晴去医院挂号，找到一个房间："惠医生吗？我做检查。"

戴着口罩的惠医生把郑雨晴迎进诊室，把诊室门关上。

郑雨晴躺检查床上看着惠医生的眼睛："雨中山果落。"

惠医生："灯下草虫鸣。"

两人扑哧笑了。惠医生摘下口罩。

惠医生跟郑雨晴详细说了晚上的行动，和线人说的一样，郑雨晴藏在楼顶，等楼下交易开始，她就翻下去。

惠医生看看郑雨晴的胳膊腿儿："你这身子骨，可别掉下去。"

郑雨晴："没有保险带？"

惠医生也惊着了："你以为是马戏表演？"

郑雨晴恐惧地闭上眼睛，把脸遮起来："我有没有告诉你，我有恐高症！"

惠医生也傻了。

惠医生把郑雨晴带到楼的尽头，路过消防栓的时候，趁四下无人，打开盖子，想把消防水带给取走，取半天竟然不会拿！

郑雨晴急了，拔起栓子把消防水带揣衣服下头，双肩背包转过来，反背在前胸遮盖住，动作一气呵成。她恶狠狠地盯着惠医生："这点活都不会干！"

惠医生哭笑不得："大姐，你是记者还是小偷？"

身后有人过来，跟惠医生打招呼："领工资啊？"

惠医生打哈哈："不是，陪消防处的去财务科。"

人家也就过去了。

郑雨晴一脸不可置信："你会不会撒谎？消防处去财务科？"

惠医生："我紧张！"四下张望，看没人，他一闪身带郑雨晴上了消防通道爬到顶楼。

郑雨晴问："有楼梯你为啥要拿消防水带？我晚上从这儿下去直接堵他们不就行了？"

惠医生："楼下是财务科，一会儿下班，这个通道就从里面锁上了。"

惠医生到了天台，把郑雨晴安顿在水箱和墙壁之间的缝隙里："你就藏这里。下面一有动静，他们就打你手机，你调静音。你就顺这里走，走到这儿，我给你画一下，这下面就是药剂科办公室。你把消防带系在这儿，你顺带子爬下去就能看见。只有五六分钟的时间。你抓不住，就抓不住了。你动作要快！"

郑雨晴把消防带掏出来看看："这玩意儿，会断吗？"

"十个你挂上去都不会断。关键是你自己，你别撒手就行。你一撒手，就是从六楼摔下去。根据我过往的救治经验，生存率基本没有了。"说完惠医生转身要走。郑雨晴一把把惠医生拉住。一手都是汗。

惠医生有些犹豫："要么一起下去吧？"

郑雨晴深吸一口气，闭上眼睛稳一稳神，待睁开眼已经无比坚定与勇敢："你走吧！"

惠医生有些不忍，想想，转头走了。

郑雨晴一个人藏在夹缝里，与偌大的天台相比，她很瘦小。

前襟又被乳汁浸湿了，乳房胀得疼。

天色渐暗。夕阳的余晖倾倒在楼顶。远方，目力所及之处一片荒草地，还有芦苇，很美。

郑雨晴猫着腰，走到天台边，往下一看，腿立刻就抖了，感觉一时二刻就要掉下去了。爬下去绝不可能！她有点悲观，今晚基本要黄花菜了吧？这是不可能完成的任务！在五六分钟内把消防带系上，自己翻身滑下，拍了照，再跑掉。六楼，掉下去活命的概率为零啊！

郑雨晴头有些疼。她忍不住拿拳头敲头。

手机振了，是刘素英："你还好吧？"

郑雨晴轻轻回答："没事。"

刘素英："忘记给你带晚饭和水了。"

郑雨晴："我故意不带的。免得上厕所。"

刘素英："我在派出所外头候着，线人一给我电话，我就带警察杀过去！"

郑雨晴"嗯"了一声，掐了电话。她犹豫了一下，给爸爸打电话："爸，萌萌好吗？"

郑守富："好！好！会叫爸爸啦！"

郑雨晴："啊？我刚走她就会说话啦？这个没良心的！我天天带她。爸，你和妈，要注意身体，不要省钱。你不要老跟我妈吵架，老了以后，就你们俩做伴了。"

郑守富："可以靠你嘛！"

郑雨晴："我也靠不上。你对我妈好点。不说了，我得给手机留够电。"

郑守富还在电话那头不解地问："你在干吗呀？神神道道的。"

郑雨晴又给吕方成发短信："我爱你。"

吕方成半天没回音。

郑雨晴等得很孤寂。

终于，天黑了。

只有没有灯光的地方，才能看见繁星点点。好久都没见过这么多星星了。真想给女儿唱首"一闪一闪亮晶晶，满天都是小星星"，萌萌，妈妈想你。

睡吧，要是能睡着就好了，时间就过得快了。一定要睡一觉，才能保持体力。

这该死的脑袋，疼得像开裂一样。

"我郑雨晴，也可以像007那样飞岩走壁？"郑雨晴脑海里把蜘蛛侠、蝙蝠侠、令狐冲和郭靖全都走了一遍，然后一个人呵呵地笑了，"我的一生，是惊心动魄的一生，差点在洪水里翻船，曾经从山崖上掉下去，现在又要从六楼跳下……嘘，真不吉利，敲敲木头。妈的，连根木头都没有。我不会，真掉下去吧？不会的。我福大命大，我为民谋福利，老天会保佑我的。"——郑雨晴在这一刻，就信菩萨了。

23 点 55 分了。

郑雨晴发现自己无比亢奋，既不饿，也不渴，浑身充满了野性，感觉来一只老虎，自己不用喝酒就能把它捶死。

手机电池快没电了！！还有一格！

吕方成电话到，郑雨晴正要接，线人的电话进来了，郑雨晴果断接了线人电话。

"他们前后脚进去了，灯还没亮。"

郑雨晴迅速就位，抱着消防带猫步地跑到惠医生画线的地方，系好带子。她伸头一看，灯亮了。

要抓紧！只有五分钟时间！

郑雨晴深吸一口气，把相机挂脖子上，把包丢在平台，毅然决然，咬牙切齿地，抱着消防带子就往下滑。

滑到六楼口，郑雨晴心脏都要掉出来了。

窗口里，清晰地看见药剂师将药品给了一个黑衣人。黑衣人掏钱。同样一身全黑衣的郑雨晴咔嚓拍了一张照片。

里面的人立刻警觉，他们大喊着打开窗，郑雨晴却淡定地在确信照片清晰以后，才开始往下滑，里面的人拿出一把刀，推开窗户割消防带子。

刘素英在派出所内已经要崩溃了。

她对警察大喊："我的记者在现场，这是我们昨天拍的照片，你们必须要出警！"

警察爱搭不理地看着刘素英："你说出警就出警啊！你这拍的什么呀！谁看出来这是什么？"

刘素英掏出手机："你不动？出大案你负得起责任吗？我现在就给省公安厅厅长陈述坤打电话！"说着开始拨号。

警察笑了："我们这儿每天叫嚣着给厅长打电话的人恐怕得有十几二十个。咱到底是依法办事，还是依人情办事？去去去！我这儿忙着呢！这酒后闹事的还没处理呢！"

刘素英急了，突然从口袋里掏出一把刀，走到警察身后把刀搁他脖子上："你去还是不去？！"

警察傻了："你不要犯浑！你！你弄疼我了！血！哎！血！救命！"

外面警察带着警棍就进来了："你放开他！你放开他！"

刘素英："你们赶紧去万仑医院！现在去！！"

惠医生穿着白大褂狂奔进来："不好了！出人命了！有人从我们医院六楼摔下来死了！"

新闻理想的破灭

　　警车和救护车几乎同时到达医院。行政大楼的门被反锁，有两个人正慌不择路想方设法要出来，被警察堵个正着。

　　线人正抱着郑雨晴，一头水，分不清是汗还是泪。

　　郑雨晴身边，撒了一地的消防带，接口处看得出是被刀割断的，异常整齐，不过划歪了。

　　刘素英大哭："雨晴！雨晴！你不能死啊！萌萌还等你回家啊！"

　　医生把郑雨晴往担架上抬，担架往救护车上抬。刘素英蹲地上哭得直不起腰。

　　手机响，是吕方成打来的："大姐，我打郑雨晴电话她不接，出啥事了？"

　　刘素英泣不成声："雨晴，雨晴从六楼摔下来了！"

　　吕方成吓得手机哗啦掉床上，他慌忙捡起来，声音都颤了："她，她，她没事吧？"

　　刘素英崩溃了："六楼！没事？！"

　　医生摸摸郑雨晴的脉搏，"有心跳啊！怎么一点儿动静没有呢？别内出血啊！"

　　郑雨晴睁开眼睛一伸舌头："哎！"跟诈尸一样，把所有人吓着了。好在郑雨晴是从一楼半摔下来的。真是福大命大，他们割消防带的时候她都快到地了。哪知道这消防水带长度不够。"他们要是不割，我还不敢跳，就这么吊着，哎哟，哎哟！"

　　医生赶紧到处按，看她哪儿断了。

　　郑雨晴："别按别按！胳膊疼！"

医生："估计断了，回去拍个片子。"

"没断，是酸疼，吊的。妈的，回去以后该减肥了，当猴子都不合格！"

郑雨晴和刘素英在当地发回稿子，然后得胜班师回朝。

一进报社，发现大家看她们的眼光都不对了。集团秘书陈思云匆匆来找，说吴总有请。

一进办公室，吴春城就站起来迎接，特热情地握手，寒暄："二位辛苦了！可歌可泣啊！你们有多么不容易，我都知道了！"

郑雨晴好奇地问："你怎么知道的？"

吴总："当地公安局都把你们的光荣事迹跟我汇报一遍了。他们感谢你们对他们工作的支持，刘主任拿刀架他们脖子的事，我已经跟他们谈妥了，不予追究。"

刘素英轻浅地笑了一下，但还是礼貌地答："谢谢吴总。"

"同时呢，作为交换，这篇稿子，我们也不发了。"

刘素英和郑雨晴大惊："不发？！"

吴总："哎呀，老刘，你难道不知道，你袭警是要坐牢的呀！我费好大劲才谈妥的！"

刘素英转身往办公室外头走。吴总忙问去哪儿。

"我投案自首。让他们抓我吧！稿子，你该怎么发怎么发。"刘素英说完接着走。

吴总："站住！"

"吴总，这篇稿子，是郑雨晴用命换来的，你说不发就不发？你算老几呀？我搞新闻的时候，估计你才开始认字吧？你眼里，除了钱权交换，你还有什么呀？"

郑雨晴吓坏了，赶紧拉刘素英的胳膊："姐，姐，不发了，咱不发了，咱走吧！"

刘素英："你走！今天我非要跟他掰扯掰扯！你发还是不发？！"

吴总笑了："老刘啊，你是不是，也想拿刀架在我脖子上啊？你不要激动嘛！来来，我给你倒杯茶。"

"你别跟我来这一套，你今天到底发还是不发？！"

"老刘，发或不发，你说不算，我说不算，这你也知道。现在案子也破了，人也抓了，警方该做的都做了，人家当时不出警，也是依法办事。现在处理，也是在走程序。你们的目的，到底是要坏人服法，还是要自己扬名立万？"

"你什么意思？"

"我的意思是，你们已经尽到了一个新闻人的责任，这新闻，发或不发，社里都会铭记你们。《都市报》报头上的红色，都是你们的血汗染成的。这篇稿子，虽然没用出来，但依然能拿报社好稿奖，奖金500块一分不少！我够意思了吧？希望你们俩，以大局为重，以和谐为重，体谅我的难处。"

刘素英和郑雨晴只好默默地走出吴春城办公室。

走廊上，郑雨晴哑然失笑。从失笑到大笑，直笑得抱着头蹲地上直不起身来。刘素英吓坏了，以为郑雨晴疯了，她也陪她蹲着："雨晴，雨晴！你不要吓我。你回家休息一段吧！"

郑雨晴摇手，笑够了说："我以前，一直以为生命无价。今天才知道，价值500块。"

刘素英不干了："什么500啊！你贪我功！咱俩一起写的！一人250！"

"他在骂我们二百五！"郑雨晴又大笑。

刘素英也笑了："我们俩二百五，我还差点儿坐牢去。"

郑雨晴："你要是坐牢，我给你送牢饭。"

刘素英："你饶了我。你那手艺，还不如牢里的厨子。"

郑雨晴突然认真地答："姐，你相信我。我从今天起，认真学做饭，一定要达到名厨的水平。"

刘素英一撇嘴："干吗？学好了给我送牢饭啊？"

俩人又笑。

打那天起，郑雨晴转移了生活重心，她放下了新闻理想，安心钻研厨艺。郑雨晴用那250块好稿费，买了一套烹饪书和几个烤盘，她一手抱娃一手做饭，还给日夜加班的吕方成回电话："你不要惦记家里，撒腿跑吧！能升多高升多高！"

吕方成果真撒开腿了。既因雨晴的鞭策，也是被徐文君逼的。

虽然大家都瞧不上徐文君，但不得不承认这个女人真的很有手腕，人家那也是下力气干出来的！又会对资源进行整合嫁接，又把领导服侍得前通后顺，七搞八不搞的，居然很快当上营业部副主任，原先的女副主任还有半年才退休，为给徐文君腾位子，提前被上面发去搞工会。而且红头文件上还写明，徐文君是常务副主任。营业部里人人称她为徐常务。

徐常务一旦登上这个位子，心志就不再小了。所有对上的会议，门面的工作，邀功请赏的事，徐文君一样不少，只多不少地全部做遍。

上面领导刚布置提升服务品质的工作，徐文君回来就把营业部的人收拾得像个孙子，比照着洗脚房传销店和高速公路收费处的"八颗牙微笑"，要求全营业部对照着做足。

第一天下班后练习，大家自己先笑趴了。有个年长的柜员说："以前都说大家闺秀笑不露齿，这血盆大口张的，不把客户吓走？"一个小年轻姑娘也笑得不行了，说："咱以前都是人家欠咱 100 块钱的样儿，突然这种转变法，会不会发生挤兑啊？人家以为咱要倒闭了。"徐文君有些恼怒，板着脸一副领导做派地训人："上级领导交代的任务，我们要有服务意识，你看看街对面的商业银行，人家走市场的，态度多好，不多久，咱生意都给他们抢光了，服务意识要从点滴做起，下班后都不许走，笑合格了才能回家。"

老柜员不鸟徐文君，白她一眼说："我是来数钱的，不是来卖笑的。我天生不会笑，我不笑你咋弄我？我就一柜员，你还能罚我成副柜员？我一不想升官，二不想发财，三不想勾搭领导，银行工作就指着准点上下班的，我加班，你去我家烧饭？"老柜员一扭头，拎包走了。

剩下的人都快憋不住笑了。徐文君气急败坏地一眼扫过去，冲最没背景的吕方成喊："从明天起，你上柜台示范，八颗牙给我露出来！"

吕方成尽管生气，第二天一大早七点半，他还是准时出现在营业大厅里，跟一群姑娘一起互相检查仪容仪表，练完笑容准备上岗。八点一到，卷闸门拉开，门边站双排共八人齐刷刷咧着大嘴，见第一个顾客进门，鞠 90 度大躬，跟遗体告别一样："早上好，感谢您光临江州银行！"生生把顾客给吓跑了。

徐文君把吕方成掐得死死的。支行长来营业部考察徐文君的创新服务，认为服务的外延有了，但内涵不足，不是表面上热情一点客户就把钱留下了，怎么样把行内的各种基金保险金融产品推销出去才是真功夫。徐文君活儿接得倒挺快，办法却是没有。她唯一的办法就是喊吕方成：

"领导指示，状元是一百年才能出一个的，我们不要用一些小事浪费他的才华。小吕，你负责把这些金融产品都给卖出去。"

"小吕，你老婆是报社的，这个资源不用白不用，今后每月营业部的表扬稿至少三篇，批评稿绝对不能登出来。这个是要当成你的业务考核指标的，完不成拿你是问，要扣年终奖噢！"

"小吕，最近行里指示，货币政策比较宽松，贷款额要上去哦！你想想怎么发展一些优质客户来贷款！"

"小吕，行里技术考核，我们要选派一个能手参加，这里就你一个状元，舍你其谁呀！参考题我已经放你桌子上了！不拿第一不要回来见常务哦！"

"小吕，行里通知领奖……哟！小吕不错嘛，真是在常务的领导下拿了第一了，领奖我替你去，颁奖嘉宾是行长哎！这种对外的业务，就不劳烦你了，你修内功！"

小吕已经都快没活路了。肩膀上考核任务重得一度都斜肩了，还得了抽动症，时不时地耸耸肩膀，想把身后那胸动如脱兔的徐文君给甩掉。

郑雨晴冷静地跟吕方成分析："你把贷款放给这些行业！"郑雨晴指指自家报纸中缝里卖墓地的广告。

"墓地？！'铁公基'这样的好项目轮不上，好歹也找个楼盘投个别墅啊，说不定咱能趁机弄个内部价倒个楼花咧！"

郑雨晴轻浅一笑："你要相信我的感觉，满大街都在盖房子！有这么多房子得有这么多人住啊！万一哪天崩盘了你收不回怎么办？我觉得墓地好，八九万一个平方米，哪家别墅是这价钱？租期只有二十年，这种冷门生意，不要太好做啊！"

吕方成转念一想，也是，这年头死人房子卖得比活人住宅要贵得多，荒山野岭的地方，地不值钱，开发商拿到手之后，只要把地坪整一整，划成大小不一的方块，植上树铺上草就能开始卖钱，连个桩子都不需要打。吕方成的新业务奔着荒郊野外就去了。

别人的贷款都要展期，墓地资金当年就回了笼，紧跟着吕方成又帮着地产商开发新项目，贷立体停车场。趁着资金宽松，他给高飞的公司放出去不少钱，高飞借这股力道，撒丫子跑上康庄大道，古镇旅游、温泉养生和影视基地如火如荼地就开建了。吕方成当真一个人便完成了营业部全年的贷款任务。营业部姚主任喜不自胜，三番五次在会上表扬吕方成，还提名吕方成当先进个人。徐常务听了，酸溜溜地说："哎哟咱们状元要当先进了！可这材料咋整啊，墓地项目，啧啧啧，真是晦气！"

吕方成画了一个江州银行社会各阶层人物关系图谱，几乎个个都是有背景的狠角色，除了他自己。

"燕雀安知鸿鹄之志？我再有钱，都被她拿权捏得死死的。徐文君一天是常务，我就一天受制于她，我所有的功绩，都给她拿去当向上的阶梯用了。趁现在姚主任对我印象好，我要和徐文君平起平坐！"

郑雨晴忍不住嘲笑他："你忘记了你以前说的话？你那火腿，怎抵得上人家的小鲜肉？"

吕方成信心十足地说："你放心，徐文君的目的，肯定不在咱这小庙里，我看她天天往行里跑，对行里的领导竭尽谄媚之能事，姚主任能没感觉？这是碍着下盘轻飘，不好表达。这是我上位最好的时机了！我用数学模式分析了自己目前的处境，推导过程很复杂，说了你也不懂，结论就是，你找找家里有啥拿得出手的，明天我去主任家。不要火腿！"

姚主任笑嘻嘻地收了吕方成的高考数学复习资料："没想到啊没想到，方成你雪中送炭啊！这套卷子，很难搞的咧！我闺女这就高三了，正赶上做的时候。"

吕方成一笑："这算啥？这还不是关键，我还有更好的秘籍。"

主任的夫人走过来翻翻卷子，一脸为难的表情："好是好，我家孩子只怕水平不够。她得会做呀！她要有你这状元一半的智商，我就阿弥陀佛了！"

吕方成笑得灿烂了："我这秘籍里，除了卷子，还搭我这人儿啊！有我在，您还担心女儿考不上好大学？"

主任夫人脸上突然就牡丹绽放了："哎呀方成！这怎么好意思呢！单位里已经那么忙了，还要你为我们牺牲业余时间！"

吕方成一本正经："我可不是为您牺牲，我这是为祖国的未来！"

吕方成一走，主任夫人就开始在主任耳边叨叨，夸吕方成业务能力强，又心细体贴，是个可造之才："小吕把我的心病看得清清楚楚的！我其实以前就有这心思，怕他不来，回绝我损我面子，你看看，人家多贴心！"

姚主任答夫人："只要能把你哄好了，把娃带好了，那就是功臣！"

夫人冷冷丢一句："我看小吕，比那个骚狐狸强！我警告你，我平时陪闺女在学校住，会随时回来查岗！你不要自己毁自己！"

吕方成终于和徐文君一样登堂入室了。

只不过徐文君是周一到周四的晚上，吕方成是周六或周日的白天。

在与主任的私人情感上，也许徐文君更亲密点儿，但吕方成因为拿下夫人，也算占据了银行要塞的半壁江山。

可这"半壁江山"易攻难守，吕方成不得不采取"非常之法"。拖地、刷碗、修理油烟机这些在家都插不上手的家务活，吕方成却干得任劳任怨，不惜浑身浇满各色油渍，每天面对主任和主任夫人强颜欢笑，时不时还得"打点打点"。连郑雨晴单位用来抵广告费的"神秘酒"也被他鬼使神差地送上门，喝得姚主任满面春风，瞅着徐文君半敞的胸脯两眼发直。而回到家，任凭郑雨晴和萌萌怎么问，吕方成总是垂头丧气，一句话也不说。

他开始每天给主任带早点，以前这是徐文君的专利，两个人关在房间里叽叽咕咕地吃爱心餐。现在她当上常务，巴结上更大的领导，爱心餐断顿了，主任很是惆怅。吕方成很自然地接过她的班。

主任赞赏："还是你知道我的心，北方人，喜欢韭菜合子！以前小徐总嫌我吃这个嘴里味道大……"说完，意识到什么，尴尬地笑笑。

吕方成凑近主任："韭菜是个宝，又叫壮阳草。女人哪里懂这些。"

主任低头看着韭菜合子："小吕，最近工作有啥困难吗？"

"困难总是有的，不过事在人为，我慢慢去克服。"

主任满意地点头："小吕啊，你是我这二十年来见到的，唯一一个不跟我诉苦的员工。以前所有的员工，只要有机会在我耳朵根上，一定是要这要那，说这不好，说那不满。只有你，无欲无求。"

吕方成笑笑。

无欲无求的吕方成，很快也成了副主任，非常务，也带"务"，业务副主任。在业务上，整个营业部想跟吕方成一决高下的人真找不到。

姚主任被派到外地组建支行了，调令书来得又急又猛，容不得讨价还价。姚主任临走前，一万个不情愿地跟吕方成说："孩子还有几个月就高考了，家里就拜托给你。我向行里打了报告，力荐你吕方成接班！"

可是吕方成没美两天，徐常务就先行一步，接手正职。

任命下来，徐文君又说风凉话："老姚，听说你力荐小吕啊，你的这些信息，我都收到了。但是不好意思，这个位子，本来就不是给吕方成准备的，你懂我的意思吧？"

以前一口一句酥得掉肉的"姚主任"，突然就变成"老姚"了。也是，徐文君，从级别上，跟老姚平起平坐，从其他方面，说不定比老姚更接近中心。

老姚和徐文君的缘分，从这一刻起，彻底决裂了。

老姚临走前，跟吕方成喝了一次交心酒。吕方成一喝酒就过敏，身上起的疹子能半个月不退。这次为陪失意的老姚，算是舍命陪君子了。老姚其实根本不用人劝，自己就喝大了，喝到最后号啕大哭，经营了几十年的省会最大营业部的主任位子，拱手让给自己天天对上美言的徐文君了，自己马上要流放到二级市去。"方成啊！男人，吃来吃去，吃的都是老二的亏啊！你可千万不能犯我这样的错误啊！徐文君，是修炼千年专门收拾男人的美女蛇啊！"吕方成没敢回答他："她充其量，也就算是蛇吧！离美女，还有十万八千里呢！"

吕方成顶着肿成猪头一样的脸回家了，呼吸里有发烧的气息，热浪冲鼻，他心里大不自在，趁着酒劲在家发泄："要是凭实力，老子干个行长也绰绰有余。为跟那个蛇精斗法，天天把自己置于下三烂的井里，给人闺女辅导，给人擦油烟机，给人拍言不由衷的马屁，给人服壮阳药，还要陪人喝麻疹酒，把自己弄得跟小丑一样，天天玩这些不上台面小戳小捣的把戏！妈的！原以为吃得苦中苦，做个龟孙以后能骑徐文君一头，哪晓得还是技不如人，被她骑在头上作威作福，我还要徐主任长、徐主任短，她放个屁，我都得捡起来闻，不闻她就去上头挤对你,给你小鞋穿！

我哪里像个状元！我都不是男人了！！我就是太监！！！"

郑雨晴什么都不说，默默地拿皮炎平给他涂抹全身，任他扯嗓子发泄。等吕方成睡熟了，她抱着闺女去小房间的小床上，拍着女儿，若有所思地望着窗外。

徐文君主政之后，让吕方成处理的第一笔业务，居然是催讨高飞的贷款。

高飞的款子是吕方成放出去的，他现在是江州头一号陆海空三栖广告商，也是文化地产大土豪。所谓陆海空，即是电视电台纸媒网媒以及户外大大小小的广告牌，凡你在江州所见的广告，基本上都由高飞代理；你打开电视，只要是年代戏，里面出现乌篷船小河道的，都是在高飞的影视基地加旅游城拍的。

高飞的公司本来一切顺利，偏偏其中一个医药养生旅游项目受到政策方面的影响，被叫停一年多，前期投入近一个亿，一分没收回。其实这也不算什么，卖掉这个项目高飞也不赔钱，只是目前卡在法律程序上，他暂时拿不到现金。但明年各大新闻媒体的广告位发布在即，高飞急需一笔现金。他在银行的贷款需要展期，利息暂时也还不上。

高飞央求道："罗锅上山，前（钱）紧哪！方成，你别催我，缓一缓，到明年春节前商业广告一上来，我连本带利一把付清！"

吕方成当然不催，可是"徐跳奶"在催。知道是方成的业务关系，她催得尤其紧："这是不良贷款！你必须立即回款。银行在清理呆坏账的当口，你不要因为对方是你的同学，就坏我们营业部的事情。你收不回钱，我就收拾你！"

吕方成道："徐主任，这个客户的经济实力我是知道的，他是咱们行多年以来的优质客户，咱不能干这种腊月天气收棉袄的不道德事情。他现在现金紧张，咱给他缓一缓，最迟到春节，钱就都回来了。这客户就是咱的死忠粉，你现在把人资金链断了，人背后也是有人的，那个人大刘副主任的太太是他干姐姐，多少行都等着撬咱墙脚，万一这一次真给撬走了，我再找不到这样的优质客户了！"

徐文君："你不要跟我谈道德！我就是上级银行的一杆枪。上面吩咐咱收，我就立马收；上级吩咐咱贷，咱就立马贷。业务细节，由你负责。

我警告你，下个月头，我见不到钱回来，我要你死得好看！"

吕方成拿这个女人毫无办法："人至贱则无敌。她能把她贱的本性暴露得一览无余毫不遮掩，我真是佩服她了！"

郑雨晴："我更佩服的是你们的领导。无论斗转星移，谁在任上，都能欣赏她，这也是你们领导的水平！"

吕方成叹口气说："领导，也是需要一杆枪，指哪打哪。"

郑雨晴果断决定要帮助高飞。吕方成一筹莫展："怎么帮呢？我也想啊！恨不得拿钱给他垫上……我现在要他钱，就是要他命啊！"

郑雨晴眼睛一亮："哎，要不，咱把房子抵掉？"

吕方成"喊"了她一声："就我们这房子？你能抵几个钱？高飞差银行的可不是一点半点！几千万呢！"

"不是还银行。我们报社改革了，年底不发福利，改让员工包广告版面。内部价格卖给我们，让大家自己想办法卖出去。卖了钱就算自己的福利。咱们把房子顶出去，能拿多少广告位就拿多少，把这广告位给高飞，不就等于给他钱了？"

吕方成一拍大腿："这么好的事儿，咋没听你提过？"

郑雨晴"喊"了一声："我本来都不打算要的。我是新闻工作者，不是卖广告的，我能把版面卖给谁？我采访对象？我朋友闺密？然后卖给人家自己拿差价？那我成什么了？本来这个猫腻儿，就是集团领导给自己发的福利。一般员工谁有能力包版面？"

吕方成笑了，说："领导一定没想到杀出你这个程咬金。我再把家里账上的钱拢一拢，有一个是一个，争取多包几个版。"

靠着方成两口子抵房子买到的广告位，高飞生生把气缓过来。等医疗旅游项目批了，他提溜着钱去吕方成家："雨晴，方成，够哥们儿！大恩不言谢！"

郑雨晴瞪他一眼："说谢字就见外了！我们三个是啥关系？"

吕方成只拿了买版面的内部价："其余的你拿走。"

"这，这可不行！这些都是雨晴的福利！我知道报社现在的收入很少。"

郑雨晴："我收入少不还有他嘛！我家哪还指望我那点钱吃饭？你这样做，是打我脸。你俩的关系不要扯到我。你只要做好他的金牌客户就好。"

高飞收下其余的钱，冲两个人拱拱手："我俗了。我俗了！咱们弟兄之间，有情后感。雨晴，你也是一爷们儿！女汉子！"

雨晴抱着萌萌笑着说："一过三十就不叫女汉子了，以后请叫我女老汉！"

这一年，吕方成用年终奖，贷款买了三室一厅的大房子，每个月还款 5800 元。

这一年，郑雨晴的妈许大雯肠癌，又动手术又放化疗。

这一年，萌萌上了幼儿园小小班，雨晴要被读半天书的娃逼疯了。送孩子去幼儿园以后赶到单位打个卡，又速速去买菜，开车去医院接了妈，回家给妈把饭做了，再去幼儿园接娃。连轴转，不得歇。

这一年，郑雨晴还要上班写稿赚点小钱备荒。

这一年，雨晴在照镜子的时候，发现了鬓角的白发。

郑雨晴决定请个保姆帮忙，她的心脏已经承受不了太多压力，常有早搏心悸迹象。她对中介说："我现在伺候完小的，再伺候老的。我老公一月给我 3000 家用，大姐比我干得好，我可以多给她钱，没我干得好，就只能 3000 朝下了。"中介掂量半天回复她："安排起来有难度。你不一定像你老公那样有好运气，能找到你这样便宜的大姐。"

也是这一年，高飞在探望许大雯的时候，看见身心疲惫神形憔悴的雨晴，听许大雯说她有还贷压力，转身就替她把贷款还了："这本来就是你们自己的钱，当年你们自己卖了广告版面，房款也够了。"

但郑雨晴硬气地每个月往高飞账上打 5800。高飞觉得郑雨晴硬得都难做朋友了，郑雨晴答："你给我这个定心丸就是在帮我忙。"

还是这一年，让郑雨晴下定决心，以后给婆婆送终养老。

知道郑雨晴的辛苦，婆婆立即丢下她亲闺女和一手带大的外孙子，回家帮郑雨晴拉扯萌萌。一如既往，不多说一句话，进门的那一刻，郑雨晴的心就安定了。

中二妇女临危受命

婆婆的到来，大大减轻了雨晴的家务压力。但一山里，俩母老虎怎么处理好关系是个大问题。婆婆因为过去日子困苦，喜欢囤各种废旧物品，包装盒塑料袋，厨房厕所阳台柜子床下，家里的边边角角，塞得哪哪都是，都半个阳台不能用了还不让扔，谁扔跟谁急。紧跟着，方成妈开始丢三落四，出门忘带钥匙，祖孙二人经常被关在大门外，直等到雨晴下班开门才进屋。

雨晴在大门背后贴了一张大大的备忘条："出门带钥匙和手机！"但提醒好像没啥用处，婆婆的记性一天比一天差。雨晴上网百度，发现婆婆的表现很像老年痴呆的早期现象，带去医院一查，果然：早期阿尔茨海默病。接送孩子的活不敢再让婆婆干，除了能烧个早饭，其他家务重又回到雨晴的肩膀上，还增加一项，看护老人，疏导老人家的情绪。

方成非常抱歉："要不，我让我妈还回方圆那儿？"

雨晴怒了："养儿育女干啥用？不就是防老嘛。哦！她能干活的时候两家抢，她老了就两家推？这种不积德的事，我干不出！"

方成："唉，现在家里上下都练你一个人。我又……"欲言又止。

原来外地一家商业银行最近来挖吕方成，许诺他当副支行长，收入是现在的两倍。但是方成没答应。"现在咱家这样子，我走不合适。两地分居，你一个人带个小又带个老，实在不放心。"

"请保姆！我明天就去保姆市场。有钱了，我请两个！"

"不是心疼钱，是心疼你！十个保姆又怎样？你该劳心的还得劳。再说，去别的行，又不是一把手，也是个副职，还是要配合人做工作，意思不大。我现在虽然忙，但好歹每天着家，有事我俩有商有量，心里踏实。"

"可年薪是现在的两倍啊!"

"钱嘛,没个赚够的。萌萌小,孩子成长的每一天我都不想缺席。再说了,我走你不想?我俩从恋爱到现在,啥时候分开过啊?"

雨晴突然想到保罗,心里暗暗难过。上次领着萌萌去看他时,他下肢已经不能动了,现在抬胳臂都费力气,伸手抱萌萌时还差点把孩子从床上栽下来。雨晴只好强作笑脸,临走时从保罗娘那里拿走一堆医药发票,回去细细整理粘贴,不等报销,先从自己家里拿了钱给老人送去。报业集团现在医药费一年一报,老弱病残孕都攒了厚厚一沓的医药发票等着兑现。李保罗的病像个无底洞,天天往里填钱都听不到一声响,哪还等得了一年?医院隔三岔五就下催款单子,要不是雨晴帮衬着垫钱,保罗早被医院赶回家了。

萌萌升小班了,小班有作业,今天是背古诗,明天复述故事,后天捏个小鸭子,再一天又要交张图画……雨晴好不容易应付完"新任务",又轮到每晚的重头戏——睡前故事,经常是一本书没读两页纸,先把自己哄睡着了。

萌萌摇醒雨晴:"后来呢?妈妈,后来呢?你快点说啊!"

雨晴强打精神,睁开涩眼,半撑着坐靠在床边,没讲几句,她又出溜着躺倒了,迷迷糊糊地,手一松,故事书重重砸在脸上,打得她眼冒金星,彻底清醒。

待到哈欠连天地哄睡了孩子,雨晴又接着哈欠连天地写稿子,洗衣机里同时还转着全家人的衣服。配合广告和发行的公关稿,雨晴写得一点激情和灵感都没有。合上电脑,郑雨晴还得亲自晾衣服。

方成过来帮着递衣架:"这些活又不危险,为啥不让妈干?"

"我不放心。你让她干,她就不晒阳台里面,挂外头。那天我回家,她踩凳子上,半个身子探外边收衣裳,我魂魄都给她吓掉了。现在都趁她睡了赶紧收好晒好。"

等雨晴收拾停当,洗漱干净回到卧室,一掀被子,赤条条的方成露在她眼前。"当当当当!"方成敲着开场的锣鼓学唐老鸭讲话,"女士们,先生们,演出开始啦!"

雨晴没好气地回他:"今天星期一,剧院休息,不营业!"

方成不依不饶："你这剧院，怎么天天打烊？"

雨晴疲倦地说："我觉得你们银行的工作再累，还是比不上家庭主妇！天天说徐跳奶欺负你，你哪来这么大的劲头？！"

方成有些尴尬："就是因为斗争太激烈，才需要放松发泄嘛！"

雨晴憋一口气，回他："我不是你的充气娃娃。睡觉，明天一早还要带我妈去放疗呢！"

"你不说找保姆吗，怎么还不下手？赶紧找个人回来你也能缓缓。"

"保姆现在挑主人家啊，上有老下有小的，给多少钱人都不干。满世界也只有我这个全职保姆愿意上你家来！你不给工钱还好意思让我陪睡！"

吕方成无语地对着天花板，怎么正常的生理需求，到这里变成不好意思了，还要付费吗？那身边这个女人，跟自己，到底是啥关系？

郑雨晴现在倒头就能打呼噜。在她的鼾声中，吕方成轻轻挪动身体，尽量挪到床边上，远离雨晴，静静地，不发出任何动静地，自己玩自己。

郑雨晴每次交稿，张国辉都横挑鼻子竖挑眼："郑雨晴，你可是我们社最年轻的副高职称，还是全国优秀新闻工作者嘛！这个名誉你总要对得起吧？你看看，你现在每个月稿件的数量和质量，哪一点跟你的资历相符合！你优秀在哪里？我当着那些年轻记者的面都不好说你！我给你留点面子！"

郑雨晴冷冷地回："副高职称加钱不？不加钱你凭什么要求我优秀？名誉现在值多少钱一斤？"

张国辉一脸鄙视："你现在，哪有一点记者的样子，张口闭口谈钱，不好好工作，哪来的资本谈钱？现在都是凭本事吃饭，你那文章不咸不淡，写个软文都长得跟你本人一样勾不起我的欲望，我拿什么给你钱？你不要老在我面前卖资历。"

郑雨晴轻轻一笑："我可以写教育系统按领导人住宅每年重新划分重点小学的学区；也可以写因为政府大建设大发展，我家门口挖立交桥堵一年半了，这个城市一年有半年雾霾；还可以写集团领导每年年薪分红奖金是全社职工总和的 5 倍，业绩年年翻，利润不见增长，钱都去哪儿了？我保证每条消息出来都拿奖，你让我发哪条？"

张国辉气得"啪"的一声，将一摞报纸扔到郑雨晴桌上："你给我解释解释这个，为什么我上周五派你的活，你拖到这个周三才拿出稿子？我告诉你，这可是我们的广告大客户，一年上千万的单子，你必须好好伺候，丢了生意我可拿你是问！"

郑雨晴："张主任，你到底是搞新闻的还是搞广告的？广告部大单跟我们有什么相干要你这么巴贴着？既然嫌我伺候不好，下次有客户找我，你就别派我去了。"

"一点大局意识都没有！报社上下一盘棋你懂不懂？哎郑雨晴，你这种工作态度，是不想干了吧？你可以辞职！"

郑雨晴笑了："我为什么要辞职？你要看不惯我，你辞职好了！要么你有本事，你辞退我？"张国辉张口结舌。

张国辉想拿捏郑雨晴，但工作上又不得不倚赖她。因为郑雨晴是报社名记，有社会影响力，广告客户很愿意买郑雨晴的面子，点名让她给自己写广告文案。所以张国辉热衷于拿郑雨晴做些业务上的交换，他支得郑雨晴团团转：

"小郑，牛肉面大王五周年，你去配合一下写两个宣传专版！"

"LV进江州市了，郑雨晴你搞个专访，这次是上铜版纸的，记者必须出镜你穿得漂亮点！"

"郑大名记啊，志玲姐姐出台给名表代言，你去会一会！顺便帮我看看她那个胸是不是真的！"

"龙虾节的征文还差几篇，郑雨晴你今天一把写齐了交给我。"

郑雨晴劝自己："忍着，闭嘴。"她盘算这条软文如果能打个高分，能冲抵点儿萌萌的奶粉和早教班的钱……妈蛋，萌萌的英语早教班，说是外教教口语，上次去看了，竟然是个菲佣！口语水平还不如郑雨晴自己！就这还好意思一期收八千！自己的工作纯粹是为五斗米折腰了。但这腰也不白折！志玲姐姐很有心的呢，临走每个记者还发车马费500元；牛肉面大王不发现金发就餐卡，一次给50碗牛肉面也值不少钱呢！

郑雨晴说："我都不好意思看自己家报纸，除了头版新华社的通稿，剩下的每一条新闻我都能看见背后那只看不见的手。贴近性指导性可读性娱乐性知识性，一性都不性！"

吕方成一下就吐露心声了："跟我家一样的。"——幸好郑雨晴没听明白吕方成的哀怨。

"我现在给张国辉指派的，上可九天揽月，下可五洋捉鳖。刚跟志玲姐姐拉过手，转脸又去采访重庆烧鸡公！我都不知道自己是负责哪个口子的记者了！"

吕方成："哎，我有点恍惚，这个张国辉跟徐跳奶倒像一个师傅带出来的，不是一般的贱！他们是不是夫妻啊？张国辉要是没老婆可以介绍给徐跳奶，不是一家人简直太可惜了。"

雨晴深深体会到方成在单位的困境。"也不知道得罪何方神圣，我俩被这一对狗男女掐得死死的不得动弹！他年我若为青帝，咔嚓咔嚓全咔嚓！"雨晴边说边做挥刀砍人的动作，又反思道，"中年女人面目最可憎。我以前最怕看中年女人一副死猪不怕开水烫全世界都欠她钱的鸟脸。不幸，我已经迈入这个行列。我都不想看我自己跟人耍无赖的样子。"

吕方成温柔地抱抱她说："瞎说八道，你哪是中年女人，你还是小姑娘呢，你的耍无赖，是一种娇滴滴。"

郑雨晴扑哧一声给气乐了。

方成揽着雨晴，感到她瘦得像纸片人，刚生孩子时那个珠圆玉润的富态早已不复存在，不觉心疼："今年你的订报任务没完成吧？两百份你交给我。"

"你会不会算账？完不成最多扣两千，订一份报纸小三百块！"

"我找客户……让高飞订吧！反正他也要买礼物送客户的。送报纸挺高雅。"

郑雨晴立刻反驳："你疯啦？为自己少损失两千块，你让高飞多出6万块？你敢去！"

"你这样太累了，心里还纠结。找个机会从一线出来吧，转到编辑岗去，离那个张国辉远远的。反正现在你们单位，新闻已经死了。"

郑雨晴想了想点点头："方成，那我就真的退二线了，以后我和萌萌就指着你啦。"

吕方成笑道："苟富贵勿相忘。"

岂料张国辉先离郑雨晴而去了！

都市集团新一轮竞聘开始，他上蹿下跳做足了功课，最后打败十来个对手，如愿以偿聘上广告中心的主任。

广告中心主任是肥缺。虽然说集团号称多种经营几条腿走路，但真正赚钱的，还是靠广告发布。广告中心主任的手中，握着大大小小的广告和软文版面，硬广告打多少折扣，软文给多少回扣，小报头挂标给多大尺寸，这些虽然有章可循，但执行起来都是有弹性的。不好往多里去猜，反正经手总有两把油——要不当年高飞巴结着从门缝里给广告部主任递草纸呢！这个位高权重的中层岗位，甚至连副总编都要敬让三分。历届广告中心主任，都一脸自豪地宣称，他们是单位的钱袋子！为了提上这个钱袋子，传说张国辉上上下下没少打点。

吴春城在都市集团干了小三年，深知报纸版面要好稿来撑，好稿需要好记者来写。吴春城拨拉来拨拉去，整个报社像郑雨晴这样不调皮捣蛋又业务精良的员工，并不多见，而且干得多吃得少，便宜大碗又实惠。社会上招聘的精英们动不动可就要年薪三五十万哪。毕竟前任老傅留在账上的钱越花越少，而赚钱又没他想象的那般容易。

竞聘前夕，吴春城找到郑雨晴，告诉她，领导已经内定她为新闻部主任，让郑雨晴第一志愿就填这里。吴春城满心期待郑雨晴表达感激之情。但郑雨晴不知好歹："不好意思吴总。重担我挑不起。您另选他人吧。"

吴春城不快："怎么，听着像闹情绪的意思？多少年没提拔你，委屈了？"

郑雨晴谢谢他的美意："我爱人工作忙，我孩子小，两家老人又都有病，我精力有限，能力也不够，咱们集团在您的带领下是奔着上市去的，我不能耽误这样的大事。"不卑不亢不愠不火。

吴春城恼了："我发现《都市报》搞不好，是因为这里的老人儿有一个特点，总喜欢叫。不给机会，叫；给了机会，还是叫。这都到了传统媒体和互联网拼刺刀的时候了，你跟我说家里事情多？这个报社我看来看去，老人儿里只有张国辉有积极主动的参与意识。你的个人能力不在张国辉之下，但在责任感上，他甩你几条大街！不要以为他天天来我这里是跑官要官，他是担责任！这是情怀！情怀！"

郑雨晴面无表情地退出，掉脸钻到刘素英办公室，开始发泄："对张国辉的评价就快到烈士的级别了。他张国辉也配得上情怀二字？！"

刘素英安静听完，来一句："你有情怀，你来干啊！"

郑雨晴气愤："我只给我敬佩的人工作。现在的岗位，配不上情怀二字。"

刘素英说："你还要为你自己工作。"

郑雨晴不解地看着她。

刘素英："机会是留给有准备的人的。他吴春城，不会在这里干一辈子，他是流水的兵，你是铁打的营盘。你怎知道，哪天你会有机会焕发异彩？"

郑雨晴看刘素英的眼神，都有点嘲弄了："我？我这年纪？焕发异彩？就这职业？"

刘素英："谁知道呢？万一呢？主任就是中层，上一步就是高层，我们必须得上的原因是，我们不上，这个阵地上，插的都是吴春城张国辉的小旗子。"

这轮竞聘结束后，郑雨晴当上了副刊部主任。副刊部俗称清水塘，文人说话喜欢拐着弯，水至清则无鱼的意思。比之新闻部日子滋润的浑水塘，副刊部一没油水二没外快，打交道的不是炙手可热的企业家、身居高位的政府官员，而是退居二线的领导，宅在家中的妇女，落魄的诗人，盲目自大的文学青年，这类人用几个关键词基本可以概括：落寞孤寂，清高穷酸，愤世嫉俗，不合时宜。郑雨晴的麾下是准退休的老人、奶孩子的妈妈和待产妇，养儿育女种花草，娱星八卦烫烫脚，喝茶聊天谈养生，剩下的时间编编稿。副刊部与世无争其乐融融。

这个月，报社老人儿欢欣鼓舞，老傅回来当党委书记了。他还有两年就要退了，估计是上面想让他到报业集团来享受一下年薪制，补偿他一辈子对《都市报》的贡献。

郑雨晴一踏进办公室，看到老傅站在自己桌子前查稿子，着实惊一跳，像小姑娘一样飞奔过去，搂着老傅的脖子说："哎呀老领导，你可回来了！"

老傅却板着脸，一把推开郑雨晴，严肃地批评她："你呀，真是丢我的人，你看看你现在搞的这一版臭狗屎！"

郑雨晴给戳得马上蹦起来："老傅你有没有审美啊！你自己翻翻报纸，从这儿，到这儿，再到这儿！我告诉你，前前后后这么多狗屎里，我这堆算味道最好的了！"

老傅又仔细翻了翻，不说话，背着手走了。

老傅一走，本来笑靥如花的雨晴，一屁股坐板凳上，眼泪吧嗒吧嗒掉。连刘素英号召的一帮老同事给老傅办的"回马枪"酒席，她都赌气不参加。刘素英过来劝她，郑雨晴想想又掉泪："我不去！我没脸！他批评得对，我天天就在这里，干的都是撮粪的工作，我自己就是一坨屎！"

刘素英在饭桌上把郑雨晴的话带给老傅，老傅端起酒杯，送到嘴边又放下，摇头说："又把她灵魂给捅穿了。"一仰头，把一杯小酒灌下，放下杯子喃喃自语，"可她，至少还是有灵魂的啊！"

省里领导来视察，就是当年的市长王闻声，他现在调到省里当调研员了。看着报社一片凋零之状，王闻声对老傅感叹，《都市报》要有新血液，以应对移动互联网时代，我们这些老人，已经搞不懂什么QQ啊微博啊，现在又多了个微信。传统媒体要让年轻人有接班的机会，才能跟新时代抗衡，继续发挥作用。

老傅接口道："我们报社有个女记者，年轻有为！当年写过不少好作品，获得过全国优秀记者奖，就是那个郑雨晴。像这样的有新思路有业务素质的年轻人，有没有提拔的可能？"

领导一听，有些振奋："要大胆起用年轻人，你说呢，春城？"

吴春城斟词酌句地想了半天说："她现在是我们副刊部主任。人还是有能力的，就是缺少些担当，以前数次提拔她，都被她拒绝了。您知道，女同志，有了家庭和孩子，心思就不在工作上了。"

领导背着手叹息："可惜了。你不得不承认，男女在事业上，女性是天生吃亏啊！"

郑雨晴并不觉得吃亏。如果不去想那每个月都在瘦身缩水的工资条，还是很开心的。她的生活非常规律，早上给一家人做好丰盛的早饭，稀的干的咸的甜的，安排好老婆婆，悠达悠达送萌萌进学校，不急不慌来上班，先在楼下健身器上扭几十下，微微发汗后上楼冲水泡茶吃苹果，看几张编辑们送上来的版面，改改错字调调标题，聊几句天斗斗嘴再签签稿费单，很快就吃中饭了。时间一晃混到下午三点，她溜出报社，先去小菜场再去小学校。部门其他人也跟着放羊，为应付集团可能出现的突然抽查，每天留一个人盯到五点。不只副刊部，报社其他部门都如此。

阳光灿烂的日子还好，遇上下雨阴天，附近的写字楼都灯光璀璨，唯有报社这楼张着黑洞洞的窗口，阴气森森，大白天的没一点人气和活力。

指纹打卡？早不打了。报社效益下滑，你发不出全勤奖还让人打个屁啊。

刘素英叹息："衰啊，你看大院的荒草，长得齐腰高了吧？上回我都看到蹿出黄鼠狼了，硬是没人管没人问！上上下下角角落落，哪哪儿都写着一个字，衰！"

郑雨晴："想想也怪害怕的，现在报社上下好像全无推动力，完全是惯性运动，可我们不是在光滑的没有摩擦力的理想环境下啊，万一哪一天摩擦力大于惯性，那不就彻底停下了？那可怎么搞？"

"我们这是拿着卖白菜的钱去操卖白粉的心吧，这事本该肉食者谋之！"刘素英从口袋里摸出一个信封，"喏，这个研讨会你去开吧，海南的。趁机玩玩。"

郑雨晴展开信封一看，会议主题是"互联网形式下纸媒的对策与应对"："这是你们老总级别的会，我去不合适吧？"

"合适。我听说，有大领导点你名了，希望你们这样有才干的新一代记者能完成传统媒体与互联网的融合。"

"为什么这种千年解决不了的难题就会想到我？我脑子大概有七年，都只用其中千分之一的细胞了。"

"所以你该动动。"

"我不想当官也不想发财，混一日是一日。"

"这话，该我这样的人说，你还不到年纪。你别荒废了自己。有机会，一定要出去闯一闯。"

郑雨晴有些凄凉："我？我能闯哪儿呀？这会太长了，七天，我走不脱。萌萌咋办呢？"

刘素英："别给自己找懒理由。家里离你七天，肯定转！"

郑雨晴犹豫了片刻。她深知，地球离了她照转，家庭离了她万万不行。她经常一心几用，烧着饭还竖起耳朵听萌萌弹琴，拎着锅铲冲到钢琴边纠正："第三小节的升调你忘了！"走过萌萌的书桌，瞄一眼，手指点到作业本上，"这个字的偏旁不是火，是足！"边叠衣服边检查萌萌的背诵，"注意语气语调！"萌萌小眼睛翻翻："这个世界上，有一种笨鸟，自己飞不起来，就在窝里下个蛋，要下一代使劲飞！"雨晴轻轻敲一记萌萌的脑袋："你妈要不是为了你和这个家，早就飞起来了！"

看着邀请函，郑雨晴还是微微点了点头。

郑雨晴一进三亚的会场，人就愣住了！乖乖，好大一只鸡，趾高气扬地站在横幅上。这跟纸媒互联网有啥关系？定睛一看，鸡屁股后边跟着羞答答的小字："互联网形式下纸媒的对策与应对研讨会 正宗牌海南好鸡饭全程赞助"。开三天会她纠结了三天，她真想拿红笔上去圈一道：图缩小，字放大！

今天是最后一天的研讨，主席台上发言者慷慨陈词，台下与会者交头接耳，心思早就飞到明天的环岛游上了。

郑雨晴身边的谢顶男低声问："报纸都在比谁死得更慢一些，我们家已经减薪了，你们呢？"

"一样，日子难过。奖金打折，版面减少。副刊以前一天两个版，现在一周不到两个版……"

郑雨晴的手机响了，她抱歉一笑，边往外走边接电话："什么？现在就回报社？可，会还没开完呢。"

电话里传出决然的男声："你赶最早一班的航班，立即回单位！"

郑雨晴有点不快："你是谁啊？"

铿锵有力的男声透过手机传出来："我是市委宣传部部长江宏。"

郑雨晴吓得一吐舌头，赶紧一溜小跑回宾馆收拾箱子赶往机场。得知她的航班受到流量控制，估计到了江州已经是深夜，郑雨晴心里开始打鼓。她请部长告诉会议主题，自己在机场可以先做点功课，方便跟领导汇报工作。可江部长严肃道："你什么时候到，我们什么时候开会。人到场就可以了，不用准备功课。"说得郑雨晴一头雾水。

想到郑雨晴凌晨才能到，吕方成要去机场接雨晴。郑雨晴说："你会不会算账啊，你要过来，不是白白浪费一个单趟的油钱？在家好好陪孩子。"

吕方成："江州最近有好几起刑事案件呢，受害者都是女人。"

"有什么不放心的？我都这年纪了，真劫色，倒是发福利了……谁敢惹中二妇女！"郑雨晴边说边嘎嘎笑，惹得一对小情侣侧目。

吕方成："那好吧，中二妇女，一路顺风，你在机场找个地方歇歇啊，到咖啡厅边喝边等，这个钱别省。起飞和落地都告诉我一声。"

同事听得饶有兴趣，见吕方成通话结束，忍不住问："主任，什么是中二妇女？"

吕方成绷一脸坏笑："中年妇女，有点二！"

待她到达江州机场，已经是凌晨一点多。她拖着大箱子低头疾走，恰好遇上高飞。

高飞："嘿，还真的是你。刚才看背影觉得有点像……我接客户呢，傻等四个小时，刚才广播说航班取消了。你怎么，一个人？方成没来接么？"

郑雨晴："他在家陪萌萌呢，孩子一个人在家，我也不放心。"

高飞："那正好，我送你回去。总算我今晚没白跑。"

雨晴坐上高飞的车，上下左右打量，又一辆豪车！还是新的！

"什么客户，要你上市公司的老总亲自来接？女的吧？肯定又是资深美女级别的！"

高飞瞥一眼郑雨晴，意味深长地笑："八卦了吧，职业特征？你到了也不给方成报个平安？"

昏昏欲睡的方成被手机振动惊醒，用手捂着话筒小声问："雨……晴，你到了么？打上的了？哎，把车牌号和司机的工号大声告诉我。我这是防止万一出事……"

高飞把嘴凑近雨晴的手机，大声说："出不了事！这个出租车司机忠诚可靠！"

郑雨晴听了哭笑不得，只好解释："下了飞机正好碰上高飞！"

雨晴说自己是直接去报社："这次好奇怪啊，是宣传部江部长亲自打电话给我，难道宣传部需要突击做特刊么？做特刊也轮不到副刊吧，反正我带个耳朵听听就行了。唉，可惜啊，前几天学习，好不容易轮到后两天玩儿，把我给提溜回来。人品大爆发！"

高飞："你饿不？想吃点什么？我这儿有个食品袋，你自己挑。"

郑雨晴翻袋子，先翻到黑巧克力，又翻到冰激凌。她惊喜："干冰都还没化呢！哎，是我喜欢的树莓味儿！你这车太高级了，里面有田螺姑娘吧？"

高飞："姑娘没有，有个田螺大爷！"

两人说说笑笑，车就开到报业集团。

采编大厅一片灯火通明。早就过了付印时间，却还有很多编辑记者没有下班离开。连班车司机师傅也扎在一堆人里，伸着脑袋听他们说话。郑雨晴满腹狐疑，一把拉住老蔡："到底发生了什么事？我离开报社没几天，怎么就恍若隔世了？"

老蔡指了指会议室的门："出大事了，你进去就知道。"

郑雨晴悄悄推开会议室的门，一看，有点儿傻眼，怎么只有三个人啊，宣传部部长江宏，组织部干部，集团的 HR。其他的人呢？

她感觉气氛有点凝重，不像平时的会议，赶忙向江部长汇报："部长我刚下飞机就赶过来了，没漏听到什么重要指示吧？"又四下看看，"他们都没来吗？"又向组织部干部点头算打过招呼，然后按照惯例，拣会议室最外一圈门边上的位置坐下。

江部长招手："小郑你坐过来。"

郑雨晴迟疑了一下，屁股往前挪了一位，从包里掏出本子和笔放在桌子上。

江部长示意："往前坐坐！"

郑雨晴往江部长身边挪了几个位子。

江部长又说："坐过来啊！"郑雨晴又往他跟前挪了挪。

江部长指了指他和组织部干部之间的空位："坐我身边！"

郑雨晴战战兢兢地紧挨着江部长坐下，半开玩笑地问："领导，我是不是犯了什么错误了？您别吓我，我胆子可小。"

江部长冲组织部干部一点头："开始吧。"

组织部干部拿出红头文件缓缓宣读，吴春城……集团领导被免职，马主席……病退，老傅……住院……

郑雨晴耳朵嗡嗡，前面都没听明白，只最后一句听清楚了："由郑雨晴同志担任都市传媒集团代总经理及《都市报》代社长，全面主持都市传媒集团工作。"

她满脸错愕："怎么会是我，弄错了吧？"

组织部干部半开玩笑地跟郑雨晴说："郑雨晴同志，我们的干部任用制度是非常严谨认真的事业，你怎么能说我错了呢！"

郑雨晴突然就结巴了："我不是这意思，我，我……"

江部长接口："雨晴同志，这是党和领导对你政治上的高度信任！"

郑雨晴犹豫地试探："组织上，能信任别人吗？"

江部长看了她一眼："也是云鹏同志提名让你干的。"

郑雨晴愣了，沉默半晌问："他为什么不自己干？"

江部长说："你刚才没听明白吗？老傅生病，干不了。"

组织干部说，老傅曾向组织部门以书面形式郑重推荐介绍你的为人和才能。这次干部选任，是组织经过慎重调查研究后的决定。你要相信自己的能力，更要相信组织的眼光。

郑雨晴感觉自己是在做梦。她告诉自己，赶紧醒！但是江部长的手，伸过来。她糊里糊涂就跟部长握上手了。

"你是《都市报》成立这么多年来，第一位女社长。雨晴同志，希望你不要辜负组织的信任和老傅同志的期望啊！"一番语重心长，江部长问，"你还有什么要对我说的吗？"

郑雨晴眨巴眨巴眼，看着江部长，想半天，犹豫地摇了摇头。

散会了，领导们匆匆离去。

人力资源总监一脸同情地望着郑雨晴，小声说："四位领导进去了。"

"老傅什么病？"

"脑溢血，给气得当场晕倒，现在还在抢救中。"

郑雨晴头脑空白十几秒钟后，又问："亲，这满版都是负面消息，就没一点儿正能量给我吗？"

总监告诉她，从此你可以拿年薪了！郑雨晴一听悲喜交加。但紧跟着，总监就问，上月奖金一直没发呢！郑社长，咱什么时候发？

郑雨晴没好气地收拾东西："你还真是一句话毁掉'小清新'！"

美酒佳人鸿门宴

清晨，郑雨晴从梦中惊醒，她一下子坐起来，抚着胸口自言自语："天哪，我是，都市传媒集团的代总经理和《都市报》代社长！我有 500 号人要养活！太可怕了！"她镇定了一会儿，伸手拍拍身边的女儿："萌萌！快起来！要迟到了！"

早饭之后，郑雨晴拿两个头盔，一家三口说说笑笑走出楼道门。报社司机小唐早早恭候在楼道外，他点头哈腰，毕恭毕敬地说："郑总经理，我来接您上班！"

雨晴一愣，她看看方成。方成从她手里拿走头盔，下巴往小轿车的方向一努，低声叮嘱："孩子我来送。你头一天上任，别急着做决策。"

郑雨晴点头："你骑车送啊，那里不好开车的，太挤！"说罢就径自去拉副驾驶的门，眼睛的余光看到小唐在后车门那里恭敬等候自己，便有点不大好意思，"我这还是坐私家车的习惯。"

车子驶出大院，收音机传来本地新闻："原都市传媒集团四名领导因涉嫌贪污，日前被双规……"郑雨晴听了心乱，赶紧让小唐把收音机关了。

小唐顺从地关了："郑总……"

郑雨晴纠正他："我是代的。"

小唐停顿一下："郑代总经理……哎呀，这多别扭啊！你们领导就别为难下属了。干脆我叫您郑社长吧！郑社，您别客气。"然后问她，今后早上几点去社里，要不要带早餐，要不要回来再送一趟孩子。

郑雨晴笑着说自己没什么特别要求，就还是老时间，跟吴总一样。

小唐的回答把郑雨晴吓一跳，吴总每天早上五点半就到社里了。郑雨晴想到去年的一次事故，头版头条把领导人名字打错好像因为吴春城早到发现，及时把大部分报纸都追回来，所以影响没扩散。

郑雨晴有点意外，那个吴春城也不是光拿钱不干事，至少他对《都市报》的版样还是很上心的。她又问吴总每天晚上几点回家，小唐回答，没一定，有时应酬完了还回社里睦一眼。万一事情多，他就不回家了。

郑雨晴傻了，脑子里盘算家里的一堆事情，方成那么忙，婆婆指望不上，菜谁买，饭谁烧，萌萌谁去接……

她被一阵口号声唤回神，车已经开到传媒集团，但大门被一群人堵上。有人举着喇叭冲着大楼高喊："欠我工资！良心何在！立即复工！还我血汗！"

他们和保安互相推搡。一方要进去，一方坚决拦阻。

小唐回头请示："郑社，您看……？"郑雨晴急忙说："咱们走后门儿，走后门儿！"

报社大楼过道里，秘书陈思云指引着郑雨晴走向自己的办公室，就是从前吴春城那间。门上新换上的门牌写着自己的名字。走廊地上扔着老门牌，还没来得及收拾走。郑雨晴发现自己在副刊部养的那些花花草草，已经被搬上楼，一盆一盆，安放得妥妥帖帖，朝阳下每一株绿植都闪动着新鲜的水珠。她冲陈思云笑了："你们动作很快啊！连我的花都给我搬上来了！"

陈思云却抱歉道，时间太紧张，办公家具都没来得及换，连自己和小唐都是吴总的老人。她让郑雨晴先对付着用几天，回头都换新的："您再查查有什么遗漏没。应该没有了，连碎纸片我都给您包在信封里带上来了。"

郑雨晴摆摆手："思云谢谢你啊！你和小唐，都挺好！家具也不用换新的。还有，以后你真要叫官职呢，你就叫我郑社好了。"

陈思云乖巧地改口："知道了郑社。刚才市里来电话，说要来集团宣布任命，让您召开全员大会。"

郑雨晴愣愣怔怔："这个能不能缓两天啊？我晕乎乎的，还没反应过来呢。"

陈思云轻声说："郑社，那我给您安排到下周吧。我在外间办公，您有事就叫我。"

郑雨晴在办公桌前坐下，茶杯放在她的左手边，一端杯子，发现茶已经泡好，喝了一口，正是适口的温度。她的右手边是一摞当天的报纸，报纸最上方是任命自己的红头文件：组织部门的工作效率真是很快的。面前的电脑已经被打开，正是新华社每日电讯的窗口。

她问陈思云："门外的农民工是来投诉包工头的吗？"

陈思云叹口气："是找你要钱的。"

郑雨晴还在错愕中，突然楼梯间传来嘈杂的声音："找你们社长！""叫你们老总出来说话！"

保安拦不住，人家都带着家伙的。看这些人好勇斗狠的样子，估计谁都不想惹一身腥，然后，他们就直冲到郑雨晴面前。

有个汉子长得跟话剧《雷雨》中那个工人阶级代表鲁大海一样英气逼人，手都指到郑雨晴鼻尖上："大家辛苦打工不容易，家里老人孩子都等着这钱养活呢，你赶紧把工资发给我们，我们拿了钱好另外找活去。"

郑雨晴眼睛都要斗一处了，她退后一步问："我刚上任，今天第一天。大家说的情况我一点都不了解，给我几天时间，我一定给你们一个答复。"

"鲁大海"粗暴地说："不要答复要钱！"

郑雨晴再眨眼："什么钱？！"

"鲁大海"有些不耐烦了："你装什么装？你们盖大楼，盖一半停工了，那是你们的问题，钱总要结清吧？"

众人帮腔："再不给，我们就上法院告你们去！""对，我们还要去省政府市政府堵路拦大门！上网发微博！"

郑雨晴："师傅们别着急，既然都知法守法，应该和用工单位签合同了吧。劳动合同带来了吗？给我看看吧。"

代表递上合同。郑雨晴翻看，发现这些民工是跟团结村签订的用工合同。民工们一下傻眼了，面面相觑。其中一人横劲上来："我不管啥合同，我就知道盖的是你们的楼！你不给钱谁给？！"

郑雨晴说："兄弟们都来了，中午你们先在食堂吃个饭。我跟其他领导商量一下给你们回话。"待民工们退出办公室，她给食堂经理打电话，让他多煮些饭，菜好不好没关系，饭一定让民工们吃饱。

谁知道食堂经理也找她要钱。我已经往里面贴几个月的钱了！请郑总先把欠账结了。郑雨晴这才发现，她作为一个报社一把手，连个厨子都不鸟她。

财务钱总监进来了，一手拿着财务报表，一手拿着票据。郑雨晴一看是财务总监，赶紧招呼："我正找你！"

钱总监："找我有事？"

郑雨晴："我要三张表。"

钱总监问："哪三张？"

郑雨晴顿时愣住。她想起吕方成曾经说过"领导上任第一件事就是'看表'"，低头看着手表——不对，不是手表，是啥来着……她咬牙回想吕方成曾经交代的"表"："利润表……还有那啥……"又拿出手机看看老公短信，一个字一个字念，"资产负债表，利润表还有现金流量表。"

钱总监嘴角露出不易察觉的有些轻蔑又有些放心的微笑。这个微笑，被郑雨晴敏感地捕捉到了。

钱总监摊开票据，一张一张抽给郑雨晴看，请她过目签字。各种费用，多如牛毛，都是支出。最后一张，钱总监说："这是在建大楼的财务报表。"又补充，"还忘记汇报一项开支，国庆中秋和重阳节的过节费。"

郑雨晴拿着笔问："那我们账上还有多少钱？"得知还有 70 万，她略感轻松："那不算少啊！你先把民工的钱给结了吧！"

钱总监却说："郑总你有所不知，眼下急着要付的钱，有 600 多万。光人员工资就要开走 100 多万。"

郑雨晴定定神，觉得那批民工汉子是目前最危险的因素，便让钱总监立即把食堂欠账结掉，让他赶紧开伙做饭。

钱总监记下这条，又问："那过节费和工资奖金呢？"

郑雨晴想到去海南前自己还抱怨，上月奖金一直拖着没发，万没想到，这个窟窿最后要自己想办法来填。

钱总监在她耳边提醒，这月工资如果再不按时，可能人心浮动，新媒体已经半公开在挖人了。

郑雨晴抓抓头："离发工资的日子还有两天嘛，你先安抚大家，肯定不会拖欠的。我郑雨晴也指着这点钱养家哩！"她翻翻票据："医药费怎么这么多啊！一年这块儿走掉多少钱？先尽老同志们报销吧。"

钱总监回答，一年里医药费两三百万总是有的。

郑雨晴边叹息边哗哗哗签上名，签完了，拿着笔等着钱总监："还有吧？"

钱总监收拾单据："没啦。"

原来，只有出的没有进的。郑雨晴奇怪，广告不是整版整版发吗，钱呢？

钱总监小声说："这事您得问张主任，嗯，好些广告欠款都还没收回来呢。"犹豫了一下钱总监接着说："郑总，咱们集团里，四报一网一出版社一印刷厂，其实赚钱的只有这一张《都市报》！而且，《都市报》的效益也在迅速下滑。"

郑雨晴惊恐万状："那咱们集团，上上下下 500 多张嘴，合着全指一张报纸吃饭啊？"

钱总监："一条腿走路。"

郑雨晴脱口而出："我的个娘哎，就这条腿，也不稳当啊！"全身的冷汗唰唰直淌。

钱总监出了门，郑雨晴翻了翻那三个表，真是，它不认得自己，自己也不认得它。心情烦躁着把报表扔一边，突然发现一个老女人不知道什么时候溜进办公室，贴着墙壁站着像个影子。看到郑雨晴注意到她，便凑到桌子前，哆嗦着从布口袋里往外掏东西：一卷医药发票，几本脏兮兮的病历，还有厚厚一沓打印好的书稿。"保罗妈妈，您怎么来了？"郑雨晴认出老人，"保罗最近怎样了？"

李保罗的妈轻声说："拖着，医生说也没有多少时日……你们的话我都听到了，报社最近有困难，我们保罗的药费就再缓两天吧。"

郑雨晴喉头发紧。

李保罗的妈很感激报社："儿子生病这些年，报社没有亏待过他。躺在医院里，几年都没给报社干过活，报社不仅开工资，医药费从来不用我操心，我们也该知足。"——老人不知道，好多事情，是郑雨晴替报社扛着。

"雨晴——郑总，有一件事情我想求求你，能不能帮助保罗把这本书印出来？"

郑雨晴纠正老人："您还叫我雨晴！"

"雨晴你和保罗是一同进报社的，你知道保罗，出本摄影集是他的梦想。刚生病的时候，他还写写画画，后来自己眼睛不行了，他就口述，请朋友代笔。这些就是他的书稿。不知道能不能出出来？这事我除了你也没别人商量了。"

郑雨晴接过一看，是那本《逃难记》。

郑雨晴觉得喉咙酸酸的硬硬的，一时说不出话来。李妈妈见郑雨晴没吭声，以为她不答应自己的要求，便哽咽地求她："雨晴啊，你现在是领导了，我求求你，能不能让我家保罗活着的时候，看到这本书？"

郑雨晴拉着保罗妈妈的手，用力点头："保罗妈妈，你放心。这事交给我，书，很快就会出来的！等我这阵忙过去，就到医院看保罗。"

老太太感激地点头擦泪，将那小堆发票病历又重新收到小布袋里。郑雨晴把小布袋和书稿都拿在手里："这个您也交给我，还跟从前一样，拿到钱我给您送过去。"保罗妈妈含着泪点头。

郑雨晴送走李保罗的妈，回到办公室里，感觉自己踩着棉花，腾云驾雾像在做梦，一切都是虚幻不真实的。刚刚坐下，刘素英站外面敲敲门，笑嘻嘻地说："郑总，新官上任感觉怎么样？"

郑雨晴一看是刘大姐，赶紧跑过去拉她进来，把门关上："姐姐，你可来了！老傅当年调走的时候，账面上有一亿多活钱哪你记得吧？"

刘素英点点头。

郑雨晴："现在账上只有70万！钱呢？"

"钱要是在，他们怎会进去呢？这些年坐吃山空！我知道你为这事揪心。张国辉一上午叼着烟卷满世界乱喷，说你是狗肉上不了台面，过不了三天就自动滚回副刊部。"

郑雨晴恼火："他还看我笑话？！他不是号称揣着集团的钱袋子吗？他不是说他那位子多重要吗？钱袋都空了，外面广告欠款他不去催讨还在楼里晃什么！"

刘素英问："他干吗为你催钱？我听说——没有根据的，就听这么一说，有的款子不是人家不给，是他不要。"

郑雨晴气愤地拍自己大腿骂："他最该被抓！怎么不把他给抓起来！！"说完她直吹手揉腿，刚才用力太猛了，坐那里气得呼呼直喘粗气。

刘素英哼了一声："李总是前广告部主任，这次也给抓了，张国辉手头的账，累了好几任的了，他想推，总推得掉。李总这一抓，不晓得多少账说不清道不明死那儿了。"

郑雨晴不作声，眼珠滴溜溜转地想法子。

报社食堂开中饭了。民工把几张大桌子全占住，闹哄哄的，不时有人敲着碗："饭没了，师傅再上一盆！"

郑雨晴径直走到领导吃饭间，敲敲钱总监、张国辉的位子，让他俩聚在自己身边。周围其他部门的人，自觉端着饭盆出去了。郑雨晴问："这些工人的劳动合同，钱总什么意见？"

钱总监："合同不是直接跟社里签的，说起来，可以不给，就这么拖着吧。"

郑雨晴伸头看看外头脱了鞋子翘着腿海吃的民工，说："但工程却是两家合作，报社脱不了干系的。"

钱总监："那是不小一笔钱……"

郑雨晴："还是要开源啊！张主任，你上个季度的广告款有七成没有回笼？"

张国辉一哼："郑大社长，别说上季度了，几年积压的广告费，都够再养活一个社了。"

郑雨晴："你为什么不去追款？"

张国辉两手一摊，推脱："这不关我事啊！"

郑雨晴瞪眼："那就把你在任期间的款先追回来。这总关你事了。"

张国辉可不想追账，那些广告款子他不收，放在对方账上，人家当他张国辉的人情，回报不断，小日子快活得很。大河没水，原因是小河起了坝，拦了闸。

他凑近郑雨晴："你从边缘部门刚刚上来，很多事情你都不知道来龙去脉。这些钱是我前任、前前任、前前前任欠下的。都算历史遗留问题吧！你看起来，广告是我发的，但合同，都是延续几年的。几任老领导们托来的关系，他们不给，我们也不能……"

郑雨晴干脆地说："你放下手头工作，只干一件事，给我去追款。"

张国辉一声夸张地叫："哎哟，我去！凭毛呀！好处没落在我手上，坏事都要我做？以前版面都是社长们放出去的，现在在位的社长，就您了，您本事大，要么您去讨。"

郑雨晴斜眼看看张国辉，她的冷静与张国辉的夸张成鲜明对比："我可以去讨。我要是讨来了，你这个位子，我可要换人坐了。"

张国辉啪地把饭盆往桌上一蹾，轻蔑地看着郑雨晴说："你换你换！你只要能把账讨回，你随便换！"

郑雨晴："我刚才去查过了，上半年，欠费最多的是腾达公司。你去帮我约他们老总，说，我郑雨晴新上任，第一个要请吃饭的人就是他。"

张国辉邪笑地拒绝，这家的老总可不好请。人家是人大代表，天上飞地上跑，本地人不开大会都见不着他。日常业务都是他们CFO在处理。

郑雨晴："那就 CFO。"

张国辉还在要横："哪那么好约啊！人家国企，上市公司！忙！没空搭理我！"

郑雨晴看看张国辉："你就守着他，他什么时候搭理你，你什么时候回报社上班。"

张国辉的鼻炎好久都没犯了，自打干上广告部主任，风调雨顺，趾高气扬，连老总跟他说话都先开两句玩笑，放低点身段再吩咐他干活，郑雨晴，口气好大啊！她她她，她凭啥不让我上班？张国辉急了，就有些结巴，一紧张，鼻涕又开始往外冒，气喘粗点就开始吹泡泡，他一边拿纸巾擤鼻涕，一边跟郑雨晴顶嘴："你有本事，你去约，你叫我不上班我就不上啊？！"

郑雨晴嫌恶地看他一眼："什么事都我我我，要你有何用？"把勺子往盆里一丢，拔腿走人。

财务科长也嫌恶心，端着盆跟郑雨晴走了，留下错愕的张国辉。

吕方成盘腿坐在地铺上看报表，不时龇牙咧嘴嗑牙花子带摇头。郑雨晴问他他也不说话。几次下来，郑雨晴有点怒了，去夺那个报表："再不吭声就不给你看了啊！"

吕方成问："想听真话还是假话？"

"当然听真话了！"

"这报表，搁银行，该发生挤兑了。"

郑雨晴真生气了，站起身拿着报表往书房外面走，被吕方成一把拦住："你这个人就是这样，沉不住气。都当官了，得有涵养。"

郑雨晴："我在外头装，在家跟你还装什么装？我憋一肚子气，早就想飙了！"

吕方成摇头："飙也不解决问题啊！积重难返，难以为继。"

"病人到医院，不是想听医生判死刑，而是想让人指条活路。高明的医生是救死扶伤！你说你会看报表，就这样看的？连一分钱都没给我看出来……"

吕方成一听乐了："你把应收账款先收了吧！"

郑雨晴沉吟着："张国辉根本不搭理我！要债不去，约人不见！你认识腾达的 UFO 吗？"

吕方成眨眼望着郑雨晴："是 CFO 吧？"

郑雨晴："对！我给气糊涂了！"

吕方成说自己不认识，也许徐文君认识。明天帮着问问。她三教九流都结交。

郑雨晴怒了："你天天说人家没本事，你知不知道！认识人本身就是本事！"

吕方成眨巴眨巴眼："我没有 C-CUP。"

郑雨晴怒笑了，低头看看自己，沮丧地来一句："我也没有。"换上外套，"我去报社签版样。"

吕方成大吃一惊："这都几点了还去报社？那啥时候回啊？你等下，我送你去。"

郑雨晴："不用劳您大驾，有小唐呢。"又有些不好意思地求吕方成，"不过，孩子的作业和水池里的碗筷就拜托您了！"回头她就给高飞打电话："腾达的 CFO 你认识吗？"

高飞干脆回答："不认识。不过我认识他们董事长。大家都是全国劳模，又是人大代表，在一起开过好几次会了，上次去北京，我俩还住一间房。"

郑雨晴一下就乐了。

酒店包厢，张国辉和 CFO 喝得面红耳赤。张国辉附耳面授机宜："咱给那个小女人一个下马威！"

CFO 斩钉截铁："对！她要见我就见我？她算老几啊！"

张国辉跟 CFO 喝得更高了。俩人继续碰杯。CFO 说："我说句实话，除了我们老大，多大领导来我都不鸟他！市委书记我也不怕啊！"

CFO 手机响，他把手机往桌上一拍："不接！多大的领导都不接！"刚拍完，发现屏幕上显示是"老大"，吓得一激灵，示意张国辉闭嘴，摇摇头，清清嗓子，很镇定又恭敬地喊："张总！"电话那头长长的一段讲话。

CFO 点头哈腰："是是！我知道！我来约，我来请！郑雨晴，郑社长是吧？没问题！《都市报》，老朋友，老合作伙伴了！"

CFO 放下电话通知张国辉："明晚，你老板请我吃鸿门宴，你一定要作陪。"

张国辉目瞪口呆地看着 CFO，自言自语道："这个女人，能量不小啊！"

CFO 一拍张国辉肩膀："你放心，领导只说见个面，又没说给她钱。要不要在她，给不给在我。明晚，咱俩好好……"俩人邪笑。

深夜十二点，郑雨晴签了版样，没乘电梯，沿着楼梯走下来。整座大楼人去楼空，走廊里的灯却全亮着，很多办公室也亮着灯，她推一推门，锁上了进不去。

郑雨晴一层层关灯，走到副刊部，她特意在门口站了一小会儿。

郑雨晴耳朵很尖，听到开水房里热水炉忽然开始自动加热烧水，便赶紧奔过去切了电源。

现在走廊黑洞洞的，只有墙上的应急灯幽幽亮着惨白的光。郑雨晴敲了敲底层保安室的门，叮嘱保安全楼巡视一遍，没人的楼层就把闸拉了。保安点头答应。

得知郑社长要去赴鸿门宴，问腾达老总要钱，陈思云立刻警觉起来："您跟谁去？"

郑雨晴说："张国辉……还有财务钱总监。"

陈思云一把拉住郑雨晴说："不行，你得多叫几个人，我也得跟着。"

郑雨晴不解地看陈思云："去那么多人干吗？又不是打架。人多了饭钱不也多吗？"

陈思云根本不搭理郑雨晴，她开始紧急打电话招呼人了。郑雨晴其实有些不高兴，觉得陈思云手太长，未经自己同意，呼啦啦找了七八个人。

郑雨晴在包厢里干等了好一阵子，不见腾达公司一个人影。她问张国辉："你约的是几点？怎么人还不到？"

张国辉有点幸灾乐祸的表情："喊，你以为跟新闻发布会一样，讲几点就几点？这是求人要钱的事情，咱得低眉顺眼，他们没把你放在眼里。"

"谁说我不把郑总放眼里？美女老总一召唤，我就算跑到火星上也立即赶回来！"腾达的CFO徐宏涛，胖大白粗的身形应声出现在包厢门口。

"啊呀呀，劳烦徐总今天亲自过来！"张国辉跳起来去迎接。

徐宏涛绕过张国辉，离老远朝郑雨晴伸出手，眼睛无所顾忌地盯着她上下打量："美女啊，果然是美女！"

张国辉被闪了一下，也不恼火："徐总呀，不要见色忘义噢！"

徐宏涛，江湖人称"谈笑皆红粉往来无男丁"。他自己也毫不忌讳这点："好点色怎么了？男人本色嘛。"

郑雨晴虽然对徐宏涛早有耳闻，但没想到张国辉一开局就把格调拉得如此低下，为了要回腾达五百万的广告欠款，她干脆打哈哈："徐总夸奖，我资深的，资深美女。"

徐宏涛被灌几圈之后，开始向郑雨晴挑衅："美女老总，今天到现在一直是张总监他们在喝酒，你还没端杯子呢！"

郑雨晴自从去了副刊部，饭桌上的应酬她差不多忘光了："不好意思徐总，我真的不会喝酒。我一生都没犯错误，别老了晚节不保。"

徐宏涛大概酒喝多了，语言更狂放："郑总啊，看您这年纪，只怕是我小妹，妹啊，听哥一句话，犯错要趁早，早犯错，代价低！喝！"徐洪涛拿着酒瓶就给郑雨晴倒了一个满杯。

张国辉听了嘿嘿奸笑："哎这个好，哥和妹喝一个！！"

郑雨晴鸡皮疙瘩起一身，并不接杯。

徐宏涛端着杯子，对郑雨晴说："美女看不起我？不当我这粗人的妹？那好，官话我也会说，郑总啊，你不仅是都市传媒集团的老总，更是《都市报》第一位女社长吧？我看，也是我们江州市，不，是我们整个华东，我们全国，所有报社的第一位女社长，对不对？你们讲，对不对？划时代的历史意义！这杯酒，我敬你，新官上任，前程似锦！我先干为敬！"说着一仰脖子把酒倒进嘴里。

郑雨晴小为难："徐总，我真不会喝酒……我加班加点已经是摧残身体了，再喝酒，我们老书记现在还在医院躺着呢，都是给你灌的吧？"

徐宏涛："哎，你谦虚！女记者，哪有不会喝酒的？你不喝酒，我心里就冷，我一冷，手就抖，我一抖，你想让我干的事，我就干不了。"

郑雨晴心想，终于谈到主题上了，便明知故问："我想让你干什么事？"

徐宏涛嘿嘿一笑："您呀，新官上任，百业待兴，啥都没安排妥，先跟我喝酒，我能不知你要甚？"

张国辉淫邪地接话："妹妹想要的哥哥这里都有！"

郑雨晴瞪他一眼，回头跟徐宏涛一点头："徐总明白人，就凭你这句话，我今天开张了。我抿一口谢谢你对我孤家寡人的支持。"

徐洪涛不满意："那哪行啊，这是祝贺酒，你必须一口气干了！你干了，我下面还有话呢……"

郑雨晴深吸一口气，把一杯啤酒喝了下去。

徐洪涛鼓掌叫好："好，郑总痛快！"

张国辉赶紧把烟斜叼在嘴角，腾出手拍巴掌。

郑雨晴咽下最后一口酒问："徐总，你说，还有什么话？"

徐洪涛哈哈一笑："郑总是个急脾气嘛。来来，吃点菜！"他嘬了一下筷子头，然后给郑雨晴布菜："社长吃下这口菜，我让世界充满爱！"

郑雨晴的碗里，飞进一块不知名的肉。她尴尬地笑着，吃也不是，不吃也不是，一时场面有点冷。徐洪涛脸色变得很难看。

郑雨晴为了打破尴尬，自己给自己倒了杯啤酒，站起来说："早知道徐总是个豪爽的人，果然名不虚传！我这杯酒是代表都市集团敬徐总的！"没等徐洪涛应承，郑雨晴便飞快地喝完酒，身体立即摇晃了一下。

徐洪涛却说："哎，郑总，你是很久没混江湖了吧，按照酒桌上的规矩，站着敬，坐着喝，你这站着把酒喝了，不算数。"

郑雨晴愣住了，端着空杯子站着，一时不知道如何接话。

张国辉说："哎，对了，这有个说法，叫'屁股不动保持尊重'。我们郑总刚才屁股动了！这样吧徐总，我陪一杯。"

徐洪涛哼了一声，从烟盒里弹出一支烟，眼皮都没抬一下。陈思云立即乖巧地为他点上烟："徐总，你不要怪罪我们郑社，她其实真的不会喝酒哎！"

徐洪涛抬了抬眼皮，哼了一声："你这个小丫头嘴怪甜的，以后前途无量啊。你们老总不会喝，你替她喝？"

陈思云端了一杯果汁站起来："那，如果徐总真不怪罪我，就赏光让我敬您一杯。我是女人，您是男人，您大人大量，不和我小女子计较，我喝果汁您喝酒，您干了，我随意！"

徐宏涛眉开眼笑："这小姑娘，有意思！那我就与你喝个穿心酒。"

全场大惊。连小陈这样的灵活姑娘都傻了。

郑雨晴傻傻地问："什么是穿心酒？"

张国辉一副看热闹不嫌事大的表情，卖弄地解释道："穿心酒就是交心酒，小陈手打徐总衣服里穿过去，把酒干了；徐总呢，手从她衣服里穿过去，也干了！"

郑雨晴的脸咔嚓一下就阴沉了："小陈，你坐下。"

张国辉一看情势不对，赶紧转弯子："哎哟，那什么，徐总，我陪您穿！"

徐宏涛立刻翻脸："你算个啥！你想搅基我还不陪呢！"

郑雨晴看了看时间，快九点了。看来不动真格的，今天的目的达不到。她撑住桌子缓缓站起来："徐总，咱也别绕弯弯了。我们来呢，是要广告款的。"

徐总脸也拉着："要钱是吧？老规矩，一杯一万。您打算要几万？"

郑雨晴眼睛毫不退让："这钱，既不是我郑雨晴的，也不是您徐总的，这是属于《都市报》的。"

徐总乐了："没错。可也得我批吧？"

郑雨晴深深吸口气："一杯一万是吧？我要五百万。"

徐总哈哈大笑说："五百杯，你们几个算算，一人轮几杯啊？谁先上？"

几个小伙子站起来。郑雨晴示意他们坐下。

郑雨晴："这种喝法太慢了。我陪不了您这么久，晚上回去还得看版面。这样吧，咱们打包，一瓶白的一百万，五瓶五百万。"

徐总坏笑着说："郑总真是个生意人。这么多人，五瓶酒，就换回五百万，划算！"

郑雨晴冷冷看着徐宏涛："这五瓶酒……"停住口，她扭脸看着张国辉，张国辉这下真怕了，脸都白了，边搓揉鼻子边摆手，又作揖："郑社，对不住！我尿，真不行，您别指望我，就三两的量！"

郑雨晴把脸转过来，冷静地说："我一个人喝。"

郑雨晴此言一出，全场哗然。

徐宏涛笑了："我闻听近代喝酒最厉害的是周恩来，据说有六斤的量，再往下数，没听说谁能喝三斤的。今天您别说喝三瓶了，您把一瓶喝下去，我陪三瓶，款我还照数给你！"

郑雨晴一笑："此话当真？一赔三？"

"这么多人在场，我徐某人好歹也是混江州有头有脸的。绝无虚话。我要是跟一女人食言，以后就把内裤套头上才出门。"

门口已经围着看客一群了，包括酒店的服务员保安和经理。经理过来打圆场："徐总，您也真是的，喝个酒喝出这么大的岔子，郑总这都是老朋友了，谁不知道她是滴酒不沾的，说实话，她以前连应酬都没有的，到点儿都回家的，你跟她犯啥难呀！打住打住，我陪您喝！"

徐宏涛眼一瞪："扫兴是不是？出去！没你什么事！这是郑总刚上任给我面子，我哪能不接呢？拿酒！四瓶五粮液五十年的！"

大家眼睛更直了！那酒是一斤半一瓶的！连徐总的下属都看不过去了："就喝个普通的吧！"

郑雨晴一脸行将就义的架势，稳稳当当地吩咐："快点吧！我等下要回去看版。"

经理哆哆嗦嗦拿上来四大瓶白酒放在桌上。

徐宏涛喊："拿大杯，拿大杯！"

郑雨晴："不用了，浪费杯子还得洗。"她自己琢磨着把酒瓶打开。

张国辉这时候倒眼神机灵了，赶紧帮着郑雨晴把酒瓶打开，生怕事出得不大。

郑雨晴把酒放在鼻子前深深地嗅了嗅："可惜了，真是一瓶好酒。"然后转头对徐宏涛说，"说好了，一赔三？"

徐宏涛："一赔三。你一瓶，我三瓶。"

郑雨晴："五百万款照付？"

徐宏涛问属下："支票？"属下递上。徐宏涛在支票上爽快签字，压在第一瓶酒的下面："美女，只要你干了一整瓶，这支票，你拿走！"

郑雨晴举起酒瓶，咕嘟咕嘟一口气下去。喝到一半时，徐宏涛就开始虚了。张国辉一张小脸变得惨白，他紧张得缩在椅子上，拼命搓鼻子。

全场都劝："这不容易了，不容易了，别喝了，别喝了，郑总，真别喝了，回头出人命！"

徐宏涛强作镇定地喊："郑总，女中豪杰！你有这份心，就足够了，剩下半瓶我们大家替你喝，支票你拿走！"

郑雨晴看他一眼，又看了张国辉一眼，继续拿着酒瓶咕嘟咕嘟接着干。

钱总监冲着陈思云喊："叫救护车！快叫救护车！！郑社，你不能喝了！你不许喝了！这要出人命的呀！"

徐宏涛双手合十："大姐！大姐！我服了，我服了不成吗？我承认你是女汉子，这支票你拿去，你可真不能喝了，你万一出点啥事，我不负责啊！我不负责！你们大家看见的，这是她自己愿意的，不关我事啊！"

郑雨晴一瓶喝完，没一点反应地对徐宏涛说："你现在可以开始喝你那三瓶了。给他开酒。"

徐宏涛在屋子里试图逃跑，被《都市报》的人一把按下，捏着他鼻子往嘴里灌酒。只听他一阵哀号："郑社，您说句话啊！我上有老，下有小！我家里都指我挣钱呢！我……嗷……我……嗷……"

郑雨晴拿起桌面上的支票，稳稳当当出去，有人要搀扶她，被她拒绝了。陈思云不放心地在后头跟着。郑雨晴头也不回地说："放他一马，一瓶算了。不与人比低。"她突然回头，对着跟出来的陈思云看一眼，摸着姑娘的头发，怜惜地说："我……对不起你。对不起你父母。你，就像我的妹妹。"

说完，昂首阔步出门。

酒店门口是呜啊呜啊叫的救护车。郑雨晴在看到救护车的那一瞬间，腿一软。

领导的语言

等到郑雨晴再次清醒，已经是三天过后。郑雨晴睁开眼满身乱摸。只有陈思云心领神会地耳语："支票已经兑付了。"

工地的人工费该付的付该结的结，集团员工的工资奖金过节费，全部一次性发放到位。郑雨晴的人气指数上来了，也是，这个看上去不大起眼的小女子，确实有两把刷子。吴春城发过节费，很少实打实发钱，广告抵来什么他就发什么，千奇百怪的，比如吕方成送给老姚的春酒。

郑雨晴的狠劲张国辉算是领教了，他的气焰被灭掉，现在夹着屁股拎着脚后跟，贴墙溜边不出声地走路，一副尿瘪瘪的样子。他主动跑出去要款，一天几个电话过来汇报工作。但只要他张口，全是问题。

刘素英恨恨地说："好事从不找你，找你没好事。你都这样了，还天天来硌硬你！真是条癞皮狗。"

郑雨晴一笑。这世界，没有垃圾，只有放错位置的财富。癞皮狗也有癞皮狗的用处。

刚出院，陈思云便汇报，市领导要求召开全员大会，宣布集团最近的人事变动。郑雨晴暗中叫苦，吕方成说的看表还没学会，又轮到高飞讲的说话了。咋说？说啥？陈思云笑眯眯的，领导的发言稿子，我已替您写好了。

郑雨晴一看发言稿就要晕倒了。这是人话吗？字都认识话却看不懂。她问陈思云，"这发言稿想表达什么意思？"

陈思云拍拍郑雨晴的手说："不需要表达什么意思，在台上，你是最小的那个官儿，你得说领导听得懂的语言。"

郑雨晴："我不是讲给《都市报》员工听的？"

陈思云肯定地说："不是，你要先保证不说错话。"

郑雨晴再叹气："我当不了领导。"她突然想到了什么，让陈思云赶紧替自己约见主管领导："我想申请个能干的副手。这么大场面，我一个人撑不下来。"

从组织人马拼酒要债，到酒桌上为领导挡事，再到默默履行秘书的职责，短短几天，陈思云给郑雨晴留下的印象是：做事主动，为人机敏，既专业又职业。她突然觉得，这个前任领导培养的秘书，倒跟自己很亲近，自己与她的关系，就像新皇儿与前朝老臣。

市领导们来都市集团开会，一下车便被集团的气势给镇住了，彩旗招展，气球高挂，还有高大的拱形门。看来新官上任是有三把火的！

仔细一看内容，领导们错愕了："欢迎光临本报红木家具卖场""家有珠宝一箱，不如红木一方"……

会议室更是邪门，不见讲台桌椅，却布置得跟陈近南的天地会一样，几进几院的格局，既有喝茶的茶室，也有吃饭的餐厅，还有书房和卧室。沙发家具一律面冲大门，表现出热烈欢迎的模样。员工们面对大门屁股冲着主席台，或坐或趴，三五一座，写字台上也坐着人，嘻嘻哈哈调笑。

张国辉奋力呼喊："别坐人花架上！回头坐烂了赔不起，没见实价三万八吗？就算员工打九折，不吃不喝也赔好几个月！"

领导的脸色极不好看。主管领导江部长面子尽失，非常恼怒："郑社长啊，这是怎么回事啊？会议室怎么搞成这样？"

郑雨晴淡然答道："前任领导批的广告合约，不执行要赔款的。就这上午的大会，会场还是我们跟主办方借的，只能用一个小时。"

卢市长一笑："哦！你已经给我限定时长了，那我就长话短说。

会场下，张国辉邪邪地看着笑话。

主席台布置成客厅，正中央是茶几，四周摆几把高背方椅，这种席位是领导没有经历过的，不知哪里算主位。更要命的是，台下观众都屁股对着领导。江部长低声吩咐："会议这样不好开，不如大家把椅子动动，转个向，这样也好有个交流。"

郑雨晴使了个眼色，陈思云便拿话筒喊："同志们能不能把椅子掉个头？这样方便给领导鼓掌。不然咱不是在鼓倒掌？"

下面的员工哈哈大笑，还有嗷嗷起哄的，但倒是很给面子地开始搬椅子。怎奈这些桌椅，或许真是红木的，几个壮小伙都搬不动。热热闹闹折腾了十分钟没啥效果，陈思云又拿话筒喊："大家静一静，就维持原样不动吧，时间不多了，抓紧时间开会！"

组织部长于是拿着话筒，对着场下或坐或卧或站的员工开始宣读对郑雨晴的任命。时不时还有迟到的员工蹑手蹑脚走进，找不到位子，会有躺在床上的员工热情招手，呼唤她过去同居："来，躺在我身边！"

卢市长有感而发："同志们啊，你们的大楼新建成的时候，当时是我陪同市委书记来剪的彩，转眼十年过去，没想到啊，人是物非。我和大家，现在都不能面面相见，只看见你们大多数人的背影和，呃，身躯……"

领导们轮番发表指示，期望在传统媒体生死存亡的危急时刻，《都市报》能在郑雨晴的领导下，打个翻身仗。郑雨晴听了心里嘀咕，我也希望翻身，可怎么翻呢？

最后话筒交到郑雨晴的手上。她先看看手掌心里的小抄，陈思云的讲稿实在背不通顺，她只好出此下策。"感谢组织和领导对我的期望和信任，今后我们要高举旗帜，围绕中心……"她又打咯噔了，想偷瞄小抄，一个没拿住，掉地上了。台下发出一片压低的笑声。

郑雨晴在嗡嗡声里，突然勇向胆边生："咱们单位的现状，大家都有目共睹。我说好听点是百废待兴，说难听点那就是满目凄凉。既然领导相信我，把这里交给我，那么我一定要对得起这份信任和托付。我个人在这个岗位上，没有一点私心和诉求，在报社工作十四年，对这里的一草一木一人一事都是有感情的。如果报社倒在我手里，我感觉就是报社的千古罪人。大厦将倾，我一人力量实在太微薄，我不是巨人，更不是超人，这个报社不好了，里面肯定有我没尽到的责任，但这个报社要是好了，一定是大家的合力。我上任以后，打算从小处着眼，一点一点地改变。只要是变革，就会触动到很多人的利益。遇到疼的时候，大家看一看，想一想，我郑雨晴做这些，究竟是针对你个人还是针对整个集团。只要是为报社好，为大家好的事，我希望每个人都配合我一起努力。我是女人，我不像男人那样有着宏图大略和高远目标，大话我不敢说，但是，至少下一次我们领导再来这里开会，我保证恢复会场应有的样子，让大家坐得堂堂正正，舒舒服服，心里敞敞亮亮。请大家给我三个月时间！"一番发自肺腑的人话，台上台下的人，都听懂了。掌声先从主席台率先发出。是卢市长。跟着全场掌声。由疏到密，由淡到浓。

江部长示意大家静一静，他又宣布一项任命：广告部张国辉同志为传媒集团副总。

场下哗然，连张国辉都受到了惊吓，一不留神撞着衣帽架，头磕得生疼。

江部长注意到底下群众的反应，连忙解释，这个任命，是由郑雨晴同志提议的。她再三跟我们推荐张国辉同志德才兼备，力挽狂澜，能担当重任。

郑雨晴热情洋溢地召唤张国辉："张总，你也上来说两句！"

台下已经有人在"啊呸！"，粟主任和刘素英的脸色已经很难看了。有人大声说："这集团，永远搞不好了！无论谁在台上，他妈的张国辉永远是大红人儿！为什么世间总是小人当道？！"

张国辉差点没吓尿。他费九牛二虎之力安排的别出心裁的会场，本来是想让郑雨晴在领导面前出个大洋相，这下好了，原来这个洋相，出在他德才兼备的张国辉身上。看着满屋子屁股对着主席台和脸对着他的员工，他死活不敢上台。"不晓得，今天，领导，怎么看这个会场，怎么看我张国辉领导的广告部，不晓得他们会不会从此以后觉得我没有能力啊？"想到这里，张国辉冷汗都冒出来了。

会议临近尾声，卖家具的工厂已经开始拉红绳轰人了。张国辉挺身而出，开始协调解决方案："领导离开以前，会场绝不能乱！"

散会之后，张国辉一路小跐脚地跑到郑雨晴面前，点头哈腰地喊："郑社长，我已经把二楼的红木展给处理掉了。太不像话了！影响报社形象，影响我们集团领导在大领导面前的表现！"

郑雨晴故意逗弄张国辉："这事不能干啊！要赔钱的啊！"

张国辉拍胸脯："你放心！不叫集团出一分钱，我去跟他们干！绝不能让领导食言，下次开会要坐得堂堂正正的！"

郑雨晴突然脸色就收了，阴沉得难看："开会这事，你上个礼拜就知道了，几次跟你协商，你都说处理不掉，这前后变化太大了吧？"

张国辉到底是老江湖，全然不看郑雨晴的脸色，毫无愧色地说："那以前广告部主任，是真处理不了这事！现在处理这事的是集团副老总，能力和水平，都在郑社您的领导下有大幅度提高！郑社请指示，您分派我哪些工作？"

"我派给你一个重中之重的工作，把集团放在外面几年的账，都收回来吧！"

张国辉一听就摇头："郑社，你这是提拔我，还是整我啊！这债务关系乱如牛毛的，收一笔得罪一个人，你是不想让我在江州市混咯！这事我干不了。要么你负责收账，我负责练内功。"

郑雨晴啪地一拍桌子："张国辉，你还跟我讨价还价？！实话告诉你，我内功外功一起练，我既然收拾得了徐宏涛，这市里上上下下里里外外，我都能收拾了！我啥都干了，我要你干吗呀？"

张国辉吓得一哆嗦，感觉一股杀气迎面逼来。妈呀，这女人是个狠角色。他诌媚本事又发挥了："领导批评得对！我就是领导的一条狗，放我出去咬谁，我就咬谁！"

郑雨晴用毕生的涵养压制住无比嫌恶的表情："张总啊，说句实话，没钱，我寸步难行。这些外债，能要了我的命。我现在，是把我的命交给你啊！除了你，谁能担得起这个责任？"

张国辉突然被忽悠得荣誉感爆棚："领导放心，我一定天天叼着你的命！绝不松口！不过领导，我除了要债，还有很多其他能力的，你看公司的经营方面，我是不是能……"

郑雨晴果断挥手："你先把碉堡给我攻克了，你证明给我看你有攻坚的能力，咱再谈下一步！你出去吧！"

张国辉的话，被郑雨晴一个挥手就噎回去了。他心里五味杂陈，说不出是啥感受。这个女人，很难琢磨。原以为她一上台第一个要收拾的人就是我，没想到第一个提拔的是我。不知她葫芦里卖啥药呢？张国辉站在走廊上想了一会儿，开始给客户打电话。

下午四点，郑雨晴手机闹铃响了，是法定接孩子放学的时间。郑雨晴把电动车停在菜场外，跟萌萌交代坐后座上等着，谁带都不许走，又请门口卖调味品的小贩帮着代看着孩子，自己掏出个购物袋快步弯进菜场。

郑雨晴深吸了一口成分复杂的菜场味，好亲切，这里才是自己的主场嘛！熟门熟路地在各个摊位之间穿梭，精挑细选，讨价还价，斗智斗勇，乐趣无穷。

放错位置的财富

郑雨晴把孩子伺候睡了，眼见夜里 10 点的光景，眼神就有些飘忽了。

吕方成高高兴兴洗完澡乐不呵呵冲郑雨晴挤眼："快啊！去洗啊！一会儿书房见！"

郑雨晴犹豫了一下去洗澡，吹着头就打电话去问："刘大姐，今晚你签版了吗？"

刘素英答："签了。"

郑雨晴："没什么状况吧？"

刘素英犹豫了一下："应该，没。"

郑雨晴有些急："什么叫应该没？"

刘素英答："我刚才去夜间记者站看了一下，没人值班。不晓得粟主任怎么排的班。打了几个电话，小粟没接。我怕后半夜万一有个急情况，都没个人手，我自己这里盯着了。你忙你的吧！"

郑雨晴立刻答："我这就过去，我陪陪你，正好跟你聊个天儿！"说完立刻挂掉了电话。

郑雨晴站在报社大院门外，仰望《都市报》的大楼，一片黑寂，连楼顶上的霓虹灯都不见了。她不由得感叹，女人啊都是过日子的好手！只要是刘素英大姐最后一个下班，肯定跟自己一样，和保安师傅打招呼，让他把大楼的电闸给拉掉。

走到夜站值班室，轻轻一推门就开了。刘素英就着一盏应急灯，躺在靠椅上烫脚。她道："跟你说没什么事，还来干吗？"

"哎，我来陪大姐烫烫脚啊。"说着，不等刘素英同意，她便拖过一只椅子坐下，脱了鞋袜把脚伸进盆里。

刘素英语气有点生硬："你应该跟德才兼备的张国辉在一块儿才对。"

郑雨晴知道，自己提拔张国辉，伤着大姐的心了。

"你是不是，把他给潜了？"刘素英突然发问。

郑雨晴听了哈哈大笑。刘素英气呼呼："笑笑笑，你吃了笑和尚的尿啦？！你到底得了张国辉什么好处非得提拔他？！"

郑雨晴收了笑容，问道："那你觉得像张国辉这样的人，应该放报社什么位置？如果我的位置是你坐的话。"

"放他去看大门！"

郑雨晴一笑："那完了，他有充足的时间每天整我的黑材料，散播我的谣言。"

"你身正，怕他说你影斜？"

"国企的领导，哪怕你做的决定，99件是对的，总有人盯你那一件错事不放。我岂能保证我做的百分百正确？"

刘素英悟道："你是怕他闹事，安抚他？"

郑雨晴叹了口气："我是把他架空，放我身边，就折腾我一个，别妨碍我干事。我给他顶上帽子让他出去收账了。"

刘素英："我懂你的意思，宁得罪君子不得罪小人。可这对老实本分认真工作的好人，是不公平的。"

郑雨晴很诚恳地说："会公平的。你相信我心里这杆秤。"

刘素英："你可得抓紧时间给大家公平！我年轻时总想，报纸肯定万古长青，现在觉得它朝不保夕，真担心咱的报纸熬不到我退休。"

刘素英的担心是有依据的。今天《都市报》头版上的日期印错了，要是从前发生这样的事情，热线就给读者电话打爆炸了。可今天总共不过接了十来个电话，投诉的全是话都说不清楚的老年读者。纸媒真的老了，跟它的受众群一样。

郑雨晴低头寻思："我们除了新闻时效上拼不过网络，还有一点，做的东西不好看！"

"连夜站都不值班了，谁的心思还在办报上？人心浮动！"

如今的夜间记者站乱糟糟的，应急灯下，影影绰绰房间四角堆的是快递盒子，桌子上还有一摞用过的快餐饭盒和泡面碗。这种环境，怎么能让老大姐待着呢？郑雨晴过意不去："今晚不值班了，估计不会有什么突发新闻。"

刘素英拎出脚丫擦净水："我这人贱毛病，现在让我回去我反倒睡不踏实了。你回吧！"

第二天的采编会上，郑雨晴宣布，为了鼓励全体员工追讨广告欠债，今后，凡是要来的账款，可以从中提取总额的3%。她话音未落，会场刹时降到了冰点。所有人都冷眼看着她和张国辉。

所有人都觉得，郑社长对张国辉倾斜得过了头。欠款是集体的，又不是他个人的，广告中心主任，追账是你的本职工作，要不回来应该罚你，怎么要回来了还能奖励你呢？

终于一个部主任站起来质问："郑社，咱们是新闻媒体，到底是新闻为导向，还是金钱为导向？如果全社都去追款，咱还办不办报纸了？从明天起，我这部门，我不管了，我去追账。张国辉，麻烦你把历任广告部欠款公开一下。"

张国辉心里那个得意啊！这个女人也没啥了不起，服软了吧？学乖了吧？老子不治你，你是不知道马王爷有三只眼啊！哼哼！看遍集团上下，能赚到这三个点的，舍我其谁？从此以后，我就是计划单列城市了！

他站起来摇头晃脑："哈哈哈，是骡子是马都可以拉出来遛遛嘛。雨晴社长，采编的会议我就不掺和了。现在我就去追款！"说完擦着地一溜烟走了。

等张国辉走了，关上门，郑雨晴才语重心长地发言："大家都觉得不合理？我也这样认为。不仅这条不合理，采编人员身上有经营任务，也不合理！不合理就要改，改的前提，得手里有钱。等我有钱了，首先就把你们每个人身上的营销任务给抹下来。我们不需要卖那么多没人看的报纸。我们需要做一份好报纸。他追来的钱，最终，都按你们的贡献，悉数发还给你们。同志们哪！他只得3%，我们全社就能良性运转，这三个点，该不该给呢？"

半晌有人回应："好！郑社，我们就等你把上上下下的人给转起来了。"

郑雨晴说："你们负责写好新闻，只要能办出全省最好看的报纸，你们的收入，就不在我之下！"

新闻部主任小粟噌地就站起来了，眼睛瞪得大大的："但是，你知道，我们写报道，有很多局限的……"

"写不写在你们，发不出去，是我无能，这总行了吧？"郑雨晴回答。

另一边，张国辉急急往自己地盘赶。广告中心的走廊两边，重重叠叠堆着一人多高的货。张国辉在那些货箱缝隙里灵活穿梭，像蛇行一样扭进自己的办公室。他深陷在一堆奶精片核桃粉红枣酒束身衣箱子的包围里，手指蘸着口水，紧张地翻看欠账企业名单，不时在计算器上捣几下。他把标着一百万以上的单位全部划掉，剩下一点鸡零狗碎的欠账和老赖客户，然后将名录扔给文员小刘："你重新打一份新的，赶紧给郑社送上去，她们在楼上开会等着要看。"

小刘走出去后，张国辉点了点计算器，看着上面的数字，得意地笑。又扯出一张面巾纸，狠狠地擤一把鼻涕，吐一口痰。抬头看看四周的货物箱，张国辉眨巴几下小眼睛，清清嗓子叫道："小刘你回来！把广告抵货的清单拿给我。"

养生中心的老胡泡在温泉池子里。他一筹莫展地面对着愁眉苦脸的张国辉。

张国辉在演苦情戏："哥哥哎，换了个新老总，那娘儿们实在是厉害！今天我可是提着军令状来的，讨不回钱我就下班。"

那个装潢得像罗马帝国一般富丽堂皇的温泉养生中心，空旷无人。倒是热水还在咕嘟咕嘟向外冒。

老胡也一脸愁苦："张总你看到了，我这里现在现摽棍子打不到人啊！中央反腐力度太大，没哪个单位敢来公款消费！"他指着外面一座气派的大楼："五星级宾馆，天天空着，恨不得到街上拖人来住！"

张国辉只搓鼻子不讲话。

老胡："钱，一分没有。我这里的温泉和房间，你看着哪个好，今天你就拿走。"

张国辉焦黄的牙齿一龇。"你他妈老胡每次就这副浑样子，要钱没有要命一条，温泉我怎么带得走？！房间嘛，"张国辉拿纸巾擤下鼻子，声音齉着，"三折！"

老胡一下跳起来："哥哥哎你杀人啊，趁火打劫啊！携程都五折！"

张国辉夹起皮包准备走人："那你忙吧老胡，我去卫生局转转，听讲他们马上要搞什么温泉专项检查……"

老胡一把拖住张国辉的衣袖。

张国辉："老大，我才是真心对你。你说，你这房间，空着也是空着，人员费用一点不敢少。你把账款折成房间给我，我想办法拉人来住。人气一上来，财神就过来。你现在这种死不滥缠相，来的全是小鬼！明年的广告也这么抵行？得空让你那个小许姑娘去把协议签一下。"

老胡灿烂一笑："早换人了，现在是蜜斯陶！"

张国辉拿烟头点点老胡："奶奶的，像你这样不务正业，我还是心不够狠，我该杀你到地板价，一折！"

萌萌这几天不叫饿了，一回家就吃一种叫维生素奶精片的零食，郑雨晴好生奇怪："你爸爸怎么买这种东西给你吃？"

萌萌咯嘣咯嘣嚼着，含糊不清地回答："外婆送来的。"

许大雯听说萌萌爱吃，很欣慰："让她吃，外婆这里还有好多！"还跟郑雨晴说，"大院里的老同志们都在感谢你，大家都说自你上任以后，整个集团出现新气象，体现在对老同志的关怀和关心非常到位！只有你，最摸得清我们老年人到底想要什么！"

郑雨晴糊涂了："你们想要什么？"

许大雯："健康长寿啊！雨晴，温泉确实不错，那天你爸爸泡过以后啊，想跷二郎腿都搁不住，膝盖滑得来！"

"我都不知道你说的是什么，什么温泉？哪来的奶片？到底怎么回事？"

许大雯："不是你让张国辉组织大家泡温泉吗？车接车送，两天两夜全免费呀！那里医生推荐营养保健品，大家都说好，都抢着买，我也各种都买了点，花了五千块！"

郑雨晴倒抽一口冷气："五千块！"

郑雨晴把奶片往桌上一拍，绷着脸问张国辉："怎么回事？"

张国辉："噢，秋凉了，组织老同志老客户们去养个生，回馈他们多年对报社的贡献！"

郑雨晴拿眼睛瞪他："回馈？！什么回馈我妈一下花掉五千块！"

张国辉结巴："啊，这个，没想到啊，那个，我给老人家退了，这就去退款。"

张国辉这个鬼人，尽冒馊点子，他把手上那些广告抵货盘点整合了一下，为了卖掉这些东西，他自作主张送全市六十岁以上老人去温泉疗养两天。免费的。

见郑雨晴狐疑的神色，张国辉解释："你放心，这一次，不光温泉养生中心的欠账追回来，楼道里那些抵来的保健品，也全部盘活。"

郑雨晴来到养生中心时，正好来两辆空调大巴卸下百名白发苍苍的老人。俊男靓女身穿制服呼啦啦从各处围过来，帮老人穿外套，替老人拎行李。每人攀着一个老人的胳膊，管男的叫舅，管女的叫姨，亲的热的，跟自家人一样。年轻人们亲昵地鞍前马后，老人们的脸上都洋溢着幸福的微笑。

会议大厅里，小伙子异常亢奋地在前面呼喊："我们的任务是——"

下面老头老太跟他一样像得了甲亢，大声齐呼："健康有生年！"

"我们的目标是——"

"活到一百二！"

"加油！啪啪！加油！啪啪！一起努力加油！啪啪啪啪啪啪！"

然后一窝蜂的人冲到大厅开始抢购养生保健品。就是《都市报》办公楼楼道里抵存的那些货。

老人有的时候像小孩，你买我也买，你有我也要有。只要有一个带头，其他人脑子一热，一哄而上，生怕吃亏。明明还在一边犹豫的，看到同行的老头老太纷纷掏口袋，立即就跟着了迷药一样，平时买点小白菜都要讨价还价，买起贵重的保健品，眼皮都不带眨一下。

郑雨晴看不下去，上前劝阻："大爷你少买点儿，这些东西不便宜啊！到底有没有疗效啊？！"

大爷扭过脸上下打量她："你谁啊？打哪儿来的？有没有疗效的，我看李教授王主任他们都买了，就算上当受骗，总不是我一个人吧？那么多有文化的在前头撑着呢！"又对身边的姑娘耳语，"这人是不是你们竞争对手啊，感觉像是来砸场子的。你们要防着点儿。现在这个世道，坏人太多了。"

郑雨晴从牙齿缝里挤出声音："张国辉！你缺了大德啊！为卖那些东西，你把全市的老头老太都卖了？！你就这样盘活啊？老人家的钱攒得容易吗？你也敢赚！"

张国辉得意地耳语："你放心！肯定吃不死人！这些东西虽然贵点儿，但全是正经货。老人家嘛，都比较怕死，你只要跟他讲延年益寿，防病消灾，多少钱都舍得花。你不要小瞧他们，都很有钱的！退休工资比我们上班的还多，又不花，留着给不孝子女吗？你看看我们这些姑娘小伙，比他家亲生的都亲，哪怕就是个精神安慰，也值这么多钱啊！"

回到报社，张国辉又使唤小粟："你派人去温泉养生中心，搞条大稿子，我们报为全市老人送健康。"

郑雨晴冷着脸说："小粟你不用去了。在报上自拉自唱很讨人嫌的。"

郑雨晴回家跟吕方成抱怨："张国辉这个人吧，不用不甘心，用他不放心！放他出去追款他真能追回来，但追的方法真有点下作。"

吕方成："用人不疑嘛，再说那也都是愿打愿挨的买卖。因为你自己的妈花了五千块，你气不过了对不对？孝顺孝顺，首先得顺。她的钱花出去，只要她开心，那就是花得值！"又问道，"温泉那个活动还没结束吧，我明天喊人去那里，支个易拉宝，看看能不能跟着卖点保险和理财。"

郑雨晴："我都没好意思让发行部去搞征订呢，你倒脑子灵活，跟着搭顺风车！你以前对营业部没这么上心的，怎么最近积极主动承揽业务？你给徐文君抬轿子？给奶妈抱孩子？"

吕方成笑："你看你，狭隘了吧？跟顶头上司搞好关系不吃亏。徐文君是讨厌，但你在她手下干，跟她唱对台戏，拆她台，她给你小鞋穿，日子不是更难受？人不要给自己找不自在。再说了，她要是真升迁了，腾笼换鸟，她那个位子不就是我的了？要对那些小人好，更好，越发好。我是跟你学的，你对张国辉那招，我拿来对付徐文君。"

郑雨晴有些怒："我俩能一样吗？失之毫厘，差之千里！我……"

"哎呀，我又不搞强买强卖，只是借你个平台唱个戏，让老人们多一种选择，你看你小气的！"

郑雨晴气不过，拿出手机打给发行主任："老高，你明天派几个发行员去趟温泉养生中心……"

方成妈今天很开心，终于在家不闷了，姨侄女二霞来看她，有人陪着她，老人神清气爽。只是耳朵还是背，两个人大呼小叫地聊天，不知道内情的人以为是吵架。

二霞这次来，是想在《都市报》谋个职位："我嫂子单位正在招保洁员呢！"

方成妈吓一跳："好好干着老师，你当什么保洁啊？保洁不就是打扫卫生的嘛！！"

"姨啊，现在的孩子，说轻了就走邪道，说重了跳楼给你看！我们那个农村学校里，家境不好的，爹妈都出去务工，没人管教。家境好的，又说不得碰不得。学校地方不大，考核不少，天天加班加点，又不拿钱。干得丧气。"

方成妈说："你干保洁，屈才了！"

二霞说："不屈，单就精神压力上，小了很多。这是我嫂单位，姨你替我说合说合？"

方成妈大包大揽："你嫂子，她现在是社长，大事不敢拍胸，就当个保洁，我替她做主了！"

二霞搂着方成妈："这下有人罩着我了！我先谢谢姨啊！"

郑雨晴下了夜班回到家，老太太等在客厅里，给她下达人事任命通知。还说二霞这孩子是从小看大，不会有错。"她和方圆以后就是你的左膀右臂，打仗亲兄弟上阵父子兵。你现在当官了，身边没一两个自家人不行的。"

话讲得严丝合缝，一时让郑雨晴觉得这老太太哪有老痴症啊，肯定是医生误诊了吧！但是郑雨晴回绝了——公家的事情你一个老太太怎么能替我做主。

方成妈的脸挂不住了。吕方成觉得自己的妈有点过分，但他两头和稀泥。最后两个女人还是戗上了，各不相让。

方成妈："人求到我了。我都应下了。"

郑雨晴："那你应的，你再去回了她。臣妾办不到啊！"

吕方成看娘的脸色通红，肯定是血压上来了，就赶紧打圆场："你那个大楼上上下下，岗位那么多，想塞个把人又不难！而且二霞要求不高，不就是扫个地抹个灰嘛。"

郑雨晴死咬着不吐口："我才在集团大会上保证干干净净做人，掉脸就把自家表妹弄进来？怎么做表率啊？这不是自扇耳光吗！都批评我人嘴两张皮？"硬是不答应让二霞进来。

方成妈当天晚上打好小包袱，出走！"方成，送妈去方圆那里！这个家没我待的地方了！"临出门前还放出话，"啥时候解决问题，啥时候回来。二霞问题一天得不到解决，方成，"方成妈拉着儿子的手，眼睛瞟着儿媳妇斩钉截铁，"我们母子就一天不能团聚！"

郑雨晴暗自好笑："搞什么啊，快赶上朝韩统一了！"

吕方成批评道："笑什么笑！你这个人就是五行缺心眼！谁跟你好你牺牲谁，分不清好赖人。张国辉给提上副总，二霞就不能扫扫地，怎么违反原则了？真是的，你这个做法，生意上叫杀熟！"

郑雨晴有点生气："你不要把事情搅到一起说，二霞想去做保洁，我个人没有意见。让她去应聘走程序就是了。简单的事情简单做，啥叫跟我打声招呼？"

第二天郑雨晴去找吕方圆。方圆倒是理解："别理我妈，她老糊涂了。她不知道报社关系有多复杂，上上下下多少眼睛要看你笑话！让妈在我这里住几天，正好换换环境。"

郑雨晴松了口气："难得你脑子灵光，你哥还给我黑脸看呢。"她拿出李保罗的书稿问，"这样的摄影集，你这里印一本多少钱？"

吕方圆拿出计算器叭叭叭按了一阵说："八万。"

郑雨晴惊叫："我只要一本！"

吕方圆也惊叫："你开什么玩笑啊！过家家啊？我这轮机一开至少印一千本！你拿一本，剩下九百九十九本我卖给谁去？"

郑雨晴收起书："太贵了，不印了，我贴不起这钱。"

"嫂子，我问句不该问的，你和这李保罗到底有没有那个，私情，啊？"

郑雨晴作势要撕小姑子的嘴："你不盼着我和你哥好是吧？有你这样当小姑子的吗？"

"那为什么你给他贴钱出书？"

"报社哪出得起？"

"简单啊，我帮你找个业务单位买个单，回头你批个特价广告给人家就行了。"

郑雨晴摇头："不干。我可不想进去和吴总他们做伴！刚才还夸你脑子灵光。"

姑嫂俩人嘻哈了一阵，郑雨晴歪着脑袋想了想，说："要说私情，我和他还真的有！他这本书里好些黑镜头，几乎全是我俩在一起的采访经历。地沟油那次你记得吧，出生入死啊。唉！我这是兔死以后，狐狸在可怜自己以后的命啊！往上一步我就是坐牢，往下一步，我就是累死。还不晓得我死的时候，有没有人能替我完成啥心愿呢！"

吕方成在公司也是焦头烂额，正在整理月报，员工敲门进来："吕主任，外头有个老太，我们搞不定她。"

吕方成只好出去，就见一白发苍苍的老太站在大厅中央，把营业部的人纠集起来站一排，一个一个辨认，姑娘推出队伍，只留小伙儿，盯着人家看："都不是咧！我真是老糊涂了！"

吕方成对所有老头老太，情感复杂，喜忧参半。现在能天天到营业部来凑热闹的，也只有这些忠实的老用户了，但痛苦的是，你永远不知他们在打什么牌。

老太看到吕方成，突然一拍大腿："就是你！可逮着你了！"上去一把拉住方成的手，"我都惦记你多时了！赶紧地！快来帮我！"

吕方成丈二和尚摸不到头脑，完全不知何时何地与这老太有何交集。

老太指着自己问："你忘记了吗？我！我！我都记得你，你不记得我了吗？"

吕方成真不记得了，赶紧问："老人家，我哪里做得不好吗？"

老太："好好！我的死期到了！我来找你解放的！"

全场听完震惊，不知吕方成私下里还做法事，迎生送死。吕方成也是一头汗。

老太从口袋里掏出存折，拍在吕方成手上。吕方成翻开一看，上面的印章是自己的名字，这才回忆起，原来她就是那个"要死要活"的老太，如今，十五年过去，老太要取款了。

吕方成大笑，亲亲热热地拉着大妈的手说："您哪是死期到了呀！您是万寿无疆！"拉着老太去柜台数钱。钱刚数一半，平地一声惊雷，震得大地哆嗦，门窗哗哗响。

营业部里，刚才还井然有序，现在顾客被惊天动地的巨响吓慌了神，柜员也愣在那里，大家都不知如何是好。

突然有个人大叫："地震了！地震了！"

顿时乱成一锅粥。所有人都想往外跑。

保安没经过这种事情，赶紧奔到门边，按电钮哗哗降卷闸门，降一半又觉得不对，这要是地震不是自己把自己关里头了吗，又按电钮哗哗把门升起来。

门口几辆车的报警器也凑热闹呜哇呜哇地叫。

吕方成从柜台后头奔出来："大家都别慌！听我的！"他对保安说："门全打开！让大伙慢慢地，一个一个走，都别挤！让老人孩子先出去。"

又冲柜台里的人说："你们手上业务别停，仔细点，别乱！"

忙乱中站起来的柜员，想坐下又不敢。

吕方成既是安慰柜员，又是安慰顾客："咱们营业部这房子的抗震等级是七级，小震小灾压根儿动不了一根毫毛。又是在一楼，抬脚就是大街，大家都把心放得妥妥的。真要有事，你们先走我掩护，我保证，我最后一个撤。"大家听了，顿时心安，遂坐下来，安心完成手上的活。

吕方成叫来大堂助理："你去查下，看看发生什么事情了？"

一个年轻顾客举着手机说："煤气爆炸！看微信！"

郑雨晴抚着咚咚乱跳的心，还没从惶恐中回过神来，手机和电话同时炸响！

手机来电显示：新闻部主任小粟！

座机是宣传部打来的。

新闻职业的敏感让郑雨晴毫不犹豫地接通手机。

粟主任用气喘吁吁的声音报告说，刚才那声巨响，是丹凤湖小区煤气爆炸。微博已有直播，爆炸的那层楼整个外墙都炸飞了。他和另一个记者，正在赶去的路上。

郑雨晴告诉小粟，把手上的人全部押上前线，今天准备出特刊。小粟为难地说，特刊怕是出不了，人手不够，手下六个兵，跳走两个，请假三个。

郑雨晴让他放心："我派人增援你！随时保持联系，最后截稿时间……"她抬手看了下表："十二点！"

随即她在报社中层干部微信群里发了一条紧急通知：今天出特刊，让印刷厂做好准备，发行部随时待命，各部主任见信即来会议室碰头领任务。

陈思云拦住她："郑社，刚才宣传部电话，通知各家媒体不要采访报道丹凤湖爆炸。等候上面统一发通稿。"

郑雨晴嘀咕一声："还等候通稿呢，他们也不睁眼看看，网上信息早都铺天盖地了……不管了，我们搞我们的。"陈思云看着她的背影，着急地跺脚："哎呀，这种搞法要死人的！"

会议室里，主任们冲着郑雨晴愁眉苦脸，大叹苦经，能跑的记者一早都派出去干活了，现在社里除了俺们自己，剩下的采编都是老弱病残孕。

"这几年人员流失太多了，以前五六名记者供一个版面，现在一名记者要包两个版面。哪还有富余人马？"

郑雨晴遥想当年，水灾前夜老傅召开的紧急动员会上，《都市报》那个兵强马壮，那个众志成城，可惜时过境迁盛景不再。

刘素英缓缓站起来："郑社你放心，咱们这些老人老马老刀枪，还都使得动。你派任务吧！"

采编大厅里忙而不乱。郑雨晴亲自坐阵指挥。

美术编辑向郑雨晴汇报："这是头版，只用一张大照片，最有视觉冲击力！"

郑雨晴特别交代："照片千万不要有血腥场面。你们赶紧制图，用动漫啊卡通啊图表啊，尽量使版面语言活泼一些，淡化案情和灾难性。"

刘素英抱着一摞报样："都赶出来了！这是对医院、煤气公司的访谈。还差公安……和当事人。十几个人，七八条枪，怎么样雨晴，你还满意不？"

郑雨晴问："大姐，小区物管和邻居有采访吗？"

刘素英嗔怪道："还用你说吗？能捋的我全捋过一遍了！小粟不是盖的，居然挖地三尺，把点煤气那个人的老婆和老岳母都人肉出来了！六个版的特刊，一水是特稿！微博快有个屁用，都是碎片，咱们这个有深度！"

郑雨晴一拍刘素英的肩膀："太好了。强将手下无弱兵啊！"

"这话说得有水平，表扬和自我表扬高度浓缩！"

郑雨晴顿时不好意思了，一吐舌头，赶紧补漏："我是夸你强将。我只配给你站岗。"

刘素英语重心长地说："稿子我是给你了，能不能登，就看你了。"

郑雨晴坚定地握住刘素英的手，一点头。

门外进来一个老记者，秃头上满是大汗，连咳带喘："郑社！咳咳，男一号，那个自杀的，刚刚在急诊室里，咳咳咳，总算让我扑到了！容我老头子喘口气，十分钟，稿子出来！咳咳！"

郑雨晴兴奋地一伸巴掌："给你预留了五百字的位置！"又对大伙说，"马上就要下印厂开机了！大家都饿了吧，再加把劲儿！一会儿去食堂吃饭，我请客！"

记者："食堂有啥好吃的啊！冰锅冷灶大锅菜！""就是，领导真心请客咱就去外边搞顿好的！"

郑雨晴笑着说："行！去外头吃吧，辛苦了，拿回来报销。"

记者编辑听了噢噢叫唤着。刘素英也开心："过瘾死了！憋了那么久终于干了票大的！"

回到办公室，郑雨晴斜靠在沙发上，翻看刚刚出笼的特刊，很有成就感。陈思云进来，满脸挂喜："刚才接到发行部电话，十万份，一上摊就一抢而空！"

郑雨晴一下从沙发上坐起来："全卖光啦？"

"全部卖光！早知道这样再印十万了！"

郑雨晴："再多就是废纸。江州市就这样大，我们心不要太贪。"

"不过，"陈思云小小的忧虑，"市里要是怪罪下来的话……"话音没落地，桌上电话铃声响起。陈思云刚一拿起来，还没张口说话，就被电话里的人冲了回来："让郑雨晴接电话！"

陈思云听了，伸了伸舌头，手捂住话筒："好凶，一个男的！"

郑雨晴接过座机的话筒。电话里传出一阵咆哮："谁让你出的特刊？为什么不听招呼？！你给我过来解释清楚！"

郑雨晴问："请问您是？"

"市委宣传部，周长林！"咔嚓一声，电话挂断。

"副部长！"郑雨晴和陈思云异口同声。

你说你防谁

郑雨晴手机闹铃响了：接宝贝萌萌放学！她赶紧求助吕方成，口气可怜巴巴。

吕方成语气颇有点不快，但听了郑雨晴说过原因，他心里一沉，批评郑雨晴不听招呼自作主张："你这下玩大了！"

郑雨晴说："报纸已经出来了我又收不回去。最差结果不就是回我的副刊部吗。"

"你还嘴硬！态度好一点！一批评你就道歉！记得要抹抹眼泪啊。萌萌交给我。"

陈思云也忧心忡忡，她建议郑雨晴带份检查，因为吴春城去见大领导时都带上检查。她带着郑雨晴去隔壁档案室，一排柜子的检查。

郑雨晴随手抽出一份文件夹，封面上的标签是：检查（编号032-147），再往下翻，惊呼："这是老傅的！"

陈思云笑了："这是老傅留下来的最宝贵的政治遗产！"

郑雨晴作势打陈思云："不要胡说八道，老傅还健康着呢！"

陈思云展示这些资料："老傅调走的时候，把这些都留下来了，吴春城他们受益无穷，基本上各种事件，各种问题，各种解决都在这里了。"

郑雨晴对陈思云回忆道："当年我还没你大呢，就在老傅指导下写了人生第一份检查。白驹过隙啊！一晃十来年过去了，我都当社长了。"她说着说着心中一动，给高飞去了个电话："看到当年你帮我写的检查，忍不住向前辈致敬一下。"

高飞一愣："好好的翻这些陈芝麻干什么？肯定是特刊吧？"

"又要写检查了，业务不熟练，重温一下。"

高飞叹息："时代都进步了，你们怎么还玩老一套呢？换个玩法。"又说，"你只要从容镇定，按我的本子走就行了。"

郑雨晴心一动："哦？"

黄昏时分，郑雨晴来到市委宣传部，周副部长大门洞开，里面却没有人。郑雨晴不敢贸然进去，小心地敲门。

周副部长的声音从桌下传出："谁？"从桌面上冉冉升起一个光溜溜的大脑袋，跟着出现了他矮胖的身体。快六点了，正是周长林每天吃养生餐的时间点，他刚才蹲在抽屉跟前，拿小勺子从一瓶一瓶各种粉末中小心舀出认真调制。

郑雨晴站在门口："是我，周部长，《都市报》郑雨晴。"

"你进来！"副部长厉声说。

郑雨晴进来，看副部长没让自己坐下的意思，只好毕恭毕敬站着。

周长林拿着勺子在杯中搅和着，在办公室来回转圈踱步，脸色通红："我血压给你气上来，血糖给你气下去！胆大包天！你到底是不懂啊，还是故意啊？全市那么多家媒体，就你能！就你出专刊！我话你当耳旁风是吧？我这个位子要不你来坐？！"

郑雨晴的脑袋和身体随着部长的脚步做转动，她装憨："部长，您为什么生那么大气啊？"

周部长停下脚步也停下手："你还好意思问为什么！这么大的事情，你想怎么报就怎么报？！你知不知道，影响都扩散到国外了！"他手拿勺子向窗外一比画，立即甩出几大滴糊糊。把缸子往桌上一跫，周部长五短身材扑向桌面，点开一家境外媒体的网站，网站新闻恰好采用了《都市报》的大照片。

他指着屏幕质问郑雨晴："赚眼球，出风头！这摊子，你来收拾？！"

郑雨晴翻眼看看周部长，从口袋里掏出手机，搜索"江州爆炸"四个字，一排消息发出来。

郑雨晴念手机上的信息："这是爆炸发生一分钟后的网上消息。这是五分钟后发自现场的图片，这个微博上的发言人，是对门邻居，案发这家昨天吵什么，平时家里吃什么都写了……这是江洲在线的论坛回帖，看！'又一户钉子户的毁灭''据说自杀的是检察院的一个领导''跟最近被双规的副市长有关'，所有人都在猜测到底发生了什么事情……"突然间郑雨晴表情夸张地大惊："哟！这里还提到了您！您和他太太还有……"她停止读消息，一脸暧昧加疑问的表情。

周部长急了，伸手跟郑雨晴要手机："我看看！我看看！啊呀！这造谣嘛！我到现在都不知出事的是谁！"

郑雨晴收起手机："网民传播的消息，他们哪想到对真实性负责任呢！我们特刊全部是来自前线的第一手资料。放心，这事真跟您没关系，受伤的男主人放高利贷把房子抵押出去了，现在收不回来求自杀。我们社的记者亲自采访过了，有人家的亲口录音。"

周部长嘘了一口气，端起缸子继续搅拌。

郑雨晴有些调侃甚至嘲弄地笑周长林，故作关心地说："部长，网络这个东西，也该治理治理了，谣言的大本营！有不少人被诬陷，还有不少危言耸听呢！你看，还有大V传播，推波助澜。"

周部长不知不觉给郑雨晴带着走："真不像话，捕风捉影，一点儿正能量看不见！"

郑雨晴："就是！那些捕风捉影，捉着捉着，就把好多官员给捉进去了……"

"哎！对！哎！不对！捉进去是因为他们有事儿！没事儿不怕抓！"周长林觉得自己的脑子有点儿乱。

"部长，咱能把网络给封了吗？"

"郑社长，你这思想不对，这我要批评你。你不能因为网络冲击了你们报社的生意，你就要借我们的手封网络。话语靠封，那是绝对封不住的，尤其是在当今这样的移动互联网时代。这得靠疏导，不能靠堵。时代变了，你的思维要跟上。"

郑雨晴竖起大拇指："领导到底是领导。和您一比，我们这些女同志，头发长，没见识了。但是……网络上良莠不齐，谎话连篇，还有好多人趁每次事件借刀杀人，这种风气不刹也不行吧！"

周部长："所以啊！这就靠你们这些传统媒体来引导方向，让群众及时了解发生了什么，用最正确的声音，最翔实的一手资料，用真相，打击谣言！"

郑雨晴："多亏您给我上课，在您的引导下，才有我们报纸这个特刊的产生。真理这块阵地，决不能让谣言占领！媒体是谁的喉舌？媒体是党的喉舌！媒体为谁说话？媒体为真相说话！哪里有真相，哪里就有《都市报》！您还有什么指示？"

"等一下，我看看你那报纸。"周部长边舔着勺子边翻报纸，"你这个报纸，做得不行哪！"

郑雨晴心里一紧。

周部长："领导的声音在哪里？还有市民怀疑煤气管道质量不过关，再好的煤气管道也经不起炸啊！关键时刻，要有定海神针啊！"

郑雨晴这回很服气："这我真是疏忽了！老百姓心慌啊！再传下去，说不定要说是市政建设的问题，管道铺设的问题，扯来扯去，又扯到腐败。领导们辛苦干这么多事，没落一件好！"

周部长放下报纸和勺子："嗯！我去跟市长联系一下，安排你们搞个独家采访！还有，公安局也要出声音。"

郑雨晴犹豫："不是让等待发通稿吗？"

"这次通稿就你们《都市报》负责来写！"

郑雨晴从包里掏出一沓手写稿："部长，这个是出特刊的情况说明……"

周部长问："你是按打击谣言这个方向写的吗？"

"不是……我检讨了一下没汇报就出特刊的错误……"

周部长恨铁不成钢地说："小郑啊！真不是我批评你！回去重写！马上发邮件给我！"

郑雨晴"哦"一声，低着头闷笑着迈碎步出门。"等等！"背后传来周长林的喝令。

郑雨晴心一揪。

"来不及了，就在我这儿写，写完我好转给市长。我看今晚应该开个情况说明会。"

部长掏出手机打电话给电视台，让他们的晚间新闻必须采用《都市报》的报道，还要配合着做一次市长访谈。

郑雨晴抽出一张餐巾纸，冲着部长做了个擦嘴角的动作——周长林喝糊糊把嘴角都喝得黑乎乎的。

郑雨晴写着情况说明，抽空给高飞发了一条微信：谢谢师傅。

徐文君的眼睛像是专门盯牢吕方成的。吕方成刚想出去接孩子，徐文君甩着两个奶子就进来了："吕副主任，你们家天天有事啊！"

吕方成解释说，也不是天天，偶然一次，老婆单位突然有点急事。

徐文君嘻嘻一笑："真是巧了，我们单位也有个急事。公务。五点有个会你要出席一下。"

吕方成一脸为难，已经放学了，估计萌萌正等在学校门口呢："徐主任，能不能麻烦您去开？"

徐文君爱莫能助："财富汇有活动，省市行长都出席，你懂的。"

吕方成："那我安排个人。"

"真这样，那也可以。不过呢，嗯，张副行长要调走，"徐文君晃着奶凑近了，吓得吕方成向后一闪，"方成，我这个班能不能顺利交到你手上，还得看你的表现！营业部里能人很多，关系户也不少噢！"

吕方成一下就不吭声了。徐文君又倾肺腑之言："开会嘛，就是在领导面前刷存在感，增强印象！"

徐文君把会议通知递给吕方成，转身离去。吕方成低头仔细一看："我去！"——徐文君那张嘴真能把死的说成活的！电视电话会，有吕方成露脸的机会？！

吕方成的妈离开好些天了。虽然女儿一家对她非常热情，但儿子儿媳妇居然没来接她，尤其是媳妇，连个照面都没有。这太让她没面子了。

方成虽然时常有电话，可话里话外总回避二霞工作的事情。老人家感到心寒："人吧，当官就变脸。做个平头百姓多朴实。以前雨晴除了性子耿直点，心眼是不错的，现在倒好，一当官，没心没肺了，自家事自家人，都不放心上……"

方圆忍不住说道自己娘："变人心的是你。从前嫂子有事一求，你自家闺女不管，拔腿就去帮她。我老觉得你偏心儿子，现在才知道你是心眼深，原来早早算好以后人家当官了要回报！"

老太怒了："谁想要回报了？！"

"不要回报，你逼人家给你外甥女找工作为难嫂子？"

老太给闺女噎得没话回。

方圆上班去了，老太还一个人坐家里生闷气，忽然听楼下的门铃响，对讲机一问，就听声音喊："大姨，开门，是我。"

吕老太忙不迭喊："二霞来啦！门开没？"

打开门一看，是一位面容和善的年轻姑娘，不是二霞。"大姨！我是三霞！你可能让我喝口水？"姑娘手里拎着两包面条挤进了门，"我来看看您。"

吕老太一下就蒙了，孩子们都说自己老年痴呆了，真不知道自己痴呆到娘家外甥女都认不出了！姑娘亲亲热热一把拉住老太的手："大姨，我叫金喜善，您就叫我小金！天天在小区门口办老年活动，怎么没见着您参加啊？"

方成妈有点不好意思地说，自己才搬来女儿家，对这里人都不大熟悉。

小金递来一份请柬："一回生二回熟。我们明天又活动，您和李老师一起来参加吧。来了就有礼物拿。全部是农家有机食品！到场就给，免费的！"

李老师是吕方圆的对门邻居，小金姑娘把手里面条塞给吕老太："这是李老师上次参加活动忘记拿的鸡蛋面！麻烦您转给她！"

方成妈晚上给对门送东西，李老师对小金姑娘赞不绝口："跟女儿一样亲！她家活动搞得也好，明天我们一起去！"

方成妈跟去一看，确实不错。一屋老年朋友跟开茶话会似的，有吃有喝，有讲有笑，台上还有吹拉弹唱的文艺表演。突然《洪湖水浪打浪》的过门响起来，方成妈激动地拉着李老师的袖子："哎，哎，好久没听这歌了，我会唱！"

李老师满脸红光，她点点头，没顾上跟方成妈说话，便打着节奏跟着唱上了。

一屋子老人全在放歌，方成妈先是跟着小声哼哼，然后索性放大了声音，咿咿呀呀："渔民的光景，一年更比一年强，啊——啊啊啊昂……"年轻的时候，方成妈也是厂里的文艺骨干呢！

唱完洪湖水，又唱红珊瑚，几首歌之后，金喜善走上台："叔叔阿姨，看到你们唱得这么好，我太高兴了，你们辛苦一辈子了，也该享受生活了，我们康健王就是代表您的孩子们孝顺陪伴你们的！让我们举起手中的蓝莓养生酒，共同祝愿我们长命百岁，幸福安康！"老同志们跟孩子一样拿着杯子碰碰砸砸，一片喧闹。

金喜善："关爱老人，幸福晚年，我们的活动口号是——"老年人振臂高呼："保健哪家强，中华康健王！"然后按着《娃哈哈》的调子拍手集体唱："我们的祖国是花园，花园里花朵真鲜艳，康健王产品护佑我，老年人脸上笑开颜！"

方成妈快活地一捣李老师："跟上回报社组织的温泉旅行一样！好开心的！"

李老师大声回答："不一样！这是国字头的！"

参加这场活动，方成妈和李老师各花小一万。除了免费的十个土鸡蛋，每人拎回家几大兜子康健王。

小金还隔三岔五上门回访，她问东问西，还帮着洗碗陪着择菜，聊天也不嫌弃方成妈妈的耳朵不利索。

小金："阿姨，上回那几盒康健王，您是按顿吃的吗？"

方成妈："啊，要炖着吃？"

小金搂着方成妈的肩膀笑出泪花："我的亲姨呀你太可爱了！我问你，是一天三顿这样吃吗？"

方成妈不好意思解释："耳朵不好使，老是打苍蝇。"

小金："啊呀，你们也这样说！"两个人一对，原来还是老乡，更亲近了。

郑雨晴在粟主任办公室里转着，指着萧条的鱼缸："一条都不剩了啊！我最喜欢那条大肚皮……"

粟主任："嗨！现在哪有这个闲情逸致啊！"

郑雨晴一笑："是没有信心了吧？"

粟主任一愣，不知如何作答。

郑雨晴盯着他的眼睛问："憋着要走的心了？"

粟主任想半天，还是不知如何作答。

"想去电视台？"

粟主任大惊："谁告诉您的？"

郑雨晴哈哈一笑，指指粟主任桌子上，报纸下遮的收视率分析和电视台节目营销策划书。

粟主任尴尬地收拾："晴姐，我也不瞒你，我寻思着，电视比纸媒要死得慢些……"说完觉得这话欠妥当，"对不起郑社，我说错话了！"

郑雨晴反倒无所谓："没关系啦，纸媒要死又不是什么秘密！外地几家报社，都挂死亡倒计时牌牌了……打算什么时候走？"

"再过两三个月。"

郑雨晴点点头，她沿着书架，把粟主任曾经做过的文案一个一个摸过去。

粟主任不知如何处理这样的尴尬。

郑雨晴伤感地说："小粟，我年长你几岁，虽然不在一个部门，但一起合作过好几次新闻策划。你的能力，我是知道的。我的人品，你也晓得。"

粟主任摆摆手，有些不忍："晴姐，谈工作，不谈感情。"

郑雨晴叹气："是啊！谈感情，伤钱啊！我们社，哪给得了电视台的报酬呢！"

粟主任："纸媒，现在都夕阳西下了。趁现在还有地方要，赶紧挪吧！说实话，我也只能去电视台了。我去新媒体，人家都不要，嫌我老了。那都是年轻人的天下。"

郑雨晴有些轻慢地哼了一下："他们的天下？连桌子灰都不知道擦的人，就能占领世界了？还不到时候。"

"到不到，不由你我说了算啊！"

郑雨晴突然抓住粟主任的手："小粟，我真不好意思挽留你。说实话，如果不是把我点将到这个位子上，说不定你今天干的事也是我正在干的。我是女人，又没什么能力，这一摊子撑下来，还得靠你们这些男人。我不过是个过渡，未来，终究是你们的。我想请求你，容我一段时间，把这儿收拾得不那么难看了，转交给你们。到时候，或走或留，你再定。"

粟主任有些犹豫："我和电视台，都说好了……"

郑雨晴："你自己辛苦点，两边的活儿都抓起来，我既不能挡住你奔好日子，又不希望你落空。电视台里……我这样说吧，人才济济，关系比我们这儿还要复杂，你到时候再想回来，就难了。你说呢？"

郑雨晴说完就走了，留下有些愣神的粟主任。

张国辉这条癫皮狗真给郑雨晴叼回肉来了！除了温泉的广告款，陆续又有不少款子回到集团的账上。钱总监拿着张国辉自己造的提成表，请示郑雨晴："郑社，你看这个。这么多钱……"

郑雨晴问："没算错吧？"然后痛快地签字。

钱总监拿了签字人却不走："他一个人一次拿走这么多，其他同志会不会有意见？要不打个折扣吧，至少质押一点。"

郑雨晴："军中无戏言。该给的必须给。你跟粟主任联系，让他报名单，参与特刊采编的人员，一律重奖！现在我们账上有钱了，这两天就把钱发给大家。不要拖。出个通知，明天下午开全体大会！"

陈思云有点纳闷儿："你这周的工作计划里没有这条啊！"

郑雨晴："临时增加的奖励大会。你给我一份全员名单，包括每个人的身份，职称，工作年限，还有这半年的工作绩效。"

说着话手机响了，里面吕方圆炸锅了："嫂子，出事了！我妈给人骗了20万！"

郑雨晴大惊，放下手头的事，就往吕方圆家奔。

一进吕方圆家，郑雨晴就晕倒了：客厅里，满坑满谷的蓝莓酒、钙片、深海鱼油。

方成妈见到儿媳妇，主动捐弃前嫌，从自己床铺下面，摸出几盒钙片，塞给郑雨晴："你拿去，补的！工作那么忙，别缺钙了！"

郑雨晴："妈！你哪来的钱？"

方成妈大大方方地答："不是你给我的？让我存着以后看病用？"老太太表示自己想通了，与其留这些钱以后看病，不如提前花掉投资健康。她学着小金的口吻："省千省万，省不出健康。做老人的要学会给孩子省事啊！你看我特地买了鱼油，预防老年痴呆！"

方圆气得都要敲妈妈头，嘴巴伸到老太耳边大喊："你哪需要预防啊！你现在就痴呆了！"郑雨晴一把拦住快疯狂的吕方圆。

吕方成也慌慌张张赶到了，面对一屋子的保健品，彻底崩溃。

郑雨晴看到吕方成，眼睛都要杀人了："方成，妈说她手上有二十万，这钱，哪来的？"

吕方成一脸懊恼："妈，你败就败吧，你别咬出我呀！"

吕方圆和郑雨晴都看着吕方成。

吕方成悔得肠子都青了："妈，你是真糊涂了！这钱……你能那么糟蹋吗？"

郑雨晴步步紧逼："方成，这钱，哪里来的，你老实交代！"

吕方圆一看局势险恶了，哥嫂要翻脸了，赶紧打圆场："哎呀，你们现在争什么来源啊！赶紧追钱才是正事啊！"

一句话点醒俩人，拼命翻老太的口袋，掏出一张金喜善的名片。

小金一叫就到，进门一个手势先按住几个孩子，和方成妈亲亲热热，嘘寒问暖，从包里拿出个牛角梳子给老人家梳头："这是昨天的礼物。您没来，我悄悄给你留了一把。没事就这样，常常梳一梳。每天左边一百遍右边一百遍，保证您头脑清醒，面部红润，返老还童！哎对了，康健王一天三顿，没忘吃吧？"搞得吕方成吕方圆两个亲生的，倒像是个外人。

郑雨晴一步上前拉过小金："我问你……"

金喜善拦住郑雨晴话头："我知道今天你们为啥叫我来。不理解老人买康健王的儿女不是一家两家。大姐，其实老人的心思很好理解，谁不想健康长寿啊！家有一老赛似珍宝，有个老人在家里坐镇，你们当儿女的出门打拼，心里都定定的！最幸福的人生是什么？是到了八十岁还能开口叫声妈！有妈的孩子像块宝啊。"吕方成的妈听了拼命点头！

吕方成把小金拉到墙角："你别跟我玩这套，大家都一个门子出来的，你肚子里那点话术，都是我设计的，赶紧地，退钱！"

姑娘一激动："大哥，原来是自家人！你也是康健王的？"

"别废话，我银行的。"

小金哈哈大笑说："哎哟喂大哥，你银行存款不到期，你退钱不？"

"我银行钱到期还本还付利息！你骗个一万两万可以了，老太太保命的钱，你还回来，我不告你，咱俩两清。"

小金跳开一步，故意放大声音给老太太听："大哥，好货不廉，廉货不好。您看看我大姨现在的精神状态！我们产品老好的啦！是吧大姨？"方成妈对儿女点头称是。

小金亲亲热热挎着吕老太："把钱花在病床上，不如把钱花在健康上，是吧大姨？咱保健要从现在做起！来……"俩人步调一致地"YES"了一下，全家人哭笑不得。

吕方成："姑娘，你看这样好不好？这些东西我妈一时半会儿也吃不完，我们也不全退……"

方成妈脸挂下："退什么退！这是我的钱，我想怎么花就怎么花！我说吃了有效就有效。我打算吃到一百岁呢！我的事情不要你们管。"她拉着金喜善去自己的房间："你们都去忙吧，平时影子都不见，有个冷热事，都是小金姑娘招呼我，我和小金姑娘聊会儿天！"

吕方成大喊一声："慢着！你！跟我去一趟公安局！"

小金愿意奉陪，但提出要方成妈一起去，免得老人家也跟着误会自己是骗子。

公安同志很耐心地听完吕方成的控诉，两手一摊表示无能为力："您这个啊，真不能算诈骗。我这，都接到好几起了，不是您一家。人家是正规保健品生产商，有注册有纳税，你不能因为东西贵就说人家触犯了法律，是吧同志？"

吕方成："那破玩意儿哪值二十万！"

公安同志同情地一摊手："这事真不归我们管。如果老人家是遭到胁迫，被迫交易买下的东西，那我们肯定出警。可是你看——"公安手一指，吕方成看到自己的妈拿着一盒康健王，正在认真地跟一个女警官做推销。

公安："建议你们去工商局，协商解决。"

小金跟吕方成一眯眼，摆个胜利手势。吕方成嘴快气歪了。

到了工商局，工作人员一查备案，康健王不是草台班子，是正经的公司。

吕方成大怒："什么正经公司二十元成本的东西卖两千块？"

小金听了不乐意了："大哥，账不能这么算吧？你用的苹果手机，成本价也就一千多，您还花六千买呢！每月手机费，你都看不见摸不着，你吃了还是穿身上了，你不也交吗？什么叫二十元成本卖两千块？"

吕方成发现，这个姑娘所在的班底，话术设计比自己厉害多了，自己一个状元，硬生生打不赢她。

晚上，吕方成垂头丧气回到家。他还要面对一个更加危险的局面。

果然，郑雨晴只当他是空气，自己和萌萌吃饭，连碗都没给他拿。吕方成到厨房一掀锅盖，锅也是空的。看来郑雨晴真是气坏了。吕方成叹口气，点上火，自己下面条。

萌萌悄悄问："妈妈，你为什么不给爸爸做饭呢？"

郑雨晴故意高声大气让吕方成听见："你爸爸啊，他不用吃饭，他口袋里的钱，可以天天上饭馆儿，吃龙虾！吃鲍鱼！"

萌萌一看气氛不对，立刻闭嘴。

饭后郑雨晴吩咐萌萌，"去做作业，把门关上！"萌萌关上卧室门，耳朵贴门后面听。没想到郑雨晴悄没声走近了一推门，把萌萌差点推个跟头。

"叫你做作业，你偷听？！跟你爸一样偷偷摸摸见不得人！"

吕方成不乐意了："你能不能不指桑骂槐？你有火气冲我来，你吓唬孩子干吗？孩子难得见你一面，你能不能给她点儿母爱？"

郑雨晴对萌萌说："去，做作业，妈妈跟爸爸说话，不许偷听。"郑雨晴重新把门关上，然后手拎着吕方成耳朵，给他提溜到书房。

一关上门就开始发狠，压低声音说："吕方成，你可以啊！你背着我藏私房钱，你有外心了是吧，想养小老婆了是吧，让你妈给你看着钱是吧？我跟你二十年，真没想到，枕边睡着白眼狼！"

吕方成瞪着眼睛也压低声音喝郑雨晴："雨晴，我们青梅竹马，请你不要侮辱你自己的情感！"

郑雨晴眼泪都要出来了，一把薅住吕方成的衣襟："我的情感？侮辱我的情感？！我从跟了你，每一分钱都花在这个家上，我连我爹妈都舍不得给，我真没想到，你能私藏 20 万在你妈那儿！你说，你藏这钱，防谁？！"

吕方成把郑雨晴抓着自己前襟的手掰开，放回郑雨晴身边，叹口气说："我防你啊！"

"你？！"郑雨晴抬手想打吕方成。

吕方成并不躲避，有些颓丧："你要打便打吧！你爹妈有伴，可我妈，她一个寡妇。她身边，没个人疼，再没点儿钱，心里更慌。雨晴，你的人品，我从没有一丝一毫怀疑过，可是，你想过没有，真碰上什么大事，一掏几十万，谁心里不疙瘩？我就是从工作起，每年奖金外快抠出一点，让我妈捏手里，安心。"

郑雨晴放下手，吕方成说得不无道理，但这道理却刺得自己心很疼。自己的枕边人，居然不相信自己。她一屁股坐板凳上，一句话不说，眼泪吧嗒吧嗒往下掉。

吕方成忍不住过去想抱抱她，可郑雨晴收紧身子，拒吕方成于千里之外。吕方成见她泪流不止，拿手指给她擦眼泪，也被郑雨晴拿手拨开。他无奈地说："雨晴，我错了。我错了还不行吗？"

郑雨晴自己擦擦眼泪，叹口气："我终究，是个局外人。"

吕方成一听，心顿时疼了，他慢慢地单腿跪地，缓缓放低身子在郑雨晴面前："你是我的内人，你长在我心里。是我自己脆弱，不敢考验人性。"

郑雨晴心里难受，又不舍得吕方成行这么大礼："你起来吧，搞得跟演戏似的。先说说这 20 万怎么办吧？"

吕方成站起来，垂头丧气，都已经问过了，肯定要不回来，就当打水漂吧。

郑雨晴也站起来，看看表，说："我签版去了，你照看好孩子。不能这么便宜了他们。"

吕方成一听她这么讲，有些紧张："你要干什么？别跟人玩儿横的啊！"

郑雨晴凄苦一笑："我倒是想拿刀架他们脖子上，我也得有这个本事啊！你放心吧！"

郑雨晴上了小唐的车就给粟主任打电话："你现在能来报社吗？我这儿有个选题……"

领导任性，焉知非福？

"二十万的保健品　专家细算成本只值两千！"

"质问保健品商家　良心何在？"

两天之后，《都市报》保健特刊重磅出摊，重复上演江州纸贵的戏码。自然又引起江州报业界的轰动。

采编会上气氛热烈。刘素英很兴奋地汇报网站的点击率："噌噌噌往上蹿，平时都不死不活的，现在各大门户网站转载的都是咱的文章！"

粟主任："痛并快乐着！从前没转帖，我们盼转帖，现在有了转帖，他妈的我们又心酸。那么多网站，没哪一家给我们开稿费！全当我们劳动不要钱！"

发行部主任汇报，自己悄悄打了点儿埋伏，这次特刊加印十万份："郑社，我们不要搞饥饿营销嘛。多印的十万份不也卖空了？现在报摊贩子都精得很，见我们的报纸抢手，就把特刊和主报拆开来卖，一份报他们卖出两份价钱。我们下次自己拆开卖，这钱咱们自己赚！"

众人七嘴八舌夸赞，只有张国辉一声不吭，紧张地搓揉着鼻头翻看特刊，心里似乎另有盘算。

角落里站起一个小姑娘。描眉画眼，假睫毛像两把小扇子一样向上乱翻，炸了毛的鹦鹉一样，红一绺绿一绺。浑身上下，哪哪都带闪带钻，BlingBling的，晃得郑雨晴眼花缭乱。她叫右右，是报社九零后，最年轻的记者。

右右问："大家是不是都觉得这特刊做得特好特牛B？都惩恶扬善大快人心了是吧？那我持一个保留态度行吧？"鹦鹉转身要走。

郑雨晴喊住她："哎！有不同意见可以提嘛！我们需要听听你们年

轻人的意见！"

右右："那我就谈点不同看法。不客气地讲，这个特刊看着是为老人说话，但完全没站在老人立场上想问题，纯粹是你们子女自己心里的自私。噢，老人买点保健品就是上当受骗了，那大家——"她随手在人群里指指点点："手上拎的LV，腰里系的大H，哪样不要大几万的？你们买个美容按摩套餐，去外地旅行一趟，这些怎么不说贵，怎么不说上当呢？"

很多人听了都不高兴了："那些保健品是骗子哎，能和我们这些相比吗！""就是的，小毛孩子不懂事。老人手头的钱，有出无进，哪能乱花？"

右右："什么叫乱花？老人家买个高兴就叫乱花？存起来当遗产留给你们才叫用到正地方？我认为，只要能带给人精神愉悦的，都不叫骗子。那些卖保健品的，一个二个可比亲儿女都嘴甜，知道哄老头老太太高兴！自己没时间去陪父母，还不兴父母花钱买个陪聊吗？老年人也有财务自由！我爹妈老了，半个子儿我都不要他们的，想怎么花他们就怎么花！要是有谁能替我尽孝的，甭管啥目的，我只要有钱，都倒贴着感谢他！"

人到中年的记者们纷纷反驳右右。

郑雨晴听得饶有兴味。粟主任边听边记录，不时点头。

右右鄙视："反正吧，我认为这期保健特刊自私虚伪。人不能说一套做一套，得言行一致。哼！"她抖抖特刊："这样的报纸也只有你们自己欣赏，我们年轻人是不看的。就酱紫，爱听不听。"说完扑通一声坐下。

郑雨晴伸头和粟主任耳语几句，然后总结陈词："右右的发言代表了一部分年轻人的真实想法。我们鼓励大家多角度深层次思考，思维有碰撞才能有火花，有助于全方位审视问题做好新闻。伏尔泰说过，我虽不同意你的观点，但我誓死捍卫你说话的权力。所以，我和粟主任刚才决定了，保健特刊下周增刊一期，这次组版从年轻人的视角和老年人自己的视角出发，做做反对意见。办报嘛，就是要广开言路！如果连我们报人都不能做到开门纳谏，那我们的报纸就办得太狭隘了！"

以右右为首的年轻记者听到这里，跳将起来，击掌欢呼！

没想到几天之后，卢市长要召见郑雨晴。

卢市长看到郑雨晴，故意表现得毕恭毕敬："介绍一下，这是我家大当家的。"

原来是市长夫人要见自己！夫人客气地寒暄让座："哎呀，郑社长，没想到你这么年轻！不过也只有你们这样的年轻人，才能把报纸办得这样有朝气，股股活力扑面而来啊！"

郑雨晴立刻笑逐颜开地恭维："哎呀，市长大人真是有眼光啊，没想到您长得这么好看！"

市长夫人笑得咯咯咯的。她不像小说里描写的那种官夫人一副专横跋扈的模样，反倒像大学里的教授一般温文尔雅。

夫人说："哎，我刚才还跟卢市长汇报说，《都市报》办得好啊！尤其这期增刊，讲保健品市场的，你真是拯救我们这些儿女于水火之中啊！"她摊开手中的保健特刊，上面画着红一道蓝一道，圈圈点点一大堆："你看看，我特地号召我们家老人集体学习你的报纸，老头老太们啊，可执拗了，任我们说破嘴皮子，不听啊，这下好了，看报纸，就受教育了。一下都老实了。我就吓唬他们：'党叫你们不要上当！你们都是老党员了！'他们都在家向党写检查呢！"

郑雨晴哈哈大笑："真的吗？我们报纸还有这作用？"

市长夫人摇头叹气又笑："老头老太买这些东西跟不要钱一样！大到电椅子，小到净水器，堆得家里角角落落全都是！我和老卢也是工薪阶层，咱到现在还没被抓起来，说明真没啥家底……"

卢市长敲桌子："哎！哎！跑偏了！"夫人看了一眼卢市长，笑着捂嘴："要说还是郑社长有办法，几篇文章就起到了大作用。比你这个市长说话管用！"

卢市长："《都市报》这个特刊做得好！观点正确，立场坚定！很多家庭都得谢谢郑社长！"

郑雨晴摇手："领导，您千万别说感谢！我们只是做了新闻人的分内工作。不过，现在社会，骗局都是为老人设计的，防不胜防，揭露一个又会再来一个。"

市长夫人："就是啊！去邮局取个钱，人家推销金融产品；去银行存个款，又碰到卖理财的，都不敢叫老人单独出门。"

郑雨晴大笑："在家也不安全啊！电话诈骗，上门卖保健品……"

卢市长："惭愧啊！我这一市之长也不能免受其害啊！看来看去，好像只有广场舞这块净地了！虽然有点扰民，可是老年人在里面还是安全的！你们报社应该呼吁呼吁，把全市老年人都发动起来，去跳广场舞！既找到精神寄托，又锻炼了身体！保健品也不用买了。"

郑雨晴频频点头。

卢市长突然想起个事来："哎，小郑，你马上试用期到了，就要选举了，你这刚上马，班子、人心也不太稳定，要不要我们提前去做点工作？"

郑雨晴想了想，站起来说："领导，我觉得不用。我相信自己有这个能力。"

卢市长有些担心："万一……"

郑雨晴肯定地答："没有万一。"然后朝夫人撒娇，"领导都用我了，还不相信我，不如大姐有眼光。"

出了市政府大楼的门，郑雨晴就打粟主任的电话。粟主任在电话里放连珠炮似的保证，保健特刊第二期，今天晚上肯定能正常发排。

郑雨晴赶紧叫停："这期特刊不能出了。一会儿我跟你面谈详情。"

粟主任听了郑雨晴的详情，脸上顿时不好看了："郑社，我记得您说过让我们只管挖线索写好稿。写不出怪我，用不上怪您。可是现在又……这对记者没法交代啊！这以后我还怎么开展工作？"

郑雨晴抱歉地表示，稿件虽然出不来，可是工作量照常计算，不会让大家白白干活的。

粟主任："您也是一线记者出身，知道记者最看重的是什么。是！我们是看重钱，养家糊口一点都不能少！但大家是文人，除了向五斗米折腰，我们还是有精神追求的！当记者的，自己的作品变成铅字，那种成就感是钱能代替的吗？！您自己恐怕也有感受吧？"

郑雨晴的脑海里，突然就闪回当年。医院贩毒的稿子被吴春城枪毙，自己也跟如今的粟海峰一样愤懑。她心里不由得惭愧，我郑雨晴难道真的比吴春城有格调？

郑雨晴向小粟道歉："大家的心情我都能理解。但这期特刊如果出来，不是把卢市长脸打得 PiaPia 的吗？太不把领导当个人物了。"

"那您，到底是给老百姓办报呢，还是给卢市长一个人办报？您决定，报社是您做主，我都听您的。"粟主任把笔往桌上一扔，椅子一转，自己去看电脑，再不理郑雨晴了。

郑雨晴这么被晾在一边，突然就笑了，走到粟主任身后按了一下他的肩膀："你可觉得，咱老报社的风气又回来了？公然顶嘴，不把社长当人物，领导讲话都是放屁……"

粟主任扑哧笑了，不太好意思，也不接郑雨晴的下茬。

郑雨晴感慨地说："《都市报》的基因啊……哎，小粟，还是你真不把我放眼里，觉得我扛不起这摊子事给我难堪？"

小粟吓得直摆手，赶紧站起来："哎呀郑社，你这样讲就不好玩了。说真的，我真心觉得，你上来以后走的路子，都是对的。民心所向。我们敢跟你顶嘴，也是因为，你是真把新闻当新闻在做。否则，我还在这里跟你争这个子丑寅卯作甚？"

郑雨晴脸一下沉静下来："你给我两天时间，容我把特刊的事情再考虑考虑。"

江部长突然造访《都市报》。郑雨晴他们正在商量选题，感到有点措手不及。江部长问："来看看你们。没影响你们的工作吧？"

"热烈欢迎领导莅临视察工作！"郑雨晴带领大家鼓掌，并且请部长做重要指示。

江部长这次没说啥官话套话，主要表扬了《都市报》这段时间的报道，领导看了相当满意，又夸郑雨晴领导有方。

郑雨晴有点不理解，就这些话，用得着江部长特意跑来一趟吗？

听到江部长在问爆炸案特刊的事，郑雨晴便放下疑问，详细跟领导汇报特刊出版的事，并且隆重推出粟海峰："新闻部主任，粟海峰。这两次攻坚战都是他带着手下冲锋在前，功劳是他的，不是我。"

江部长立即表扬小粟："小粟主任很年轻啊！有为青年！"

粟主任很意外也很兴奋，没想到郑雨晴竟然把所有的光芒引到他的头上。

吕方成忙了半天，终于有闲工夫给自己泡杯茶。他松开领带，喘了口气，刚端茶杯就有人推门进来，口气很慌乱："吕副主任，稽查办的人来了！抽查我们柜台服务，说不合规范！要扣咱们营业部的分！"

吕方成问："啊？！他们人呢？"

"都在会议室里等你汇报工作呢！"

"那徐主任呢？"

来人说："她不在，一早就去省行开会去了。"

好巧不巧，稽查办抽查的监控录像正好是爆炸案发生那天的。营业厅里一片惊慌失措，吕方成指着录像："再往下看再往下看！"秩序很快恢复正常。

吕方成松了口气："我跟领导们汇报一下，那天是特殊情况。就是那个煤气爆炸案！《都市报》那天还出了特刊……"

稽查办带队的是王主任，一个四十来岁的老女人，一脸更年期综合征的别扭样子，公事公办绝不通融。其实传闻她与徐文君早几年就结下梁子，互相明争暗斗拳打脚踢。她丝毫不给商量的余地："营业部规范管理提高内控的 16 项规定你们学习落实了没有？徐文君呢，让她解释一下。她怎么不过来，上哪去了？"

吕方成小心翼翼地汇报："徐主任去省行汇报工作了。"

老女人板着脸，睨眼看看吕方成："哦！你就是传说中的状元小吕吧？"

吕方成赶紧摆手："老吕，都老吕了。不提当年勇。"

死期到了的老太婆出现在录像上，她看到吕方成，一拍大腿，抓住不放。吕方成亲亲热热地拉着老太婆的手去柜台。稽查办的老女人突然按下暂停键："吕副主任，你对这个客户的服务不规范啊，既没有问您好，也没有说请问。我们行规定的规范化流程怎么在你们这个营业部，就执行不下去呢？！"

吕方成讨好地笑："领导，这位老人家是特殊情况……"

老女人板脸："我跑遍全市各个网点，就你们家特殊情况多！"她点点吕方成，又指着旁边的几个小年轻："工作时间连领带都松开了。这像什么样子？合乎礼仪规范吗？"

吕方成暗暗叫苦："尼玛这真叫死期到了……"

老女人用毋庸置疑的口吻宣布："你们营业部操作严重违规，扣分。"

吕方成吓坏了，扣分，那徐跳奶不把自己的皮扒了？她正在要提没提的关头，吕方成哪敢坏她的事啊！吕方成赶紧把责任往自己身上揽，期望领导处罚自己不要扣营业部的分。

老女人说："见微知著。从你们营业部领导的身上，我就能够看出整个营业部的素质水平有多么地低下！"

吕方成一听，完蛋了，这明显是针对徐文君的。恰在这个当口，徐文君的电话到了。徐文君已经洞察一切："稽查办的那个老女人在我们这儿吧？她找我们茬了吧？"

吕方成跑到外头接电话，窗口的风呼呼吹，可他的汗却直冒："领导，我发现你千里之外运筹帷幄啊！这发生个什么事都逃不过你的法眼。"

徐文君："别废话。我跟你讲，今天我就不回去了。我回去只能叫她更讨厌。我现在正是紧要关头，不能得罪人。营业部今年的先进，绝对不能丢。这也事关你的仕途。今晚，你把她摆平！"

吕方成急了："她是有备而来，哪能那么容易摆平？她把我们监控都扣下了。"

"要不惜一切代价！必要时，你随时准备牺牲！"

"但她是针对你……"

"只要哄她高兴，你随便糟蹋我，不要顾及我俩的情分。"

电话挂了。吕方成看看手机，彻底无语。我俩的情分？我跟你有毛情分啊？他赶紧给有情分的郑雨晴发短信，让她去接孩子。

郑雨晴当官没几天，吕方成身为家属已经有了经验，逢上这种情况，他只短信不电话，不给对方以推诿的机会，也避免了啰唆和吵架。文字的优势是，比语言更清楚明白，还能留档日后备查。

郑雨晴有点傻眼，接孩子？下午还有个全社大会呢！好在陈思云脑瓜灵光，她提示道，江部长今天临时调研，报社的会议肯定得延后吧？郑雨晴听了，冲陈思云一竖大拇指，收拾了包就往学校跑。

吕方成在营业部后面的食堂招待稽查办主任。

"王主任，自家食堂，家常口味，但这个师傅很厉害，您家乡那个酒厂的主厨，烧一手地道家乡菜，味道非常正宗！"

王主任看看小包间："现在都在抓廉政，我们这样的国企更要节约办行。"

吕方成赶紧接话："哎呀！王主任，我们真是非常支持国家的反腐，要是能一直坚持到我们退休，成为百年大计，真是造福我们员工啊！您知道，自从不吃宴请以后，我的啤酒肚都平了，营业部员工平均每个人掉10斤肉。这简直是国家发福利啊！"一应员工赶紧点头。

主任有些高兴了，感觉自己遇到了稽查的好时代，任重道远："你们这个食堂，装修得也不错。"

吕方成大笑："哪有什么装修！墙上的涂料是我们自己批发来的。下班以后，同事们当团队建设，干着活儿，聊着天，就把琐事都干了，感情还加深了。"

主任看着墙上贴满了营业部团队建设的照片，第一次露出满意的笑容。

吕方成发现这个方向是对的，赶紧汇报："您上座！坐的时候当心点啊！我怕椅子不稳。"

主任好奇："怎么会不稳？"

吕方成："网上淘的二手货！好多单位以前装修超标，现在把办公室隔小了，这些不错的台子椅子就要处理，我就给盘来了，这一张桌子，这么多把椅子，加一起才1500块。不过质量嘛，您就不要挑了。"

主任立刻兴奋了："网上还有这些？"

吕方成赶紧掏出手机介绍："就这个，就这个，找保姆的，找小时工的，租房的，拼车的，装修的，淘旧货的，啥都有，很方便。"

旁边小伙子补充："家里烦人的大小事全在这里解决。我们年轻人都用这个。"

吕方成白小伙子一眼："我们大姐也是小年轻。"

小伙子顺嘴就来："那就是小姐。"

大姐脸一下就拉下来了。

吕方成："你呀，你就是分不清高低贵贱。小姐那是我们徐主任，王主任，那是响当当顶天立地的大姐！"

王主任立刻就舒服了："嗯，徐主任倒真像是小姐。徐小姐。"

菜开始上。吕方成变戏法一样掏出一瓶白酒："大姐，咱走一瓶？"

大姐："这个不行。都说是工作餐了。"

厨子突然站出来，用家乡话说："这真是工作餐，这一桌标准，吕主任就按300块给的。但这酒，是我见老乡心里激动，我自掏腰包的。大姐，我都多久没见到亲人了！你要是不喝，就是不认家里人。您大主任，瞧不起我们这些乡里人。"说完哧里咔嚓就给开瓶了。

吕方成佯劝："大哥大哥，王主任，我们大姐，可是个正派人，现在廉政建设，她绝对不喝酒，你要体谅。心里她是有你的。"

王主任拨开吕方成，走过来握住大厨的手："哎呀，小老弟，你这就见外了。我这也多咱都没见亲人了，咱亲不在酒上，在心里。"

大厨二话不说，哗哗倒一杯，握手上："大姐，这杯我敬你，你必须得喝，你喝完，我才能把憋心里好几年的意见提出来。说起来，俺也是你们行的客户。喝完酒，俺才敢给领导提意见。"

吕方成作势去抢酒杯："哎！老李！你这就不厚道了，咱都是一个行的，哪能领导一来你就揭短呢？有话私下提，私下提。"

大姐一听，脑子噌就来精神了，立刻端起大杯，咕嘟咕嘟一口干："我干了，有话你只管说，我给你撑腰，你不要怕他们。"

老李也赶紧喝了，喝完以后四下一张望；"酒壮尿人胆，那我就说了？"

王主任："哥哥你大胆往前说！"

老李说："我觉得吧，这个营业部，管理得一塌糊涂，领导你要是不来，你根本不能了解老百姓老储户的真实想法。"

王主任："说具体！"

老李贼不兮兮地把酒又给大姐满上："您再喝一杯，我才能往下说。"

王主任又咕嘟咕嘟喝了。

老李端一杯给吕方成："吕主任也得喝。你不喝，我不能讲。"

吕方成赶紧推："我酒精过敏。"

王主任笑了："你不是酒精过敏，你是对提意见过敏。你是怕双规。"

吕方成："大姐，你这样说，倒显得我肚子里有鬼了，我喝酒驱鬼。"吕方成咕嘟咕嘟下了一大杯。

然后老李就提意见了，他提的意见是：为啥银行都讲普通话？

"我觉得吧，你们特别假。进门都普通话，'您好，您要办理什么业务？请您拿好银行卡和身份证……'太虚伪！可真的是为老百姓服务？"

王主任："那依你意思呢，该怎么说才算服务百姓？"

“用本地话，土话！这听着才亲切，过瘾，像俺们自己办的银行，不像是来诳我们钱的。”

王主任乐了：“这个创意好！来，那吕主任，你给大家试试！”

吕方成吓得都蹲地上不敢站起来。

王主任兴致起了：“站起来，站起来，不要装孬，喝杯酒壮壮胆！”

吕方成再喝一大杯，红着脸站起来，用标准的举止和话术，开始本地话表演：“可吃了？吃的甚个？吃包子还是喝稀饭？吃饱了存不？”

全场笑趴，大姐笑得直不起身。

酒喝到最后，大家站一排，包括王主任，全部一副喝高的样子，站一起表演用方言办理业务。

而清醒的老李从大姐包里把录像的 U 盘给掏走。

晚饭之后，郑雨晴一边刷碗一边招呼萌萌：“今晚你先洗澡后写作业，趁妈妈走以前给你搓搓背。”

所有家务事都忙完了，可还不见吕方成的人影。郑雨晴急着去报社签版样，便打他手机，没人接，却听到门外走廊上手机铃响。吕方成正拿着钥匙插门锁对不准锁眼儿。

郑雨晴开了门，吕方成呼啦啦如山一样压到郑雨晴身上。郑雨晴倒退着让吕方成进门，他步履踉跄红头紫脸，盯着郑雨晴认真看了半天，最后拿手拍拍她的脸，大着舌头道：“后背痒痒……麻烦夫人给吕行长挠一挠！”

郑雨晴避让他喷出的酒气：“真是喝大了！还吕行长呢！不能喝就别喝，看你起这一身的疹子！”

吕方成刚想回答，突然嗷一声，张嘴喷郑雨晴一身呕吐物。郑雨晴脸都来不及擦跟萌萌喊：“你赶紧进屋，拿妈妈手机给刘姨打电话，让她替我签版去！”

郑雨晴像拖麻袋一样，一点点把吕方成拖进厕所。吕方成抱着马桶打呼噜，一张嘴，又吐一口。郑雨晴喊：“不许站起来！就在那儿睡。”

熏天的酒气里，郑雨晴蹲厕所地上给吕方成擦洗换衣，自己一头湿漉漉，只穿件长袖衬衣。然后她又费了九牛二虎之力，把打理干净的吕方成拖进书房，刚把他扶到地铺上躺下，郑雨晴突然觉得胸口一阵发闷，紧接着心脏嘭嘭嘭一路狂跳！虚汗直冒，浑身无力，蹲在地上略略几分钟，郑雨晴支撑着摸到小药箱，翻到速效救心丸往嘴里扔了几粒。

趴床上缓了半天，郑雨晴才回过劲来。刚才这是怎么了？是早搏还是心动过速？她想起几年前采访过一个中医，他说人如果太过辛苦劳累，就会有血不养心的症状。也许，这就叫血不养心吧。

这一夜吕方成吐了三四次，郑雨晴忍着恶心给他收拾残局。等他真正睡踏实了，她反倒累得睡不成眠了。

早晨郑雨晴顶着两只黑眼圈去报社。上楼见到陈思云，陈思云呀了一声："郑社，你这眼圈黑得！要不要去医院看看？"

郑雨晴摆手："我有数，没事的。"

见她靠沙发上休息，陈思云懂事地问："建市七百周年宣传筹备会，我通知张国辉去？"

郑雨晴想了想说："行。我实在是盯不住了。哎，我们市啥时候建市有七百周年啦？"郑雨晴两腿往沙发上一搭，躺着看文案，忽然想到一件事："小陈，你替我问下其他印刷厂，看李保罗那书，出一本能便宜点不。吕方圆那里太贵了，我出不起。"

"您就出一本？"

郑雨晴挥挥手："我就让他高兴高兴。"

"那您干吗非找印刷厂呢？我给你找一地儿出了不就行了？"

"多少钱？"

"不贵，两三百，好的也就五百，肯定拿下。"

郑雨晴立刻拍板："这事，就你去办！"

吕方成在家休息。早上实在是起不来了，真是一岁年纪一岁人，以前一顿大酒，过一夜就跟没事人一样。现在头疼欲裂，浑身无力，只能请病假。

门外铃响，吕方成去开门，意外看见徐跳奶站门口，还提着大包小袋。徐文君也不换鞋，径直进卧室，从包里拿出一个小纸袋，又到客厅去找杯子。

吕方成不知她葫芦卖啥药，跟着她后面乱转："徐主任……"

"叫我徐小姐。"

吕方成心里咯噔一下，立刻表白："哎！徐主任！是你让我必要时候不惜牺牲自己糟蹋你保全营业部先进的啊！你可不能怪我酒后失言啊！"

徐文君一笑，端着杯子从厨房出来："张嘴！"

吕方成不明所以，乖乖张嘴，徐文君把一杯温水倒吕方成嘴里："我多年御用醒酒利器！一杯下去你下午就能回去干活了。赶紧地，再躺躺，下午回来写先进工作总结报告！我回去了，行里一堆事。"

吕方成不知说啥。

徐文君拉开门的一刹那，狐媚地转头一笑："哎，你那厨子哪儿请的？演得天衣无缝！我都听说了。小吕，你很有才啊！我都舍不得你了！我要是升迁了，必须把你带走！"

门一关，郁闷的吕方成穿着秋裤一屁股坐地上。正好这时手机响，上面显示稽查办王主任。

"王大姐，有指示？"

王主任声音有些犹疑："哎！小吕，你那个营业部的录像可有备份？"

"大姐，昨天你都拿去了，都给你了。"

王大姐有些不好意思："我塞包里的，回来摸不着了。我想截点你们营业部规范管理的图片，没一手资料了。"

吕方成立刻精神了："大姐，我下午回营业部再去寻寻，看他们有没有备份。要是有，我给您送去啊！辛苦你了大姐，我到现在还头疼呢，你都上班了！"

大姐呵呵笑："我们那儿的酒啊，欺生！不喝个十年八年的，都压不服。我这是童子功。"

"大姐无论是业务水平还是酒品，那都是我小吕学习的榜样！"

大姐也笑得温暖："小吕工作也是不错的！把内务管理得井井有条。"

傍晚时分，高飞来找郑雨晴："下班了？我带你去个地方，养养眼喘喘气！"

地处市郊的湿地公园，是江州的绿肺。南飞的候鸟，途经这里歇脚，此时正聚焦在远处的水面上休息觅食，它们要预备长距离的旅行。

已经进入初冬，江淮之间的梧桐和白杨掉光了叶子，倔强的光杆伸向天空，但冬青和樟树却依然一片苍绿，桂花甚至还在树杈里点点星星地开放。

郑雨晴和高飞在湿地疾走。

高飞笑："你到这里就活泛了！这是遛狗啊！我快跟不上你了。"

"我脑子飞转。"

"我知道，你步子也飞转。"

郑雨晴停下脚步，回头问高飞："你说说江部长的意思？他为什么突然到我这里来？招呼都不打，不符合常情。"

高飞笑了："符合。他是情报员。"

"侦察我？"

"不是，给卢市长带话。市长怕转正大会你得票难看，派人来给你站台了。"

郑雨晴有些气恼，又放开步伐飞快开走。

高飞紧紧跟上："人家领导关心你，器重你。你还不识好歹。"

郑雨晴气息略喘："我都跟他说不要干这事了。"

"哟，这么有信心？"

郑雨晴缓下速度："我是巴不得选不上，省得我脑袋天天疼，你倒是给我出个主意呢？"

"什么事啊？"

郑雨晴气恼："你这人！保健品那第二期增刊的事啊！"

"我这，真不好说。"

郑雨晴剜了高飞一眼。高飞立下不走，看着面前的郑雨晴："你吧，首先要搞清楚，你在为谁办报。"

郑雨晴想了想："哦！我懂了，你是让我考虑老百姓消费者的感受。"

高飞大笑："你看，你心里都选择过了。错，我是让你考虑领导的感受。你好不容易扭转了《都市报》的颓势，现在这样，老百姓也喜欢，领导也喜欢，是最好的状态，有了这个状态，你能要到更多的资源，让《都市报》上一个平台，彻底把市里其他新闻媒体，都甩在后面。你不要干青蛙上三尺退两尺的事。"

郑雨晴跟上去追问："你自己心里，对保健品这事，怎么想？"

高飞一笑："我是站在你们报社小年轻这一边的。我就生怕我爹妈不花钱。他们只要花，就说明还身心健康。比躺在医院里叫我伺候强。你真不叫他们花，他们心里别扭了，别给你生个病看看。不过我不能算大众，我就剩钱了。"

其实郑雨晴要问的，跟保健品没太大关系，她是在办报方向上纠结。郑雨晴放慢了脚步，缓缓作答："领导不好当，每一步，都怕走错。走错了又不能往回退。"

高飞笑了："你要是怕错，那就当不了领导。不过根据我的经验，其实每一次选择，都不是是非题。最好的方法，不是去理性分析，而是按你个人的喜好选择。"

郑雨晴被吓着了："个人喜好？太不负责了吧？"

"恰恰是负责。担着这么多人的生计，还要拧着自己的性格，日子太苦了，就过不下去了。好不容易当领导了，能祸害了，还不任性些？"

郑雨晴哈哈大笑，一抱拳："师傅！"

萌萌在学校门口等得着急，既见不到妈妈也见不到爸爸，只好带着哭腔给妈妈打电话："妈妈，今天谁来接我呀？"

郑雨晴大喊一声："吕方成！"丢下电话就往回跑。

宁得罪君子不得罪小人

高飞开车全速奔驰："是师范附小吧？我让手下先去学校接孩子！"

郑雨晴说："你们都接不到。吕方成为了安全起见，给萌萌设计了口令，来人必须对上暗号孩子才会跟着走。"

高飞点赞，觉得吕方成当爸爸很是用心。而自己与他相比，是非常失败的。

郑雨晴："你还失败？方成想这点子是逼出来的。你家高兴不需要这个，吴玲是全职妈妈。"高飞只苦笑，不作答。

班主任终于见到家长，这次终于忍不住吼："哎，你们家长忙事业也不能忙得忘记孩子了呀！还有啊，你们家是不是想想办法，不能老这么迟来接孩子，你们也要体谅体谅我，我也是孩子的妈，我不去接我的孩子，我孩子的班主任也要骂我的。生物链一环套一环的好伐！"

郑雨晴跟高飞两人躬身道歉，谦卑到尘埃里。高飞赶紧从车上拿出一个信封递给老师："老师啊！真是不好意思，您回家也别做饭了，这是饭店餐券，您点餐叫外卖！孩子饿不起了！"

老师一把推开："你别叫我天天心焦我就谢天谢地了！走了走了！"老师飞奔地追公交。高飞迅速把餐券塞老师提包里，老师都没注意到。

郑雨晴带着萌萌进门，家里一片狼藉。吕方成头天吐脏的衣服扔在洗衣机里。餐桌上是早餐吃剩的碗筷杯碟。吕方成却没了人影。

郑雨晴火大，走进厨房，去拉冰箱门，一包蔬菜从冷藏室里应声滚了下来，砸中她的头。她冲着冒尖的垃圾桶踢了一脚："妈蛋！"垃圾桶有几天没清理，打包盒一次性筷子支支棱棱的，还有吕方成头天吐脏的纸巾……横七竖八。

165

门口有敲门声，然后郑雨晴听萌萌和一个男人在说话。她非常不耐烦地吼："家里乱一团糟！要吃没吃要喝没喝！你不能给我省点心还添乱！"没人回答她，一转头，竟然看见高飞摸着女儿头，笑眯眯的。

郑雨晴脸一下红了。

高飞特理解地冲郑雨晴招招手："出去吃吧！走，我请客！"

萌萌一下蹦起来："我要吃大马可的比萨饼！"

郑雨晴拍一下萌萌："又敲诈你叔叔！"

高飞郑雨晴萌萌仨人在意大利餐馆里其乐融融像一家人一样，快吃完时，见到吕方成像外人一样站在餐馆门口。

一进家门，郑雨晴又把萌萌往卧室房间里一塞，让她堵上耳朵。夫妻两个都憋一肚子火，拉开架势便吵。

郑雨晴："你为什么又不接孩子？你不接你发个短信给我啊！你知不知道我去那儿被老师训得跟孙子似的？你心里有没有孩子啊？"

吕方成不乐意了："到底谁心里没孩子？！哎，你当个社长，怎么全家都成了你下属了？你一社之长就不能派个人专门给你接孩子？你就会指派我！我又不是老婆！我也有工作的好不好？"

郑雨晴大怒："我没当社长以前，给你当了那么多年老婆，孩子长这么大，为支持你工作，我哪天让你动过一个手指头？我才当多长时间社长！家里乱得哪像家的样子？！凭什么就得我牺牲？你怎么就不能为家牺牲了？就算轮班，现在也该你站七年岗了！再说了，我站七年岗，你不也就混个副主任吗！"

吕方成一下被戳心窝了："你厉害！你能！你一上台就是总裁加社长，你连姓都占便宜，你郑社长！我！副主任！哦！我副主任，就得天天去接孩子，腾出时间让你跟别人散步？我好歹在单位加班，你说说，你有时间跟高飞去公园散步，怎么没时间去接孩子？"

"你别没事找事！高飞跟我谈业务！"

吕方成冷笑："谈业务？你们能有什么业务？"

郑雨晴有些虚了："广告。"

吕方成更冷了："妈呀，得多少亿广告才值得两个一把手放下单位一切聚公园里捯饬啊！孩子也不要了！他都不回家陪老婆孩子吃饭，陪你们？"

"哎！你别没事找事啊！说你不去接孩子，怎么扯我身上了？"

"郑雨晴，我跟你说，我够了！家里事已经累积得桩桩件件了！我憋着不说不代表我没想法！我妈为什么会糟蹋二十万？家里但凡有事，一定是你训我，我给你道歉，我妈为二霞的事跟你不愉快住方圆家，你哪怕主动说一句去看看她哄哄她呢？是不是所有当官的，一坐上那个位子就没血没肉自私自利了？你想过去把老太太接回来，让她心里舒服点儿吗？你是不是打算我妈到老，就都搁方圆那儿了？你要是这么想的，你跟方圆说一声呢！"

郑雨晴一下气势就弱了："我忙，我忙得顾头不顾腚，都没来得及想这事。你想到了，你提醒我一下啊！"

吕方成开始占上风："什么都是我提醒你！我少提醒你一句，孩子就要在学校过夜了！回来你一点自责没有，就知道骂我！这么多年来，你有任何不愉快，我都是安慰你，体贴你，理解你，支持你，你有没有这样对我？"

郑雨晴翻眼看他："你厉害！每次吵架，你都能最后压我一头，技胜一筹！我怕你了，这地盘，我让给你。""咣"一声，她关门走人。

萌萌赶紧开卧室门，歪着脑袋盯着爸爸，神色有点担心："你不去追？"

"我追什么呀，你也不看几点了？她这是去报社签版。"

果然，郑雨晴在报社里。和刘素英相对坐着，两个人各执一盆烫脚。中年妇女对自己的爱惜，唯一的表现就是烫脚了。啥美容啊按摩啊瑜伽了，一概离她们十万八千里。

刘素英看着郑雨晴的脸："这段日子，你憔悴了不少。"

郑雨晴低头说："我生病了，生活不耐受综合征。"

看到刘素英一脸紧张，郑雨晴解释："就是过日子没耐心了！家里兵荒马乱的。见到吕方成我就心烦。"

"你不是没耐心，是没时间。也是累不动了吧。在报社里外上下一把抓，哪还有精力照顾家呢？"

"我觉得自己，不像个女人。从前那个养花养草做饭做菜的细心小媳妇儿，现在彻底成了女汉子。在外边风风火火舞刀弄枪，跟男人一起坐而论道指点江山，回家以后脾气特别急，火气特别大，我知道问题在我，但我就是压不住自己。连买东西都是一副男人相，直奔主题，不挑不选不讲价。说真的，对孩子老公和家庭，我心里挺愧疚的。"

"方成是不是对你有意见了？"

郑雨晴有些沮丧："来之前刚跟他干了一架。"

"人到中年，负重爬坡，都累！尤其像你们这样的，社会精英，单位栋梁！"

郑雨晴摇头："狗屁精英。我要是男人，宁愿娶个保姆。"

"好多老头走了老伴，不就娶保姆？感情啊生理啊，这都不是主要原因，主要原因是，日常生活需要有人过。"

郑雨晴反问："老太太为啥老头走了要单身？"

刘素英大笑："好容易解套了，谁那么不长记性？人家早生活不耐受了！"

郑雨晴嘀咕："我跟老太太也没啥两样，都几个月没跟方成……"

刘素英责怪她："你不对啊！男人图什么？老婆孩子热炕头！咱俩今天说好，重大事情你来，日常签版我和小栗轮流来。平时你在家里陪孩子暖床，随时待命。"

郑雨晴给她逗笑了："你可别指派小栗。人家正憋着要走的心，我们都没能给他一个头衔，收入又不高，还让他额外干活，别把他给挤跑了。"

"你发现没，紧要关头，女人比男人耐磨。领导还是狠的，知道把这副烂摊子交给你这个女人，交给男人，不晓得成啥样了。"

"领导会用人。这就是当领导的资本。我现在啊，养成一个臭毛病，晚上不来转一圈，这日子就过不去了。好几次夜里两三点醒来一身冷汗，不放心，偷偷摸摸来报社看一眼，回去才能又睡踏实。"

刘素英心疼地嗔怪："就是一个劳累命！你今天已经转过一圈了，赶紧回去吧！"

郑雨晴提前回家，打量家里还和她出门前一样乱，也发不动火了，叹口气便开始拾掇。

吕方成只当没看见郑雨晴干活，自己闷头在书房坐着敲电脑。

郑雨晴拖把伸到桌边："抬脚。"

吕方成说："别赎罪了，赶紧休息吧！"

郑雨晴有些恼怒，把拖把往地上一丢："我欠你的啊！天天干活赎罪！"

吕方成告饶的姿势："没空吵架了。真的，今年快过完了，我在想明年的任务怎么才能完成。15%的增量，快把人压死了。"

郑雨晴："我跟你说，我今天见高飞，是问他讨主意。出了个事，不会处理，我也征询征询你意见。"她把保健特刊的事情学给老公听。

吕方成放下手里的事："我劝你不要出这个特刊。太不识相了。枉费市长用心请人给你站台。"

"高飞说应该按自己的喜好来做事。我……"

吕方成打断郑雨晴："听他胡说八道！他把家业做得那么大，都是凭自己喜好干出来的？隔着门缝送厕纸，这事他喜欢干？我都不说他上市以前，躲酒店哭泣的事了。我对高飞比你了解！资本来到人间，每一个毛孔都滴着血和肮脏的东西。"

"可是高飞，至少现在，没你说的那样不堪。"

吕方成哼了一声："那是因为邪道他都走完了，好不容易才洗白！他那些乌七八糟，哪能当教材传授给你呢？"

郑雨晴无言。

吕方成又说："新闻工作我虽然没干过，但根据我对我工作的理解，就是走平衡木两头不得罪！你现在刚刚好，多做一点，就要摔跟头了！"

郑雨晴在思索。

吕方成突然一拍大腿："总算找到新的经济增长点了！"

"领导还是厉害的！市长给我启发了，广场舞！这就是我下一步开展工作的抓手！我要向行长建言，由我们行开展全市老年人广场舞大赛！哈哈！"吕方成明显情绪大振，扭动身体，开始哼唱"什么样的节奏是最呀最摇摆，什么样的歌声才是最开怀"。

"此计一出，领导必然龙心大悦！行里上上下下都在头疼明年的任务呢。我要把全江州市的老年人，都发展成我的客户！"吕方成开始摩拳擦掌。

郑雨晴一听急了："我还能不能和你好好说话？堡垒最容易从内部攻克，你是专门戳我的瘸脚啊？！卢市长刚刚肯定，老年人只有广场舞这块干净地方，你跟手就在广场舞里刨坑挖陷阱？！你等于是在算计我嘛！夫妻间还能不能好好聊天了？"

吕方成手不停嘴不停："反正到处都是陷阱了，也不多我这一个。再者说来，我这就算是陷阱，也是最温柔的，至少本钱还给老头老太呢！放我们这儿，比放康健王那里强吧？！"

郑雨晴想了想："真的办起来，先把你妈叫去参加比赛！给老人家找点事情，有点归属感。老人有了寄托就不会生事，也不再想那个什么小金姑娘。"

吕方成点头称是。但郑雨晴却把住吕方成的键盘："你们必须跟我们家报纸合办！"

吕方成点头："反正我们是需要新闻支持的。朕允了！"

郑雨晴又加一句："你们还要在我们报上做广告。"

吕方成坚决摇头："这个不行。我们自己有官微官博官网，那个推广速度比纸媒快得多。"

郑雨晴有点儿耍无赖："那我就在报纸上提醒各位老人家，慎重购买你们银行的理财产品，因为它们未必百分百安全！"

吕方成有些怒："你讹诈我？"

郑雨晴撒娇："哎呀你真是！你不要搞错了，你的老年客户群，最坚实的大本营就是我们报纸，你们不吃亏咯！"

"好吧！看在多年夫妻的情分上嘛，我们会考虑在贵报投放广告的。"

郑雨晴松了键盘，嫣然一笑："这还差不多。"

吕方成趁机拉住她的手："你怎么报答我呢？"

郑雨晴轻轻抽打他："不要把公事私事搅到一起好吧？这就是你们男人的弱点。但凡有点小权，就想搞搞权色交易。我们女人在这个方面是过硬的，很少会犯生活错误。"

吕方成一挥手放过她，继续在键盘上指走龙蛇。

郑雨晴刚走两步，又转身回来点他拍脑袋："我警告你啊！你今年奖金要一分不少交我手！敢再打埋伏，我要了你的命！"

吕方成赶紧作揖。

广场舞大赛的提议，获得行长的大赞："小吕，你很有创新意识，不愧是状元！"

吕方成谦虚一笑。

行长说："我们的很多活动总是局限在金融这个小圈圈里，你这个好，从关注老年人的文化生活入手，很有人文精神，彻底摆脱了铜臭气！而且切口很准确！最近也是烦人啊！互联网一来，蛋糕不像过去那样纵着切了，现在从底下平切，经常莫名其妙就发现又有谁动了我的蛋糕！"

吕方成赶紧附和："他们很不要脸的，说什么打败我们与我们无关。说句实话，我对网络支付这一块的安全，很是担心的，别哪天网一坍塌，一切都归零了。哪像我们长期搞金融的，安全防范意识这么强，左备份右备份的？"

"这个活动要争取做成我们行的品牌产品。估计搞起来，全国同行业都会学习推广的。从现在起，这个工作全权委托你了！"

"您放心吧行长！我回去就开始启动工作。"

"小吕，你去联系江州最强势的媒体，不要考虑成本，密集宣传，密集广告。我们银行的活动，不要小里小气的！"

吕方成笑着说："江州最强势的媒体，那必须是《都市报》啊！"

"听说《都市报》社长是你夫人？"

"行长，我是举贤不避亲。他们报社最近风头正劲，连卢市长都亲自召见了。"

行长有些兴趣了："哦！真没想到，你吕方成这么有本事，找的夫人很强嘛！"

吕方成低头打趣："哪里哪里，一切功劳都归功于领导。"

行长哈哈大笑："哎呀，这个功劳，真不能算我的。"

郑雨晴把粟主任叫到自己办公室，郑重其事对他说："那个事情，我考虑好了。你放手做吧！"

粟主任却拒绝了："郑社，这几天我也在想这件事情。你是社长，站得比我们高，看得比我们远。我那天也是狭窄了，现在我想通了，人不能光看着自己鼻尖底下这点利益。为了《都市报》今后的发展，我们不能置领导的意见于不顾。"

"我既然让你放手做，自有我的道理。"

粟主任有点动情："郑社，我知道，您的风险和压力都很大，您三个月的试用期就要到了，正是敏感时期。从报社大局出发，从全社职工的利益出发，我都不能听你的。我们报好不容易走上正轨，你要给换下去，我们这段时间的努力全白做了！"说罢，粟主任转身要走。

郑雨晴叫住他："哎哟喂，粟主任，事情哪有你说的那样严重？放心，我是福将。再说了，卢市长表扬我们，那就乘胜追击好上加好嘛！"

粟主任想了想："那，我考虑，把标题做得淡化一点，不像上期，太旗帜鲜明了，招摇。"

"就得招摇。标题不旗帜鲜明，怎么吸引读者？哪个掏钱买你的？我想啊，咱们干事既都出于公心，那在方法上就不要拧着自己的个性了，太辛苦，对自己不公平，事情也做不好。"

粟主任一下就笑了："社长，您这是赤脚不怕穿鞋的，没钱也任性啊。"

"我任啥性啊，我跟发行打过招呼了……"

粟主任愣了一下，然后恍然大悟，欢快地奔下楼发稿。

老年读者们看了这期特刊，心里非常的熨帖。《都市报》的热线电话给老头老太们打爆了，一接听全是溢美之词。有个老头挂着拐杖来到报社，坚持要找粟主任亲自面呈感激之心。老人情绪激动，假牙在嘴里咔咔作响："总算听到报纸站我们这边说话了！"

编前会上有人奇怪："咦，好像听到的反应全来自老同志，难道我们报纸真的一个年轻读者都没有？"

粟主任说："哪能呢！年轻人的反响，挂在网上呢，现在留言像刷屏，一会儿就翻页。有个家伙说话最逗，他说家里爹妈看报纸打起来了，再没心思管他找对象结婚的闲事。他说请你们继续搞，药不能停啊！"

发行主任汇报说，这次他把正报和特刊分开卖了，一份报卖了两份钱。另外，郑社特别交待的一些订户，在投递的时候，也做了技术性处理。

刘素英问："啥技术性处理？"

郑雨晴："发行人员摸查了订户的情况，凡有老人痴迷保健品真心不悔的，比如卢市长家，这特刊我们就不投了！"

大家又笑。

郑雨晴等大家安静了，开始说事："一直讲要开个全社大会，一直忙忙叨叨没开成。今天我们二会合一。下面先给劳苦功高的员工，兑现奖金。"

钱总监立即往郑雨晴手边送上十几扎新崭崭的票子。

郑雨晴："关上门咱们自己家人说话，就不搞虚的，直接捞干货！张国辉副总追债卓有成效，按追回账款的 3% 奖励提成，扣税以后总计13 万。"

张国辉牙都疼了："领导，要不要缴这么多税啊！我以后能拿发票来抵吗？"

郑雨晴敲敲桌子："张副总，注意素质。你代表我们集团。"

粟海峰的团队也获得奖励 3 万块。郑雨晴强调说，两期保健品特刊都表现不俗，后续奖金也会跟上。事实证明，所谓纸媒的寒冬，其实正在过去。

发行部主任接茬："从这段时间的动态征订表里，我闻到一丝丝春天的气息了！"

粟主任静态："只要我们抱团取暖，严冬必将过去！各位兄弟姐妹，我们要做出一张全江州最好看的报纸！拿出我们的专业素养和职业精神来！让我们做得更敬业！"

正当群情激奋之时，郑雨晴话一转："要想做出最好看的报纸，必须全面调动员工积极性。但我们在用人机制上还存在问题。"她冲陈思云点点头，郑雨晴的身后立即降下一幅屏幕，上面显示着员工名册。

郑雨晴问："谁知道，咱们报社里的员工分成多少种身份？"

刘素英犹豫地回答："两种吧，聘用人员和在编人员？"

郑雨晴微微一笑："原来连您这样的老同志也不清楚啊！不过我也是才知道，有四种等级：在编，集团聘用，报社聘用，部门聘用。每种身份都有各自的绩效计算方法。"

她拿鼠标点击屏幕，又跳出一张表："上个月我们的任务完成表，得分最多的是何亮亮，763 分，折成钱应该是 6104 块。但他只能拿到固定的 2000 块钱。因为何亮亮是临时工，连最低的部聘条件都够不上。报社的业务会也没有资格参加。"

郑雨晴很难受："农民工讨不到薪水来咱们这里求助，弱势群体受到不公正待遇上报纸来要公平，我们在报上扮演正义的天使，可在自己的家里让我们的同志受到了委屈。如果我是何亮亮，我会感到绝望。"

台下开始交头接耳，心有戚戚。郑雨晴昨天收到了何亮亮的短信，他要离开报社了，干完今年就走人。他说，每月两千块虽然少，但足够支撑一个人的日常生活。他撑不下去的原因是，在《都市报》找不到归属感和安全感，更没有荣誉感和自豪感。

何亮亮说的是心里话。他在《都市报》干了三年，对这份报纸投入情感、智慧和才干，可是报纸的成绩和荣耀与他没有任何的关系！因为他是临时工，是局外人。何亮亮给郑雨晴写短信时，内心也是相当矛盾的，舍不得走却不得不走。既然在这里看不到自己的未来，又何必把自己的前途吊在这棵树上呢？

郑雨晴动容："我要把何亮亮留下。我不能让这样的新闻人才从《都市报》流失出去！从本月起，取消报社内部的身份差异，全体员工同岗同酬。现在提倡和谐社会，我们至少要在报社内部，对每位员工做到公平公正。"

右右又站起来了："郑社长！我打断一下你的煽情。你不要用这种朗诵腔发言嘛，鸡皮疙瘩掉一地咧！"

粟主任喝问："右右！你想说什么？！"

右右满不在乎地说："我跟何亮亮没仇没怨，我们是哥们。他能留下来，我开心死了！我只想告诉郑社长，不要以为留下一个何亮亮，搞什么同岗同酬就是公平公正了。我们天天在这里目睹的三十年之怪现状很多的！举一个例子，你郑社长天天车接车送，可新闻采访只有一部公车，为了抢新闻我们不得不打的去现场。这个公平吗？"她翻自己牛仔裤的几个口袋："随便一找就是几百块的票！我工作积极性快花没了！"

右右把车票放到郑雨晴的面前："不过有公平的时候。体现在报社食堂，猪饲料面前人人平等！我就说这么多，郑社长，您继续抒情。"

郑雨晴的感情和会议节奏都给右右横插一杠破坏光了。

张国辉点着票子心情起伏。十几万的提成像是高质量的鸡血，让他亢奋激动。但翻翻欠账单，能追的债基本都追了，剩下那些追不回来的，大部分就是死账。眼看着自己的奖金池越缩越小，没有源头活水今后哪来的财富？必须要开源！

他又去了温泉中心。与上次的门庭冷落相比，温泉中心现在鸟枪换炮，热闹非常。大小池子里都是人欢马叫，热腾腾地远看很像一锅关东煮。

生意一起来，老胡也一扫颓势，张国辉跟老胡屁股后头溜达，半晌没找到机会凑上说话。逮着一个空当，他热情地招呼："老胡，老胡！胡总！"

老胡带搭不理："噢，你啊！什么事？"

"怎么回事啊，你那蜜桃小姐说广告不做了？"

老胡纠正："蜜斯陶！老张，你要与世俱进！讲英语！"然后两手一拢掌："你看我哪还要做广告呢，这么多的客人已经接待不过来了！"

"胡总啊，你眼光要长远，不要以为现在生意好，以后就一直好。在报上时不时发点广告登点软文，曝光率还是很有用的！长流水不断线，市场才不会抛弃你。哎，我给你争取到相当优惠的政策，从今往后，不要你付现款，你挂账！到明年这个时候，你再付！你付早了我还不干呢！"

老胡摇头："就是做广告，也不投纸媒了。没大意思。"

"扯吧！你有今天，是我做活动给你扩大影响带来的客源！"

老胡有点不满意："老张，话不能这样讲。当初你压我个地板价不讲，还占着我的会场卖药，又让我给那些老头老太管吃管喝。那个活动，我就混个热闹，实际一点好处没捞到！倒是听说报纸给你奖励不少啊！"

张国辉谦虚地说："跟你赚得满仓满谷比，我那个真连毛毛雨都算不上。老弟，你手摸良心说话，这些人不都是我上次给你带来的回头客嘛！"

老胡打开微信："你带来的？我现在搞微信公共号了，推广方便得很！还有各种各样的团购！"

张国辉有点发尿："就当帮我一把可好？我明年的任务总得完成啊！要不，你也压我个地板价，可好？"

老胡爱莫能助地摇头："互联网时代了，报纸都死半截子了！"

张国辉鼻头通红拿手去搓："那，卫生局抽查温泉质量，我不是吓唬你，那可是真的要下来查！你到时候哭都来不及……"

老胡把手机往屁兜一揣："好巧！"下巴往前一抬，水池里一片沸腾，"看见吧，那一池子卫生局的老同志。"

说完老胡扔下张国辉，跑去招呼老干部。

张国辉冲着老胡的背影啐出一口飞痰："喊，你得意什么！"

稽查办王主任紧盯着吕方成不放，一天几个夺命追魂 call："小吕啊，你送的备份不是那天我要的呀！"

吕方成装傻："大姐，那天的管理不够规范，我选取了一些便于您写优秀事迹的岗位画面。"

大姐在电话里爽朗地笑："小吕，你傻呀！规范的哪家都一样，我评你们优秀的硬杠杠在哪里？就是要从不规范中发现人文关怀，我才好下手嘛！"

吕方成眼窝热了，鼻子发矗："大姐，靠您了！这就给您送去！"

徐文君怒气冲冲闯进营业部，以踏平一切的步伐。一看她几近气歪的脸，员工们吓得连说话声音都不敢大声，没人敢跟她打招呼。

她步入办公室，手上摸到什么就往吕方成身上砸什么："你抱上那老女人的粗腿了！伙同她一起设计陷害我！！"她唾沫星子劈头盖脸飞过来，吕方成躲都来不及。

吕方成躲闪，一脸莫名其妙："徐主任，我是站在您一边的！出什么事了？"

徐跳奶端着因为暴怒而颤抖的跳奶，一步步逼近吕方成："背叛我没有好下场！打发你去西伯利亚！像对老姚那样！绝不容情！哼，想搞我！"

吕方成在墙角缩着，压迫感越来越大。他觉得光线和空气随着空间的缩小而一点点消失。而徐文君的香水味，熏得他要窒息。吕方成拿胳臂挡着："徐主任，此话怎讲？你就算置我于死地,也得让我死个明白吧？"

徐文君手握拳头，收缩瞳孔，咬牙切齿："哼，你到现在还跟我演戏！你中戏毕业的吧？看不出啊吕方成，平日里看你斯斯文文乖乖巧巧，逮着机会就咬我！我要不是上头有人，我都不知道自己是怎么死的！你不是口口声声跟我说你把录像给偷回来了吗？为什么又出现在我们评优的报告里？还评价我管理不善，脱离岗位，哦，就你英雄主义是吧？就你临危不惧是吧？就你是拯救地球的英雄是吧？你这么勇猛，为什么煤气爆炸你不英勇献身呢？你不要以为你背着我干的事我不知道，告诉你，老娘上头有人！你们谋权篡位干的事，一举一动都在我眼皮子下面！那个王璐环，有什么了不起？就算她爹是以前的市长，那也是过气的老头了，就凭你俩联手，想跟我斗？！我让你俩死得难看！老娘一点点，捏死你们！"说完徐文君猛一转身，若不是吕方成及时躲闪，那甩动的奶子简直要抽他两个耳光！

徐跳奶怒气冲冲奔去食堂，嘴里不干不净骂骂咧咧。吕方成吓坏了，以为徐跳奶要去厨房拿刀行凶，便紧紧跟随其后劝："徐主任，徐主任，你冷静冷静！无论发生什么事，咱都要文斗不要武斗，拿刀砍人的事咱不能干！非理性！"

徐文君蹿进食堂操作间，劈手摘下挂墙上的竹篓，从里面掏出个微型监控摄像头。

吕方成大惊失色！

徐文君掏记忆卡，得意冷笑："银行稽查办公然违反八项规定行酒猜拳丑态百出，这个标题是不是太长了？"

她得意扬扬走到隔壁的包厢，把挂墙上的照片摘掉，露出一个黑洞。

吕方成赶紧劝："徐主任，您消消气！这个不行，不合适。"

"你放心，我不为难你。这种猛料放你老婆报纸上，行长会杀了我。"

"徐主任，您现在在气头上，一定要保持清醒冷静。"

徐文君一笑："我很冷静。我这就去交给省行的纪委，不晓得王璐环的爹还能不能保她呀！哈哈哈哈！"

"徐主任，您千万不能这么做。您这打击面太大了，咱们营业部里好些人都在上边呢！杀敌八百，不能自损三千！"

徐文君横他一眼："你说得对哦！"

"徐主任，您先坐下，事缓则圆。我们可以设法联系一下王主任，与其壮士断腕，不如和平谈判，您说呢？"

"谈判？我跟她谈什么？不过呢，你说的是对的。杀敌八百，不能折损我的大将。这样，这个记忆卡交给你，你去行里检举揭发她，你用行动跟她划清界限，你就说，是她诓你喝酒的！"徐文君忽然鼓掌，"对了对了！你还有酒精过敏的毛病呢！第二天都去看病了，要不是她逼你，你怎能自残呢？"

吕方成快哭了："你们，领导之间的恩怨，何苦要搭上我呢？徐主任，你就放过我吧！你把这事交给我，你要是相信我，就让我处理，我保证，我保证大家以后还能做朋友。"

徐文君凛然："你这胸怀就不大气了。我跟她是个人恩怨吗？我需要跟她做朋友吗？我是为了营业部的荣誉，向她宣战！我是为了认真贯彻执行中共中央八项规定，向腐败现象开火！老吕，我可警告你，在是与非善与恶的悬崖上，你可不要站错边。一步天堂，一步地狱，一步之遥啊！"徐文君狎昵地一挤眼，哈哈哈哈笑得花枝乱颤。

她把照片往墙上挂，还细心地一一扶正："哼，那个老女人以为自己很聪明，哼，想害我的人很多，能搞倒我的人，还没生出来！"

吕方成颓然坐在椅子上，他要崩溃了。

老胡顶着龟孙脸来报社找张国辉。张国辉扬扬得意坐着，对老胡视而不见。

老胡敬烟又作揖："哥哥，这次你一定要帮我！不知道哪个狗日的举报电话打一串，说我的温泉用的是回收废水！妈了个×！"

张国辉冷冷地："是不是回收水一查就清楚咯，我这，也收到举报了呢！"张国辉从抽屉里掏出几封信丢桌子上。

老胡拖过一张椅子，自己坐下："文明委、创建办、市容、城管、卫生局、质监局，统统到我这里查个遍。"他从包里翻出各类合格证抖给张国辉看："都说我的温泉没有问题。你哪能不等结果出来，就出稿件说我的水是回收水呢？"

张国辉拿出报纸，敲敲关键词："疑似，啊！用的是疑似字样！莫胡说八道。"

"那，我现在把检验报告放你面前了，你能更正一下吗？"

张国辉幸灾乐祸："我更正什么？我们的新闻又没讲错。有人举报你，这是事实吧。"

"哥，我说错了。是请你再发条新闻，说我这个温泉水质量完全过关！"

"质量过关是你应该做到的。超市里商品全都质量过关，我能一个一个在报上发消息表扬它们吗？我们是新闻纸！不是广告纸！"

老胡诌媚地笑："我没文化，又说错了！哥，就是请你再拉我一把！"

张国辉掸掸衣袖上的烟灰："我拉不动啊。报纸都死半截了！"

老胡恨不得磕头："死而不僵死而不僵！好多人还是认报纸！网上

的东西还是不能服人心。哥哥，你帮我搞个新闻发布会，多找几个记者，只要把我的生意炒起来，费用我不计较！"见张国辉还不为所动，老胡加上一句："放心，明年广告合同照签！"

张国辉小人嘴脸立显："唉！你早做不完事了吗？何必拐那么大弯呢？这人生啊，真是，不经历风雨，怎见得彩虹啊！"

宣传部副部长周长林来电话："让郑雨晴过来一趟。"停一停特别交代，"有好事。"

郑雨晴一听有好事，立即欢快地奔到宣传部："部长，您不是诳我吧。我每次到这里来，都是听训的。"

真是好事。建市七百周年宣传活动，由《都市报》来操办。市里拨出专项费用 500 万。

郑雨晴欣喜不已。

周长林说："现在各家报社日子都不好过，所以，这么大的补贴，放在谁家，我们领导也为难啊！手心手背都是肉，最后还是市长拍板，就你郑雨晴啦！"

郑雨晴掩饰不住地笑："哎呀！市领导眼里哪有我这小小的郑雨晴啊！一定是周部长您，帮我们《都市报》在领导面前美言了！谢谢您的关怀！这真是对我们工作最好的支持了！我回去以后就把工作发动起来，一定不辜负领导的……"

周部长呵呵笑："去吧去吧！我看你走路都飘了！"

郑雨晴一笑，从手提袋里掏出一个线装的本子，递给周部长："久闻周部长对养生中医有研究。我们报社正跟省博一起合办中医中药展览，这据说是失传的青囊书的另一半，华佗的。"

周部长跳起来："呀呀呀呀……"

郑雨晴解释："影印件。不是真品啊！"

周部长已经在衣服边搓手了，不知当拿不当拿。

周部长说："影印件也很珍贵的！小郑你放心，我看完就奉还！借书，不能算腐败吧！"

郑雨晴笑了："哎呀周部长，您这话说的，您可不要把我拉到犯罪的悬崖边上啊！我们都是正经人。有借有还的！"

周部长还是没伸手接，直接问郑雨晴："你洗手没啊？"

郑雨晴大笑："您真是爱书之人。我放心了。"说完她就飘着走了。

周部长眉开眼笑，对秘书指着郑雨晴背影说："你发现没有，这个小郑，的确很会做人，说话办事都妥妥帖帖的。领导看人就是准。"

告别周部长，郑雨晴急急往报社赶。建市七百周年的宣传经费居然有500万！落在了《都市报》的袋袋里！这个手笔太大了！郑雨晴都听见自己心里的小算盘打得啪啪响，连撒泡尿的时间都舍不得耽误。人还在路上，就给粟海峰和刘素英去电话："速速来我办公室碰头，大策划！"

郑雨晴进了报社，十万火急地一头钻进一楼女厕所，不巧，几个蹲位，不是没纸，就是没门。一楼的厕所竟然如此地破败！窗口边的厕位倒是东西齐全，可她刚拉开一个门缝，头立即就大了，瞬间给顶了出去，倒退好几步。那个景象，用一片狼藉来形容，都嫌太温柔。

见右右哼着歌在洗手，郑雨晴便问："窗口边上那马桶是你用的吧？"

右右一抬眉毛，一脸不在乎："怎么啦，我用的。"

郑雨晴压住了火："你得怎么撒，才能把这尿撒得到处都是？"

右右来劲了，主动示范。噌一下蹲到坐便器上，假装尿尿一样蹲下来："就这样！郑社长，你不行！你年纪大了，腿脚没我这么灵便！"

"坐便器，你不坐着，却踩得满是脚印！你让别人怎么办？"

右右叫嚷："公用的坐便器哎，谁知道干净不干净？碰上哪个有病的，传染我怎么办？"没等郑雨晴接话，右右跟上又是一句："郑社，你以为大楼卫生间，都跟你社长的独卫似的，有香水有一次性垫圈纸？！我们这里连拉屎都分三六九等。"

郑雨晴给噎得不行："就算是没有垫圈纸，也应该保持干净。你去把自己那圈尿擦干净。"

"我去擦？不有物业吗，要保洁干吗的？"

"你既然能进社里，估计至少本科文凭。书都读到这份儿上了，个人卫生搞不好？你懂得尊重别人吗？你，自己去，擦干净。"

右右反对："我不擦！我不抢保洁的饭碗！"一眼瞥见有几个看热闹的同事向这边探头探脑，她更大声说："郑社长，你这是公报私仇吧！我不过给你提了两次意见，就这样打击报复我？当领导的，心眼不要太小了！"

刘素英从这里经过，赶紧过来打圆场："郑社，郑社！她还年轻！您批评她，您教育她，下不为例，这次我替她擦！"

郑雨晴也杠上了："不行。让她自己擦。"

右右轻蔑地看郑雨晴一眼，很不屑地哼了一声，转身出去了。

郑雨晴大喝一声："你给我站住！"

右右跟没听见一样，哼着歌叉着腿甩着手，畅快地走了。

郑雨晴气得追着喊："明天你给我到保洁岗待命去！"

刘素英连拖带拽，拉郑雨晴进电梯里："哎哟雨晴，你今天火气怎么这样大。这话说得突突突突，像打机关枪一样。你是不是要来例假了？别把自己的经前症候群带到工作中去！"

郑雨晴叉着腰，喘着粗气："居然以我的矛攻我的盾！拿我的话来塞我！两次了！这次我非治她不可！现在的年轻人，只要待遇不讲奉献，只求公平不问付出！"

"你千万别治她！你知道她谁吗？"

"她谁？"

"市委宣传部江部长家的女公子！江天佑啊！就是那个小才女右右！十几岁就得文学奖的那个！"

郑雨晴有点泄气，身体往墙上一靠："我这一路好心情给熊孩子一泡尿全浇没了！"

刘素英一把将她拉起来，掸掸她后背上的灰："别靠！电梯都多少天没人打扫了！"

都是演技派

粟主任早在郑雨晴办公室里等候，看到郑雨晴和刘素英进来，赶紧从沙发上站起来。郑雨晴挥手让他坐下，直接进入主题："建市七百年的宣传任务落在咱家身上。专项经费有500万。"

刘素英和粟主任听了顿时眼睛都亮了！

"这么大的好事，你还在楼下跟那个熊孩子置什么气呀！"刘素英喜不自胜。她又对粟主任说："那个右右，你得管管。无法无天，没大没小！刚才郑社批评她两句，她还顶嘴！一点规矩都没有。"

"我早想修理她了！整个一小刺猬！你不能给她布置活儿，啥都没干先把你噎半死。"

郑雨晴打断他们："咱说正题。500万，你们看这钱怎么花。"

粟主任："常规做法就是做宣传册，之前搞纪念活动都那样，又省力气又保险。关键是不出错，领导看着还好看！"

陈思云说："我倒对老一套无感，人家小米手机，做品牌的时候，宣传没花一分钱，炮也放了，客也请了，名也扬了。宣传册，那是上世纪的人才干的事。"

粟主任想了想说："要不，咱们换个花样？征集一首江州词？请人谱曲演唱，再请个明星代言什么的。"

郑雨晴摇头："那还不如给我算了，我代言。反正好多人都说我长得像海清，胸前塞点棉花捯饬捯饬应该行。钱拿回来社里分。"

张国辉拿着一摞单据进屋："别呀，社里分啥，咱几个分分多好！我给领导化妆！我那技术！老摄影！来来，领导，把字签了。"

郑雨晴的手机叫个不停。她看了一眼，是吕方成，没理。刘素英劝她接一下，郑雨晴说："这时候电话都是通知我去接孩子。一会儿短信就进来了！"

张国辉特殷勤，把笔摘了帽塞进郑雨晴手里，指着要签字的位置："这儿！这儿！"

郑雨晴接着被打断的话茬："我这次吧，想不花钱，还把事办了，这笔钱妥妥地进我们报社的账。你们给我想个法子。"

张国辉催促郑雨晴："老板，办法我有的是，我天天就干这个的，不花钱，还办事。但你先把我报销单签了。这都周五下午了，财务一会儿下班了。"

郑雨晴看一眼单据："这都什么单子啊？"

"都是应付账款。这是给速8的，这是给王仁义的，你可记得上次许诺人家的？"

郑雨晴下笔刚把字签了，张国辉急急地要把单子收走。郑雨晴一把抓住张国辉的胳膊："等等等等！你等一下！你这账不对！"

"怎么不对呢？"

"你这一笔，和王仁义的有什么关系？为什么两个一起报？"

张国辉看一眼："哟！忙中出错，忙中出错！我贴错单子了，这个我扯了。"

"你放着。我慢慢看。"

张国辉有些急了："哎！领导！这都月底了！都答应给人打款的，怎么不守信用呢？"

郑雨晴慢慢把笔一拍："你先放着，我弄清楚了再付钱。那么急干什么？你要账要是这么有效率，我现在就不发愁了。账上拖欠的那几个亿你要回多少？"

"哎！老大！你讲理不讲？那几个亿有的都挂好几任领导了，你都要我去处理？我能要回一点就不错了！"

"那你明年的广告都落实了吗？你可是拍胸脯跟我说要增长20%的。"

张国辉给个OK的姿势："我是社里为数不多，只往里拽钱的耗子，你们这些都是花钱的。"他指了指粟海峰和刘素英。

郑雨晴突然感兴趣地问："哎！你跟我们分享分享，怎么才能不花钱也把酒打回来？"

张国辉嘿嘿一笑："全靠敲打。"

大家都不明白他说啥，眼看他手里作势拿个锤子敲来敲去。

张国辉："你们想过没有，这么多年，这房价怎么涨起来的？要我说啊，真不能全怪政府吃房产这块蛋糕，主要啊，还是靠我们媒体和房地产商联手打造。"

大家更糊涂了。

张国辉卖弄："我们呀，和房地产商之间，是非常微妙的情人关系。他们要是生意太好了，那肯定不来咱这儿做广告，你想啊，房子都不够卖的，谁还要宣传呢？这时候，我们就敲打敲打，放一些数据，表明房价差不多到头了，全球就咱这儿最贵了，你们搞不好接最后一棒了。房价要是真掉了，房产商就没钱来做广告了，这时候呢，咱做媒体的就有义务帮他们一把，一荣俱荣，一损俱损嘛！再放点消息，房产有保值作用，城市化进程才刚刚开始，多少农民要进城，货币又超发了，股市又大跌了……房价就又呼呼上去了。我告诉你，媒体是干什么的？媒体就是水库，起到市场平衡作用的。"

郑雨晴总觉得哪里不对劲。想了想说："张国辉，我要你去要账，不是要你去敲诈。你搞什么嘛！我说每个部门都说任务难完成，就你那么顺当。我警告你啊！你不要为你个人的一点奖金，把我们报纸当成敛财的工具。《都市报》是要脸的。"

张国辉两手一摊："老板，你厉害！你要脸。那你自己去完成明年的 20% 增长！你自己去瞧瞧，哪个传统媒体现在还能拉来广告？都跑到网络去了，连电视台的标王都减价了！你又要我增，又还要给我戴着手铐脚镣！要么明年咱俩换个位置，你去抓广告，我来抓内容。七百年庆我来办。500 万剩多少你不要管。"

郑雨晴一拍桌子："我们俩之间，什么时候轮到你掌权了？"

张国辉一缩头："那既然你掌权，你吩咐我管广告，你就不要管我怎么搞。"

"怎么搞，都要在正确的轨道上，不能瞎搞！这是我对你的底线要求。"

张国辉不耐烦地挥手，把郑雨晴桌子上的票据往口袋里收："你要叫我搞，那我是没底线的。"

"你站住！你不是要报销吗？怎么把票据装回去了？"

"我回去检查一下，看还有没有错的。"

郑雨晴厉声："拿出来，我替你检查！拿出来！"

张国辉不情不愿地把票据拿出来放桌上。

手机又响了，这回是吕方圆。刘素英有点担心，提醒道："你接一下吧，也许是啥急事？"

郑雨晴刚按下接听键，吕方圆的声音就冲出来了，哭腔："嫂子！你怎么不接我哥电话？！我妈在省立医院抢救……"

郑雨晴的心忽地沉了！出大事了！

陈思云赶紧为她收拾包，又联系小唐备车。

郑雨晴对刘素英和粟主任说："回头我们再细聊。"刘素英直把她往外赶："赶紧走！这里别管了。有我们。"

陈思云帮她按住电梯："郑社，我去接萌萌，是师范附小一（3）班，对吧？"

郑雨晴犹豫了一下："你，会唱那首歌，《洋娃娃和小熊跳舞》吗？"

陈思云听了一愣："是周杰伦还是陈奕迅的？"

郑雨晴哑然失笑："算了，你接不到她的。"

郑雨晴在电梯里向高飞求助："能帮我接下萌萌吗？方成妈妈现在医院抢救……"

方成妈按说正在吃康健王修炼成仙的路上，不该有什么差池。她严格按照小金说的，按时按点吃她家的各种产品。三顿饭前，雷打不动，先在小桌上一溜排开各种瓶瓶罐罐，检阅士兵似的，有丸有片有粉有汁，五颜六色。

吕方圆教育老妈要相信科学。报纸早都报道过，这些东西没啥营养。

老妈轻蔑一笑："报纸，不就是你嫂子办的吗？她要是懂科学，怎么高中数理化都不及格？要不是你哥给她开小灶，哼！"老太太认真，每吃一样，在小本子上画一道杠杠。很庄严，很神圣，很有仪式感。还对吕方圆说："下次我吃保健品的时候，你不要说话。尽打岔！我刚才差点少吃一样。"

她这次出事，是因为小金姑娘的一句话："是药三分毒！很多吃高血压药的人，最后都死在肾功能不好上。大姨，吃保健品也跟年轻人谈恋爱似的，要专一，可不能脚踩两只船。"小金的本意，是想老太太把钱只花她一家，屏蔽掉其他竞争对手，没承想，老太太真把高血压药给停了。

于是老太太越吃就越不大对劲。

她给小金姑娘打电话："孩子啊，好久没见你面了。咋不上家来呢？大姨这段时间，浑身不舒服。"

小金在电话里鼓励她："大姨，革命成功不是一蹴而就的。吃保健品也一样，你要坚持吃哦，不要半途而废！"还在电话里跟方成妈拍着巴掌对呼口号："坚持！啪啪！坚持！啪啪！坚持坚持！啪啪啪啪！"

呼完了口号，小金又介绍了公司里升级换代的新产品。照样说得花好稻好，特别强调升级版主要针对像方成妈这样的老年同志，全营养，全保健。只要吃这一种，保证所有病痛一扫光！最后小金说："大姨，你买点试试吧！"

方成妈不好意思地说："三霞啊，大姨的钱，上次花差不多了……"

金喜善倒也干脆："没关系的大姨，等下个月退休工资到卡上了，你再过来买！"

方成妈跟她商量："要不这样，上次买得也是太多了，一时半会儿吃不完，能不能退掉一些，我买这种，全营养？"

小金姑娘一听退货二字，立即拒绝："我们的产品都是进嘴巴的，你退回来我卖给谁去。我这边来人了，很忙。"然后就挂掉电话。

方成妈愣了好大一会儿神，然后就头昏脑涨心慌意乱："这孩子，我都只吃你一家的产品了，你升级换代了，怎么就不能带我升级呢？你让我吃这初级的……"老太太心里再一憋屈，又不能对外人说，血压就把脑子给冲得突突跳地疼。

吕方圆的儿子棒棒放学回家，发现外婆与平时不一样，躺在床上流口水，叫她也不知答应，吓得赶紧给妈打电话。

吕方圆心说不妙！挂断电话撒丫子往家赶。路上她通知哥哥："妈出事了！"

吕方成在电话里喊："120！赶紧120！"

急救车和吕方成几乎同时抵达省立医院。

担架抬下方成妈，疾跑冲进急诊室。

急诊医生问："病人年龄？病史？"

吕方成喘着粗气回答："我妈，65岁！高血压！心脏病！有点老年痴呆！耳朵，时好时不好。噢，血糖也不正常。"

医生问："平时吃什么药？一天几次，每次量多少？"

吕方成嘴张了张，回答不出来，把脸转向吕方圆。吕方圆也一头雾水，掉脸问妈："妈你平时都吃什么药来着？一天几次？一次几片？"一对儿女傻眼了。直到方成妈口袋里掉出奶片，医生才明白到底是怎么回事。叹道："又一位给保健品害的！楼上病房里躺一排这样的！"

师范附小门口，高飞挤在一群孩子妈妈中间。就他一个男的，高大突兀，鹤立鸡群。他不太自在，又不敢离开。因为小学生们排着队放学了。

家长们各自认领自家的宝贝，亲的亲搂的搂，递水杯的，往嘴里塞水果的，摘书包的，忙得不亦乐乎。不过大半天没见孩子的面，却像是久别重逢。

终于等到一（3）班的队伍。萌萌背着大书包，站在一群学生和家长中间，探头探脑四下张望，没见到自己父母，她神态落寞，老气横秋地叹了口气。高飞赶紧叫她，萌萌眼睛一亮，雀跃着跳过来。

走到高飞面前，萌萌停下脚步，歪着脑袋，眨巴着大眼睛，用警惕又谨慎的目光上下打量着他。

高飞醒悟，冲萌萌做了一个莫急的手势。他打开手机调出儿歌："萌萌，《洋娃娃和小熊跳舞》！"说着，高飞跟着节奏，又是下蹲又是转圈，样子可笑又滑稽。

家长们好奇地看着，很多妈妈捂嘴笑。

萌萌边唱边跳："洋娃娃和小熊跳舞，跳呀跳呀一二一。"她开心地与高飞击掌："耶！对上号了！"

等郑雨晴赶到医院，方成妈已经住进病房。也许是折腾累了，也许是药物的作用，老人家踏实地睡着了。吕方成和吕方圆，两个人都面无表情，一个坐在床上，一个坐在凳子上，互相看都不看。显然是刚刚吵完架。

郑雨晴问："妈妈怎样了？"

吕方成有些恼，压低声音："我警告你啊！我打电话，你不能不接！"

吕方圆："现在稳定了。刚才血压吓死人。"

郑雨晴低头看床头板上医生写的入院病由，问："妈为什么不吃药啊？"吕方成吕方圆都不说话。

郑雨晴走到婆婆的病床前，动手调慢了滴液的速度："棒棒一个人在家吧？你赶紧回去。今天晚上我来值班。"

吕方圆站起来，拿起包准备走。她看了哥哥一眼，忍不住问郑雨晴："嫂子，你说妈生病这事，怎能怪我呢？"

郑雨晴拉着小姑子的手："别听你哥瞎说。生病这事哪能怪到谁？要怪也是怪我，你俩都是亲生的，哪能害自己妈呢！"郑雨晴和吕方圆一对眼，扑哧一笑。吕方成很响地，哼了一声。

吕方圆："护工我们都请好了，你俩也回去吧！"

郑雨晴说："哪能靠护工呢？你放心，我守着。"

吕方圆："这也没几天，两家轮换着就过去了。就是担心回去以后……"

郑雨晴告诉她："抽空把妈的东西收拾收拾。出院的时候，我们就把妈接回去住。"

吕方成兄妹都感觉很意外，一愣。

吕方圆赶紧解释："嫂子，我没那个意思！"

郑雨晴说："是我有这个意思。妈又不是你一个人的。快回去吧！"

吕方成突然想到孩子："萌萌还没接呢！"像是听到他的话，萌萌和高飞立即出现在病房门口。他们两个手拉手走进来，状如父女。

江部长晚饭之后的保留节目是看报纸。一是因为宣传口领导工作的需要，一是多年养成的生活习惯。任是新媒体再流行，都难撼动报纸在他心目中的地位。

他很欣喜地对夫人说："右右到《都市报》没多长时间，稿件见报频率挺高！你看这保健特刊，右右还是主力呢！嗯，看来，郑雨晴挺关照她的……"

江夫人很高兴："《都市报》的郑雨晴社长，连根拔起坐火箭直升那个吧？"

江部长点点头。

右右端着饭碗，听着父母的议论，不以为然地翻着白眼。

"右右啊，你手上正在做什么选题啊？给爸爸透露一下！"

右右抖着腿："哀家明天准备辞职了！"

江部长和夫人都大惊。

右右满不在乎地说："c—í 辞，zh—í 职。妈的，这俩拼音真的好难念啊！我要辞职了。"

江部长："干得好好的，为什么辞职！"

江夫人责怪右右："你这丫头！知道你在《都市报》是什么身份吗？在编！你爸爸为了调剂这个指标，求了多少人费了多少劲？"

"哎呀也就你们这些老朽，才那么在乎编制！这个时代，有本事的人，上哪找不到饭碗？我哥们，何亮亮，人家中专学历，被《都市报》聘用了！"

江部长："何亮亮，这个名字很熟悉，文章写得非常好，经常在报上写深度报道的。他中专学历给聘用了？说明郑雨晴很有眼光和魄力嘛！"

右右忍不住骂了一声"屁！"然后控诉郑雨晴小肚鸡肠，自己不过是提了几句意见，就遭她迫害，发配去扫厕所。说到激昂慷慨处，她把碗一推，不吃了，洗澡去。

江夫人问："那个郑雨晴为什么这样对我们右右？你不是说她人很正派吗？你一直很欣赏她的。"

江部长吃着女儿的剩饭，没出声。

"你们当初怎么选了这人去管理报社？"

"市里的干部没一个愿意接手这个烂摊子。社长也不是啥好活儿，好活儿哪轮到她呀！"江部长沉思了一会儿又说，"郑雨晴这段时间的工作做得有声有色。市长书记都相当满意！组织上也侧面了解过社里的反映，都说她挺好的呀？"

"可她为什么对右右……"江部长和夫人都百思不得其解。

夫人突然眼珠子就转上了，凑上部长耳朵说："哎！听说她跟市长关系不一般。她敢这么对右右，是不是枕头风……"

江部长："哎呀！搞什么嘛！你满脑子不正当关系！不八卦你会死啊！"

夫人不服气："哼，也许满世界都清楚，就蒙你这个瞎子呢？"

江部长吃完女儿的剩饭，起身去卫生间洗手，不想刚进门便踩了两脚水，差点滑一个跟头。他开灯一看，右右不过是洗了个澡，居然就把卫生间洗成了泽国。沐浴液洗发水凌乱躺在地上，湿毛巾搭在浴缸边，脏衣服扔得东一件西一件。

江部长厉声："右右！给我滚过来！"

右右应声滚来，撇着黄梅腔："爹爹，你么事叫我？"

江部长："你是小姑娘还是大牲口？洗个澡水漫金山！你说，为什么你们社长让你扫厕所？！"

右右胆怯地看了她妈一眼："刚不都说了吗，郑社长她打击报复我……"

江夫人："你赶紧跟你爸爸说实话！你爸明天就去你单位问情况去！"

右右气哼哼地："我踩脏了马桶垫圈，给她抓个现行！"

江部长气得满屋子转，指着一室凌乱："明天，你给我老老实实扫厕所去！"

右右没敢吭声。

江夫人刚想说话，还没张口，便被江部长一声怒喝堵了回去："你要好好调教她！省得以后嫁了人，叫婆家指我后脊梁！一屋不扫，文章又是江山又是世界的有屁用！"又指着右右，"还说郑社长给你小鞋穿，我看她对你是相当仁慈，没把你拽到网上亮相去。你要先学会做人，再去学习做事！我脸都叫你丢尽了！"

右右又气又怒："那你就不要认我做女儿好了！"一转脸，摔门出去了。

江夫人开始发飙："哎呀！你搞什么嘛！女儿在单位已经受气了，你不分青红皂白又在家里骂她，她哪还有温暖？你是要她想不开吗？！你赶紧地，给她找个地方换个单位！我跟你讲，凭我感觉，这个郑雨晴，就是针对你的！她就是在让你难堪！"

江部长也发怒："她就算是让我难堪，我也只能难堪！你明明知道班子现在要动，我正在升迁的当口，你想让我犯错误吗？多少人都等得虎视眈眈！就让她扫两天厕所，怎么就想不开了？"

江夫人忍不住嘟囔："你们这些当官的，眼里除了位子，一点人情都没有了！跟你我也算是倒了八辈子霉！孩子都毁你手上！"

夜已经深了，病房里早就熄灯。郑雨晴一个人在医院里守着婆婆，她裹紧外套，在走廊里踱步。

医院长长的走道，安静昏暗。郑雨晴走到楼梯口，忍不住给刘素英打电话，得知刘大姐尽职尽责守在报社，当下心安。

她又打二霞电话，请求她的支援："千万别误会，你过来，是当大管家，自家人哪能当保姆呢！我的全家老小都托付给你！"又说亲兄弟明算账，该多少工资就多少工资，并且答应给二霞办社保。挂了二霞电话，又打给高飞，二霞的社保关系想从高飞公司里走一下。

"钱我自己交！"她说，然后自己也不好意思，"哎呀，我发现自己有个缺陷，怎么一有事就找你，好像都没第二个人选了！这是我最近的瓶颈啊！"

高飞笑嘻嘻答应了，并且说："我这个瓶颈你不用突破。"

郑雨晴放下电话，终于满意地嘘出一口长气。揉揉突突跳的太阳穴，一脸疲惫地走进病房，给老太太把尿放一放，然后在一个四面透风的躺椅上，蜷缩成小小一团，躺下。不一会儿，她又起来，穿上鞋走到对面的大楼，隔着病房的门，看李保罗安静地躺着，浑身插满管子。郑雨晴就这么静静地站着，与李保罗内外两隔。

陈思云清早一进门，惊讶地看见郑雨晴已经坐在办公桌边了："领导，您是铁打的吗？"

"别废话，效率！你到财务去，跟老钱说，把张国辉的转款单，全部调出来查一遍。"

陈思云答应着。郑雨晴又补充一句："动静别太大。还有，你帮我去看看，这个王仁义，和吉保利公司，是什么关系？我隐约觉得，和张国辉，不清不楚。"

陈思云点头，然后摊开文件，说："这是急办的，这是重要的，这是……你看着办的。"

郑雨晴每张都翻翻，又拿起几张批示："报纸年会通知刘素英去参加。新闻评奖和职称申报，这两个你都转给粟主任，让他尽快组织采编人员申报，别耽误时间。发行，你让他们专门开个会，我去现场解决，张国辉……不行，不能再给他折扣了。这是什么？"

"就是本市媒体领导的沙龙。你都两次没去了，这次要您分享……"

郑雨晴直接推开："没空。跟他们有什么好分享的？听他们说话，越听越丧气，感觉在敲丧钟，一点正能量都没有。"

陈思云笑："您这样，会遭竞争对手的嫉妒和怨恨的。"

郑雨晴"喊"了一声："他们嫉妒和怨恨我们，说明我们不够好，我们的对手又不是他们，我们的对手是BAT（中国互联网公司Baidu、Alibaba、Tencent三大巨头首字母缩写）。他们会嫉妒怨恨BAT吗？"

陈思云笑嘻嘻地通知："您马上就要转正了，集团要进行党组选举，您得准备准备。"

郑雨晴问："我又要不讲人话了是吧？"

陈思云笑着点头。她又拿出一本书："李保罗的书，昨天我拿到了。"

郑雨晴接过一看："简直就跟真书没区别嘛，除了没刊号没定价。"陈思云解释道，人家就是真书，这个，就叫自出版！印刷厂叫价八万的活，人家300就做掉了。"

郑雨晴倒吸一口冷气，不敢相信这么便宜。

陈思云连说带比画："郑社，您是没在现场看到，自出版简直是分分钟的事情啊。这边U盘输进资料，那边呼呼呼页面就打印出来了，完了再去装订机上走一趟，搞掂！"

郑雨晴："你赶紧给我安排去参观这个，这才是我应该去的地方。"

吕方成在办公室里，一副灰头土脸的倒霉相。徐文君盯他几天了，见面就是一句话："老吕，考虑得怎么样了？"

吕方成理智上投王大姐一票，但又实在害怕徐文君。在小人和君子之间，他不敢得罪小人。

左右为难之时，他需要借助郑雨晴智慧的力量，为自己做判断。郑雨晴态度鲜明，你若交上记忆卡，就是助纣为虐！

其实王大姐跟郑雨晴还是有点渊源，或者说，宿仇。她的父亲就是王闻声——当年因为PC事件，那个践踏践踏再践踏的市长。虽然当年郑雨晴被训得梨花带雨，还写了平生第一份检查，但回想起来，郑雨晴并不记恨王闻生。话说得重了点，但批评得对！

徐文君拿出U盘在手里把玩："这个小东西，我直接去省行纪委一递，一切真相大白！但是老吕，从此你就黑了！再想翻身很难。"徐文君站起来，背着手踱步："咱俩共事十好几年了，不是亲人赛过亲人，真的，我待家里的时间还没在单位时间长呢。所以老吕啊，你我是彼此的后背啊！"

徐文君抬手掩住了半扇胸，好像犯心绞痛的样子："可我没想到，你居然不能体会我的用心良苦！"

吕方成："徐主任，这事，我真不能做。"

徐文君冷笑："我本有心向明月，怎奈明月照沟渠。是这两句诗吧？是非面前，能有第三条路吗？U盘就是分水岭。你跟着我高歌猛进从此进入九九艳阳天，被那个老女人纠缠着，便被拖进罪恶深渊永无重生之路。"

吕方成低头喝茶。他发现，徐文君口才很好，舌灿莲花，颠倒众生。又是吟诗又是复杂句式，她一个中专生居然张口就来，而自己一个文科状元，此时却显得理屈词穷，甚至词不达意。看来，在历届领导身边常转，进步就是快啊！

他思考着，是不是再去一趟厕所。因为只有借着尿尿的机会，才能躲一会儿清净。必须拼命喝水！他猛灌一气，放下杯子，站起来要出门。徐文君拦住："干吗去？正事还没解决呢。"

吕方成指指洗手间。

徐文君："老吕，这才多半天，你都跑厕所二十三趟了，你肾虚啊，膂力不足。难怪你优柔寡断。行了，你也就这点尿性。"她冲外边喊："小牛，备车！"

吕方成赶紧拦她："徐主任，你别去！"

"我当然不去，是你去！"

吕方成指指外面："我去……那里，厕所，我急！"

徐文君把着门："我给你的路，是上天堂的。你不去，就是自寻死路。这U盘要是我交上去，想想你的老母亲，你妈是守寡带大你们兄妹，她希望你门楣添彩光宗耀祖！想想你的夫人，她是报社的社长，可你还是小小的副主任，你不觉得你俩身份上有落差了吗？一个家里，女强男弱，牝鸡司晨，这日子能长久吗？再想想后果……你顶风腐败，你连个小小的副主任，你都坐不久了！"

吕方成垂头丧气，一下坐倒，像被抽掉了筋骨。

浑浑噩噩地，吕方成上了徐文君的车，行尸走肉般地下了车。进到总行大楼，再从大楼里出来，吕方成如死过一般，身后连阴影都没有了。他感觉自己就是浮士德，把灵魂出卖给了魔鬼。那个魔鬼，就是在他面前笑得前仰后合的徐文君。

晚饭时分，郑雨晴向家人通报了好消息，二霞要来帮忙了。方成妈听了先是很高兴，而后又担忧："人家二霞一直想去报社干保洁，你现在让她来当保姆，她会不会心里别扭啊？"

郑雨晴让妈放心，她在我们家，是当管家："我连工资卡都交给她！还给她交社保。一点不比正式工作差！"

吕方成又一次丧失存在感："这事我怎么不知道？"

"噢，妈生病那天夜里，我跟二霞打电话来着。"

吕方成嘀咕："哼，家里事，都不跟我商量一下。"又问，"你给她交社会保险，是在报社挂名？"

得知是在高飞那里挂名，吕方成既生自己气又生雨晴气："又是高飞。你干吗老麻烦人家？"

郑雨晴一点儿没心："老同学了，用着顺手，也放心。其他人我不太敢张口，万一人家给纪委写个信告个状呢？"

吕方成不吭声了，他抓起包子狠咬一口皮，转手递给郑雨晴："嗯！"

郑雨晴接过将肉馅挤进嘴里，又把皮还给吕方成："嗯。"

两个人合作吃包子很是默契。

饭后，萌萌陪奶奶说话。吕方成和郑雨晴靠在窗边，轻声聊天。

吕方成："晚上你陪萌萌回去，我守夜。"

"你今天情绪不对，蔫不唧的。"郑雨晴顺手摸摸吕方成的额头，"没病吧？"

吕方成不说话，看远方。

郑雨晴突然有强烈的预感："你今天……？"她杏眼圆睁："你真交了？！"

吕方成无奈："她逼我。"

郑雨晴压低声音质问他："拿刀捅你了还是拿绳绑你了？"

吕方成四下看看："你声音小点。徐跳奶什么手段都使上了。甚至都不给我上厕所。"

郑雨晴压低声音："尿裤子里也不能答应她！你怎么总给她摆弄？！王大姐是好人！"

吕方成叹气："好人是永远干不过坏人的。坏人她没有底线，好人哪能不要脸面呢？"

"谁跟你说的？！我就把张国辉这条癞皮狗放身边看着，我让他一举一动都监视在我眼皮底下，我把他看得死死的，让他不敢轻举妄动。"

吕方成凄然一笑："雨晴，我俩能一样吗？你是一把手！我能反过来看住徐文君？你不是开玩笑吧？要不说屁股决定脑袋，地位一变，想法就不一样。"

郑雨晴正色道："是脑袋决定屁股！境界决定胸怀！格局成就事业！如果屁股能起决定作用，那要脖子上面那个圆冬瓜干什么？你当无脑儿好了！"

"你现在跟我谈境界？谈格局？谈事业？你要不是单位领导给一锅端了把你给旱地拔葱，你现在有什么境界？有什么格局？有什么事业？你这是小概率事件，你不要拿你自己的成功举例，觉得全世界都像你这样！你的成功，不可复制！你问问其他人，哪个人同意你的说法？这个世界，就是坏人当道！"

郑雨晴冷冷地看着吕方成："这世界，是出现过中世纪，是出现过暗黑时代，但最终，人一定是向着光明的方向前进。飞蛾都会扑火，人，不能不如蛾子。你跟着徐文君，时间久了，你连心中的火，都熄灭了。这才是坏人最可怕的地方——你已经，没有是非了，你助纣为虐。"

郑雨晴的眼神里充满鄙视。她不等吕方成回答，便转身走进病房对萌萌说："走！我们去看你干妈。"

吕方成手抄裤兜立在原地，觉得自己很猥琐。原本玉树临风的形象，突然就变得矮小了。

郑雨晴走进李保罗的病房，保罗妈苦愁的脸上突然明亮了。郑雨晴拉着老人家低声问："李妈妈，保罗现在怎么样？"

老人家凄凉地摇头："前一向眼睛还能微微睁开，现在……医生说他头脑还是清楚的，听得到话，让我跟他多说说。"

郑雨晴也难受，她安慰道："您看，保罗的书出来了！"

李妈妈悲欣交集："阿弥托佛！阿弥托佛！雨晴啊，多亏保罗有你这样的朋友……"

母女二人走出病房，萌萌问郑雨晴："妈妈，干妈的书，能给我一本吗？我也想看！"

郑雨晴伤感地答："就一本。"

郑雨晴带着萌萌在医院门口打车，都是空车，却一辆都不停。她开始着急。

高飞像神兵天降，开着宾利缓缓停在郑雨晴面前："首长,您去哪儿？"

郑雨晴大惊："怎么又是你？！"

高飞也刚从医院出来，他是去看方成妈妈。

坐进车里郑雨晴叹口气："邪门了，满大街空车，一个都不停！"

高飞："你已经脱离生活很久了。现在人家都用打车软件，只有老头老太才像你这样街边招车。"

郑雨晴开始怒骂："妈的！人老就是错吗？人老就连车都不配打了吗？"

高飞微微一笑："这就叫创新。"

郑雨晴斜睨："都打着创新的名义，又没有让所有人的生活变好！要是创新让一部分人生活变坏了，那就不是好的创新。"

高飞："创新一旦发生了，哪来得及讨论好坏呢？这就是常言道的，我打败你，与你无关。我今天看到一组数据，今年上半年全国报纸广告下降 13.5%，房地产下降 11.5%。"

"可我们家这一向的广告，却比去年同期上涨。"

高飞再笑："那是因为，你马上要转正了，万邦来朝，提前道贺。"

郑雨晴拿手一掸高飞："说正经的，你讨厌！"

"也许是你们家已经脱离大盘，走出独立的行情……"

"嗷，笑话我吧！哎哟我又要背台词喽！高屋建瓴！言简意赅！思想深刻！意义深远！"

高飞有点惊讶："当官这么久了，怎么还没学会说话？你都没搞明白这段话的逻辑关系。"

郑雨晴大惊："这段话，哪有什么逻辑？"

"你仔细研究研究，这段话，是递进的。来，我给你演一遍。"他突然进入了角色，表情诚恳，语调缓和，满含深情，边说边打手势，"刚才领导同志的讲话啊，高屋建瓴，言简意赅，思想深刻，意义深远……"

高飞的目光深邃坚定有力，郑雨晴随着他的目光一直朝前望，好像那里有一个很远很深的地方。

郑雨晴："哎呀妈啊，你神了。你怎么会背我的讲稿？"

高飞大笑："你的讲稿？你把领导秘书们的集体智慧给集中起来，那就算是你的啦？"

郑雨晴不好意思："好吧算我抄的。可一样的稿子，我念得跟锯末似的，怎么到你嘴里就是诗朗诵，还有高低起伏抑扬顿挫了呢！"

"那是你还没有进入角色。"

郑雨晴脱口而出："哎呀妈，原来领导都是演技派！"

高飞大笑："领导讲话，有的是走心，有的是走肾，你呀，你是走流量。"

马车与汽车的对决

走廊里右右拖一只绿色的垃圾桶。她戴着长袖橡胶手套，穿着保洁的蓝大褂，懒懒散散，没精打采。虽然心不甘情不愿，但她还是去扫厕所了。提着工具进女厕所，没一秒，就听她在里边暴跳如雷破口大骂："我 KAO 啊！这谁干的？你以为自己是司马迁啊在这里写'屎迹'！还报社知识分子呢，是不是文明人？懂不懂尊重别人劳动？爹妈只管生不管教是吧，那姐来教你！今儿我给你弄干净，再让我抓住你，非让你把这一圈都舔干净！！"骂完了闭着眼睛扫，扫完去水池哇哇地吐，吐完一擦嘴，右右在男厕所门口喊："男厕所有人吗？有人吱一声啊！不吱声我就进去了！"

轻轻一声"吱"，何亮亮慌慌张张从男厕所钻出来，看到一身保洁打扮的右右，也不说话，轻轻夺过右右手里的刷子，拎过水桶，闷声答："我来吧！"然后又进男厕所。

右右站在外边问："亮亮，亮亮，你今天有活儿吗？楼上还有 24 个男厕所，你能跟着我吗？"

何亮亮扫完了出来，对右右说："走吧！我陪你。"

右右问："今天策划什么选题？"

何亮亮答："策划不花钱，把酒打回来。"然后跟她解释建市七百年的宣传活动。

右右一听，倒吸一口冷气："我喀喀喀！这女人毒啊！又叫马跑，又叫马不吃草！现在上公厕都要花两毛钱了，她办个活动还想赚俩回来！"

何亮亮笑："创新嘛，互联网思维，要脑洞大开！"

右右："她脑洞再开大一点，以后会不会不发咱工资了？！让我们白给她干活？！"右右把水拔子啪一扔："这鬼地方真不能待了！亮亮，我跟你说，我爸正想办法营救我，我们一起走吧！"

但是何亮亮不走，因为郑雨晴对他有知遇之恩。右右好失望。

她喜欢何亮亮，偏偏亮亮对自己的示好，不接茬。"是真不喜欢还是装傻？不过今天能来帮着扫厕所，说明他对我不反感"，右右又高兴了，她冲何亮亮作揖撒娇，"大恩大德，无以为报，小女子只有以身相许……"

何亮亮上下打量打量右右："你？你这样的，许得出去吗？"

右右脱下长长的塑胶手套，用手挠挠本来就五颜六色乱七八糟的头发，把舌头沿着嘴唇舔一圈，露出一个舌环来，摆了摆平胸和平胯，说："努力一下，不要钱应该还行吧？"

一个中年女性从女厕所里甩门出来，都没看右右一眼。右右跟手进去打扫，看到满坐垫圈都是尿渍，立刻黑线上头，跑出去，伸手搭那女的肩膀上："你给我站住！"

中年女当时就炸了："哎！哎！你多脏的手啊！"

右右开始发飙："猫还盖屎盖尿呢！鸡才走哪儿拉哪儿，您家长跟您说过要'五讲四美'吗？怎么有人生没人教呢？"

"说谁是鸡？你骂谁？"

双方都不吃素，若不是亮亮从中劝架，战争就要升级。

集团会议室里也是硝烟弥漫。郑雨晴召集各个部门的领导，就深化改革方案进行第五次碰头会。前四次会都碰得鼻青脸肿，这次也不例外。改革的必要性重要性及意义，谁心里都清楚，大话都会说，高调都会唱，但一触及自家的利益，头都难剃。

《新闻晚报》的歇业只是多米诺骨牌的开始，明眼人都看得出来，明年将是报业大规模停刊年。都市集团风雨飘摇，作为掌门人，虽然是被推到这个位子上的，但郑雨晴却不得不抉择。改，可能不死，不改，肯定要死。到底是等死还是找死？第一刀下在谁的身上？郑雨晴头大了。

郑雨晴跟与会的干部们说："看到没有，这个世界每隔上几个月都会有一次翻新，如果不跟上节奏，你连车都打不上！集团改革，势在必行！"

立即有人打哈哈，以后是不是连吃饭拉屎这样的事情都会出软件呢？然后就是各种跑题。

会议又一次开不下去了。

陈思云把一沓合同放郑雨晴桌上："过些日子楼下大厅里要办虫草特卖会。"

见到郑雨晴一头雾水，陈思云解释："卖完了虫草接着卖海鲜，年跟前还有年货展销。"

郑雨晴问："这是广告部签的合同吗？你把张国辉给我叫上来！"

陈思云回答："这是物业公司签的。郑社，我觉得你可以把物业的李经理也提拔成副总。"

郑雨晴知道陈思云拿张国辉的事情挖苦自己，也不生气，轻描淡写地说了声："我知道了。"

郑雨晴晚上去报社，看到夜间记者站里，只有刘素英一个人，郑雨晴问，小粟呢？怎么又是你替记者值班？

刘素英守着电话泡着脚看着版面，一心三用："小粟带人参加市里统一行动了，快到年底，酒驾查得紧。"

聊了几句，郑雨晴去了趟厕所，顺便检查右右这天的工作。小妮子虽然倔，但做事很认真。可惜的是，扫得再干净，也掩不住厕所的破败，仍然有门的没纸，有纸的没门。郑雨晴正在为难，刘素英也进来了。反正和刘大姐情同姐妹不分你我，郑雨晴就选那个有纸没门的："给你看也不算走光。"

刘素英笑："你才上去三个月，都忘掉楼里的厕所基本都一个德性？右右的话是说难听了点，但是情况属实，你的卫生间，你的办公室，物业还算得上用心。其他的，呵呵，采编大厅的灯管都坏多少个了，叫多少遍也不过来换，花花草草没人照料，全都死光，花架子的腿是折的，衣帽架的钩也是断的……"

回到夜间记者站，郑雨晴从包里掏出物业出租大厅的合同："你说得太对了。物业根本不跟我们一条心。你看看这个。"

刘素英只扫了一眼就火了："这还像个新闻单位吗？还有尊严和体面吗？上次卖家具好歹藏二楼，这倒好！一楼大厅卖！租三天就走，他们跑得尾巴都捞不着，人消费者发现是假的，不是把报社给砸了？拿我们钱都不干点人事儿！你看那电梯里贴的广告！到底想几头拿钱啊？"

郑雨晴说："姐，有句话我揣心里好些天了，想说，又怕你生气。"

"你那套话官话放到领导跟前说，跟我，不必绕弯子。"

"我想求你帮我个忙。"

刘素英疑惑又警觉起来。

郑雨晴："你能不能出来，挑头干物业？我想把现在的物业给退了。"

刘素英惊到了："你说什么？"

郑雨晴诚恳地说："姐，我现在改革方案推不下去，需要借你一臂之力。"

"一臂之力？"

"年轻人在前方打仗，后头也要有人打扫战场。你要能在后方帮我管好这个家业……"

刘素英身体一歪，差点踩翻脚边的水盆："你嫌我老了？"

刘素英悲从中来。郑雨晴不仅是自己一手带出来的徒弟，更是情同姐妹的闺密，征战洪水，恶斗毒贩，可不是一般的情义。郑雨晴坐上一把手的位子，刘素英一直在默默支持她。郑雨晴重点培养粟海峰，刘素英举手叫好，毫不嫉妒。郑雨晴提拔张国辉，刘素英虽然不理解，但顾全大局搁置争议。为了出版爆炸案特刊，刘素英主动请缨，老骥伏枥。

刘素英说："我无欲无求，听从安排，为了你，我把家都搬到报社了。我没什么企图，不求官也不求财，只求在退休前，在自己喜欢的采编岗位上，安安静静做点事情。你看我现在，夜间记者站缺岗，我一个副总编主动来顶班了。"

郑雨晴安静不语，让刘素英一出心中怨气。

刘素英神情凄然："凡你想到的，我都给你做到了。凡你没想到的，我也帮你考虑周全了。我是老了，我知道我老了，为不讨你厌，我已经够贤惠了！我总想着趁自己能干得动，帮你一把扶你一下，哪知道，你翅膀硬了，心里想着的是，卸磨杀驴。"刘素英说完，惨淡一笑。

她那一笑，让郑雨晴心里异常难过："姐，我怎么会？你是我心里的定海神针。"

"我哪是定海神针，我分明是你的眼中钉肉中刺！"

郑雨晴冷静到近乎残酷："大姐，你是我心里的一根刺。我不知道怎么安放你才不让我疼。我坦白跟你说，一把手的位子我坐着，这里多凶险我知道，今年是主编逃跑年，咱们认识不认识的主编，能跑的跑了大半，明年是停刊年。我现在手里的钱和能掌握的资源，最多撑三年。三年以后，这个报社，这个集团还在不在，我不知道。姐姐你今年四十九，三年以后五十二，你想过自己去哪儿吗？"

刘素英："你的意思，我现在去物业学本事，等三年之后报社倒了，我还可以去扫大街？"

"姐，我的意思是，我在这里，能保证你在我看得见的日子里，你拿着副总的待遇，另辟一条生路。你哪怕干错了，干倒了，还有我这里给你兜底。这是你最后上船的机会了。最差，你回到现在的轨道上。万一好了呢？"

刘素英站起身，在屋里团团转，水盆挡了她的道，她上去飞起一脚："不识相！挡事碍眼！"

郑雨晴："姐姐！"

"你不要叫我姐姐，听着让我觉得无比虚伪、恶心！任何一个阻碍你升迁的，拦着你发财的人，就是你顶着改革名义要铲除的人！你和吴春城他们有什么两样？吴春城还知道要对自己的臂膀好一点，把好处给了自己人，你比他还不如，你除了搞自己人，以示你的清正，你再没有别的能耐！你这叫什么？你这就是传说中的圣母白莲花吧？！我一直没理解这个词，看到你今晚的样子，我就秒懂！"

郑雨晴哭笑不得："大姐，我都不知道怎么接你下话了！我突然发现，去新媒体，你也行的！"

刘素英冷笑："更毒的终于说出来了，撺我走是吧？郑雨晴啊郑雨晴，所有人在你的眼里，分成两拨，有用的和没用的！今天我刘素英算是流落到没用的这一拨了，我告诉你，你想我走，我偏不走，我还就跟这报社生死与共了，你拿我怎么办吧？！"

"好了，姐姐，你还没有准备好，是我急躁了。我原以为你是懂我的。现在看来，是我错了。没事，姐姐，咱不着急。没人赶你，你踏实待着……那个，报纸年会的通知，你看到了吧？"

刘素英面无表情："郑社长，你放心，我只开会不考察。"

郑雨晴有些伤感："大姐，以你的资历，就是拿社里的钱满世界周游，也没人能说个不字。"

"哼哼！这报社，不是你郑雨晴一个人的，它是我一手捧大的娃，我不会跟自己的娃置气。你走吧，我要睡了。"刘素英给郑雨晴下了逐客令。

纵然单位事情乱麻一团，总算家里这头安稳了。二霞一来，婆婆有人陪，孩子有人管，家中清爽，无论再晚回来，都有现成饭吃。

连萌萌都由衷称赞："霞姑姑你真能干！做饭比我妈做的好吃多了！"

二霞和萌萌对捧："你牙还没刷呢，说话就这么醉人！"

萌萌惊讶："咦，你说话好像我们林老师。"

二霞说："姑姑本来就是老师嘛！你爹妈工作都忙，以后你的学习也归我管。"

郑雨晴对二霞相当满意，到了单位还跟陈思云夸："我以后家里事能脱手了。"

陈思云突然抛一句："脱手未必就是好事吧。有的时候心揪着是牵挂，真脱手了，你离家就越来越远了。"

郑雨晴愣了一下，回答："你好意思说我，奔三十去的人了，也没见你成家。都没问你有对象了吗？"

"老板，服务你这么久，第一次说人话！"

郑雨晴突然笑了："我这几个月就这么讨厌吗？"眼瞅着话题奔着私生活而去，郑雨晴赶紧刹车："你私人问题，我改天找时间特地关心，我先要把公家问题给解决了。财务的老钱……"

"钱总监得十点后才能来汇报工作。领导你还是先解决右右的问题吧。"右右才干一天保洁，楼上楼下就得罪不少人，陈思云一早上接到好几个投诉。

右右像个小贼一样地哧溜进了社长办公室。没等郑雨晴发问，右右开始投诉，啊呀呀，真是，如果不是亲眼得见，永远不敢相信，一个个表面上人五人六的，居然如此不讲公德和卫生。见微知著见厕识人，她建议郑雨晴在提拔干部之前，务必去看看他们用过的厕所，一个随地便溺的人，是无法担当重任的。

郑雨晴说："嗯，你的镜子啊，已经照到别人了，就是呢，还没照到自己。本来是想把你扫厕所的时间缩短一点，看你现在这情形啊，你还是应该继续体验生活。"

右右也不急也不恼，看不出生气还是啥，裤兜里掏出一张纸说，要请几天假。郑雨晴问她理由，回答说，她的球队要打皇马，不盯着不放心。然后像演宫廷戏一样，双手举过头顶，递过假条。

郑雨晴展开假条扫一眼："想逃避劳动也请编个像样点儿的理由！三大娘的表姑婶子寡妇再嫁，舅老爷他外甥的岳母添大头孙子，你好歹编个像点儿的！不扫完厕所，就想度假？"

右右很轻蔑的口气："你看不懂就说我编？！报纸让你们这些老同志掌着，难怪要倒了，真是我等的悲哀啊！"她一把从桌上抽走假条，用一种很怜悯的表情："这个世界的变化，已经与你无关。唉，真的老了。"

"谁老了？"

"你。你都没有好奇心了！好奇心和刨根问底的能力，这是当记者的基本素养。"

郑雨晴这下好奇了："你坐下，你给我好好解释解释，满足一下我的好奇心。"

右右认真地说："我没骗你！我今年三月入股了一支西班牙球队，他们当时经营状况不好，需要在短时间内筹集到170万欧元，否则开除联赛资格。老板急得要跳楼，在网上向全世界的球迷呼吁。50欧一股，我买了10股。"

"然后呢？"

"然后这球队不负重望啊，马上要踢皇马了！皇马，你懂不懂？"

郑雨晴："球星C罗，长得特别帅的那个！"

右右一拍大腿："对！我这次不光看比赛，还要参加股东大会。球队这几个月战绩辉煌，经营改善，我们要分红了。所以呢，无论扫不扫厕所，这场球我都要看的。不行你按事假扣我工资。"

郑雨晴眼睛眨巴得像星星："这这这，这算什么？"

右右一脸看不起："这个叫，众筹！"

"那，这次分红，能保你的本吗？能支付你来回飞机票钱吗？"得知右右总共才得到35块人民币的分红，郑雨晴说，"这不是亏大了吗？"

右右说："老板！有钱难买我乐意！我只花 5000 块就买了我喜欢的十一个大帅哥！我坐看台上，一想到他们都是我的，我赚老大便宜了我！"

郑雨晴若有所思，灵魂出窍："要说起来，要饭花子是这众筹的鼻祖啊！你给他钱，你也不求回报，你还落一天好心情！看样子，啥啥都要包装啊！说要饭，就很难听，说股东，怎么突然就有主人翁责任感了呢？"

右右一脸期待："郑社长，这个假条请您批一下？"

郑雨晴回过神来："我这里也有个众筹，你感兴趣牵头吗？"

钱总监急急进来，张国辉的账目确实不清，前几天刚转出一笔 73 万块，对方公司是吉保利，那个叫王仁义的法人，居然正是张国辉的老丈人。

郑雨晴火了："没我的准许你怎么擅自转钱？！"

"你签过字了呀！"钱总监委屈地展开单据，郑雨晴定睛一看，果然是自己签的，落款的时间，正是方成妈住院那天。张国辉这个贼竟然趁火打劫，居然敢偷单据！

钱总监问她："现在怎么办？"

郑雨晴缓缓吐出几个字："不着急，慢慢来。"

刘素英坐在全国报纸年会的会场里，寒从脚下起，悲由心底生。来之前以为能从同行这里，汲取点正能量，打几管鸡血，或者能从他们的成绩里，借鉴点儿经验，弄两勺心灵鸡汤滋补滋补，要不干脆大家能抱团取暖也好啊！可是她没想到，鸡血木有，狗血倒有几大碗。

这是一场诉苦的大会，比惨的大会。是一场面对新媒体，全国报纸——不对，是全世界的报纸，都黔驴技穷的大会。

面对新媒体的强大攻势，传统媒体无招架之力，无还手之功。刘素英有点接受不了，心灵随时接受七级以上强烈地震，而且余震绵绵不绝，灾后重建工作迟迟无法进行。她在本子上写下六个大字：震动！震惊！震撼！

茶歇室几个报社的老总端着纸杯在议论："骨干都走了，主编大逃亡。我们这些留下的，倒让人觉得是无用的，没出路的了。"

"纸媒现在没有活路。从前说，报纸是党宣传战线的主战场。现在又说，互联网是宣传战线的主阵地！好嘛，我们一觉睡醒，主战场上没阵地，主阵地上没战场！"

党报党刊日子好过，《日报》老总不以为然："形势没你们说得那么不堪吧，我们家广告，三年翻一番。"

走市场的报刊心里不平衡："你们是党产！除了摊派下去，谁看呢？有一份是自主订阅的吗？都是自娱，没有娱人的功效了。"

"就是，你们做得也太不像话了，人家《都市报》这样的，也就各单位摊派一份，你们直接给人家摊35份！你们这是增加企业运营成本你们知道吗？"

《日报》老总得意："你们有出息，你们去娱人好了！我们无能，只好求包养抱大腿了。哎呀，为党在主战场工作那么多年，总不能说扔就扔，说甩就甩吧！"

会后刘素英沉思着回到房间，同屋的小赵正收拾行李："刘总，这是我的新名片，今后请多多关照。"小赵回去就辞职，和父母一起搞水产养殖。

刘素英吃惊："你这么年轻已经是副总，辞职太可惜了吧……"

小赵笑："不可惜！纸媒反正也没几天活头。不如早早寻个其他的路子。"

刘素英更不解了："你这么年轻，干吗不去新媒体啊？"

"新媒体的庙，也容不下这么多罗汉。我思来想去，这个世道，千变万变，三产不变！移动互联网再发达，烧饭理发打扫卫生这些事，总得在线下进行，总得有人去干吧？我们都还嚷嚷着要去新媒体，人家真正搞互联网的老人，都去种地喂猪养羊去了。我不能再跟别人屁股后面走了，直接奔水产去了。以后您要是想吃螃蟹大虾，就告诉我，别客气！"

刘素英喃喃道："养螃蟹？你不觉得……"

"丢人？大姐，我跟你说啊，以后啊，挣不着钱的，才丢人。我又不偷又不抢又不贪，何必拘泥于白领这个帽子呢？其实上面都是破洞。"

这趟差出的，信息量太大了，刘素英一时半会儿消化不了。坐在回家的公交车上她还在若有所思。

有个老人为了争座和年轻人生气，另一个老人劝道："老兄弟，他们尊老，咱们爱幼！咱们不要给老年人丢脸，稍微有点儿人样。"

刘素英突然动心了。

郑雨晴在湿地健步如飞，高飞还以为她担心自己转正的事情，其实她在为改革心慌。

"开几次会都开不下去。扒谁的皮抽谁的筋都不愿意。连我最亲的战斗伙伴，一起出生入死的刘大姐，都不支持我。我都满头乌包。这种情况啊，我巴不得他们都不投我票，选不上才好。"郑雨晴一脸颓丧。

高飞笑了："这些个选举啊，都是过场，又不是差额，又没有竞争对手，就你一个，只是好看难看。"

"丢的，不是我的脸，丢的是集团所有人的脸，马上都要全盘失业了，还打自己小算盘。你给我指条活路啊！"

高飞："你那，没活路，调动不起来。它不符合市场规律，却要走市场。你知道我们民营企业，都倒三角管理了，员工自己去找饭碗，找阵地，他们贴着市场走，他们最知道消费者需要什么，他们问老总我要资源，要支持。我现在是被我的下属推着走，我不走，他们比我还急，是他们考核我。我干得不好，他们就炒我了。你那个体制，哪能搞好呢？"

郑雨晴坚定地说："我改。你怎么说，我怎么改。破釜沉舟，搏死拉倒。我今天，已经把报社的小年轻自己放出去众筹了，他们比我们有活力多了！"

高飞："你的肿瘤，在那些老人身上。"

"所以我才头大，心慌。"

"这又不是你自己的企业，干好干坏跟你又没啥关系，尤其是你在这个位子上，报社就是倒了，你都不会倒，你操那么多心干什么？"

郑雨晴又伤感又坚定地说："虽然是奶妈，但喂一天，就得当一天亲生孩子带。"

高飞意外地看着郑雨晴，没想到这么一个瘦瘦小小的女人，蕴藏着这样的能量和使命感，他对她刮目相看。高飞笑了："好吧！我得教你上树的功夫了。你呀，给他们开个鸿门宴。"

鸿门宴的地点，就在高飞的公司里。食堂的小包厢，设在相当雅致的画室里。画室名为抱朴斋。

抱朴斋除了吃饭的大圆桌，还有一张巨大的画案，文房四宝都是现成的。郑雨晴带来的一帮人，都是一个集团的同事，供职于新闻单位，怎么着都沾着点文气，一个个揎袖攘臂，哄笑打闹，喧嚷着让郑雨晴先亮墨宝。

郑雨晴吓坏了："我哪行啊！我字那么难看！我不写我不写！"有人马屁兮兮地说："也对！我们抛砖，引领导的玉，我们画龙，领导点睛。你们谁先上？"

张国辉上来就写：八方来财。

钱总监也写：不做假账。

ＨＲ是个女同志，字体清秀：以人为本。

发行主任：以量取胜。

出版社：删繁就简。

网站跟着来了下一句：标新立异。

晨报：起得早不如来得巧。

文摘报：抱团。

周末报：取暖。

轮到刘素英，她沉思了半天：夕阳红！

林林总总，五花八门。连最不济的印刷厂长，也跟着附庸风雅，在宣纸上写：出菲林——这是印刷厂的术语，就是版样出胶片即将上机开印的意思。大家看了哈哈一笑。

郑雨晴点评："不错不错，各抒心声。"又推推小粟，"你也写一个！"

粟海峰是郑雨晴今天特意叫上的，按他的年资和身份，还不够格摸上这桌饭的碗筷。

小粟推让几下，于是写：内容为王。

大家最后公推郑社长代表集团给画室留下墨宝。郑雨晴微微一笑："我这小学生的字，就不写了吧，露丑。"众人皆不答应。于是郑雨晴勉为其难，看一眼墙上挂着的抱朴斋三个字，就画着画着，画出：守拙。

众人鼓掌。

张国辉叫好："写得好！写得好！对上了！对上了！小姐，赶紧把字贴墙上去！"他猥琐地问："这抱朴斋主不知是谁？倒是跟我们的郑老总，情投意合！雨晴社长给我们介绍介绍？"

嘻嘻哈哈，菜就上齐了。坐定一看，一桌全是素菜，让这些吃惯肉喝惯酒的人，不大适应。

张国辉带头提意见："摆这桌和尚饭，莫非郑社你要带领团队集体皈依？我好歹也给集团要了不少钱回来，一顿饭总吃得起吧？"

郑雨晴拿筷子敲了敲杯子："我上任以来，一直想和大家聚聚，但天天忙着四处扑火堵漏，没有时间，心情也欠奉。这两天呢，就要开大会了，也不知结果如何，所以，我提前小摆个宴席，感谢大家这几个月对我的关照……"

张国辉恍然大悟："哎哎，郑社要转正啦！转正大宴！您这是拉票啊！哈哈！"

郑雨晴笑里藏威地看着他，不作声。张国辉赶紧表态："老板，你放心！我们这里的一帮兄弟，在我的带领下，一致向您表忠心！绝对为您摇旗呐喊！你不干，我们绝不答应！"

郑雨晴按下他激昂的手："这个，我早已放心。来，吃菜，吃菜！"

发行的老大凑脸上来说："怎么也要搞酒吧，有酒没菜，客人不怪。有菜没酒，掉脸就走！服务员，赶紧上酒！"

郑雨晴："抱歉啊高主任。抱朴斋这里，只提供粗茶淡饭。"又解释道："大家都知道抱朴守拙四字，语出明代的《菜根谭》。这本书就是勉励人们，正心修身养性育德。毛泽东也曾经说过，嚼得菜根者，百事可做。"

《文摘报》的老大哟了一声："老板这是请我们吃鸿门宴啊！"

郑雨晴："集团百废待兴，百业待举，正是要努力嚼菜根的时候啊。目前，除了《都市报》，各二级机构都还处在亏损状态吧。钱总监，报报账？"

闻听此言大家刚才写字的快活劲都没了，出版社的老总脸色有点难看："哎呀，老大啊，难得吃顿合家饭，一谈账，就难以下咽了。吃素就吃素吧！账就不要报了。"

大家盯着郑雨晴的眼神，纷纷收回垂到自己面前，做出认真研究碗筷的样子。

《文摘报》老总年纪最长，他抬起头，一脸苦逼："老大，你的改革方案里，直接就把我给并掉了。我也知道，《文摘报》，并掉的我们不是第一家。可是……"

网站总编说："新媒体发展需要大把投钱，郑社，你的方案里，还砍了投入。我们是报社的生命延长线啊！"

出版社老总也附议："出版社，我看了一下，都不在郑社改革预案里，郑社想必对我们，是有另外的打算。其实我们现在，每年真消耗不掉多少银子……"

所有人都在抵触。郑雨晴半开玩笑："哎哎哎，难得我请大家团聚一次，怎么搞得跟吊丧饭一样啊？开心起来！振奋精神啊！"

张国辉得意地搓鼻子，抖着腿："我们广告已经超额完成今年任务。明年增长 20%！妥妥地！郑社，你答应的奖励，可要兑现噢！"

郑雨晴没接张国辉的话茬，她端起茶杯："我以茶代酒，拜托大家，嚼得菜根吃得苦，抱朴守拙练内功。咱先把一己之利放一放，如果我们改革成功了，咱们业绩上去了，效益出来了，明年这个时候，我摆大酒给你们庆功！"

刘素英自己站起来，端起茶杯，很认真地对着郑雨晴，也是对着在座的各位，突然说话："郑社，你跟我谈，希望我放弃副总的位子，去抓物业管理，经过慎重考虑，我接受您的邀请。我在这里表态：作为集团最老的这一拨人，我坚决支持这次深化改革。我更进一步提出，在现有的改革方案下，我想走市场化的道路，放弃集团提供给我们物业的优厚条件，把物管部独立出来成为物业公司，独立核算，自负盈亏，保证做到不把大厅和会议室对外出租盈利，并尽量接近甚至超过香港仲量联行这样一类物管公司的水平。我的年纪，也许不再适合新媒体，但我的年纪，绝对不到给社会、给报社、给家庭添累赘的时候。我自己不去主动拔掉老化的翅膀，我就没有重生的机会。感谢郑社在这个年纪上，让我重新审视自己，重新来过一回。"

郑雨晴的眼泪，唰地就盈到眼眶。她用了很大的努力，才将欲落的泪水咽回去，平复一下感激的心和哽咽的咽喉，郑雨晴缓缓站起来："刘副总，谢谢你对这次深化改革的支持，我们集团是我们成立以来几千名老员工几十年如一日创造出来的，而这一轮改革关乎生死，我不希望我们的员工像汽车来临时代那些马车工匠们，水平再高却没有这个行业了；改革是痛苦的，也是必须的，在集团有能力庇护你们，让你们另起炉灶的时候，我会给各位最大的支持。刘副总，我们先不谈市场化，我们只做不说，等时机成熟了，市场自然会向我们招手。"

嚼完菜根散了席，高郑二人偏安一隅在吃消夜。街头的烧烤摊，深夜生意正红火，几十个桌子坐满食客，整条街烟火缭绕。

郑雨晴说："感谢师傅！你真是我取之不尽用之不竭的百度百科。"

高飞摇摇头："当不起当不起。我不过备了一桌斋饭嘛。"只听得高飞颈椎咔咔作响，他疼得直揉脖子，"哎哟，这颈椎病啊……雨晴，你这心，操大了，你看你那深化改革的布局，这哪是你这一届力量能完成的啊？你又知道你能干多久啊？饼画那儿了，没吃两年，整个传统媒体嗝屁了。"

郑雨晴关切地问："颈椎病又犯了？没事吧？"

高飞伸伸脑袋："没事，我弄了个简易的牵引机，天天吊呢。"

郑雨晴咬着筷子头，深深地叹气，而后目光慢慢坚定："都说传统媒体已死。我不相信。什么是媒介？大众传播学奠基人麦克卢汉说的，媒介即信息。技术进步了，媒介就会改变。但我觉得，从事我们这个职业的人，只要在学习着，在提供着内容，他就不会死。"

高飞笑了："可不是，都还费着粮食呢！"

郑雨晴："我想带着他们闯一闯，不仅仅我们报社，全国上下这么多媒体人，不能因为移动互联网了，就全抹脖子上吊。你说的，没有垃圾，只有放错位置的财富。我想试试，能不能把他们都拉出悬崖。我要保证他们都不会失业。"

高飞："光靠我出主意可不成，你得自己充充电啊！哎，对了，我上的那个EMBA班后天要去腾讯公司参观学习，要不，你也一起去看看？"

郑雨晴高兴坏了："好啊！"她灵光一闪，"我想明白了！就算市里真把500万要回去，我也要把事情漂漂亮亮办掉！人家一个球队都能筹到钱，把自己送进甲级联赛，我怎么就没能力发动老百姓给自己住的城市做一回寿？这跟互联网没关系，这跟内心的喜欢有关。我的报纸办到老百姓喜欢了，他们就会掏钱！"

高飞肃穆了半响，缓缓开口，带着敬仰："雨晴，你让我刮目相看。以前真是被你中二妇女的表象给蒙了，直到今天晚上，是你，才让我意识到，女人的境界要比男人高远，女人的力量要比男人坚定。你知道吗，我其实很早就知道你要当社长。"

郑雨晴不解地看着高飞。

"你上任以前，组织来我这儿调查过你。"

郑雨晴大惊："上你那里调查我？"

"对。你可记得你曾经抵押房产包下广告位，解我困境了？"

郑雨晴点头。

高飞："那是明显的利益输送，你们集团领导变相给自己发了奖金。普通员工，谁能把这么多广告位给推销出去呢？结果，那趟包机，被你给踏上了。在调查他们案子的时候，有关部门特地来我这里查账，我把我的借款记录，你买房以后按月还贷的账单，一张一张都调出来给他们看。我看到那些人惊讶的眼光，我就知道，你会给他们留下深刻的印象——那么多块版面，你没有从中渔一分利！我那时候就知道，你未来会走高。你是一个让人钦佩的女子。"他拿着饮料跟郑雨晴碰了碰杯。

郑雨晴大笑："你们别看我突然就当官了，其实我当官以前的那么多年，天天都往我人格里存钱。哎，你们去腾讯，哪个航班哪个酒店？我让方成帮我跟你们订到一起。"

"一会儿传你手机上。"

烧烤摊另一头，张国辉等人也在夜餐。张国辉喝得满脸通红，一抬眼看到角落里的郑雨晴和高飞，赶紧捣捣身边人，让他们一起看稀奇。喝着小酒吃着小菜，张国辉开始八卦郑雨晴，他淫荡地笑："我们领导，那也是个长情的人啊啊啊啊……以前是李保罗，现在是抱朴斋……"

郑雨晴现在满脑子是省钱，恨不能订红眼航班和快捷酒店。怎奈高飞他们一班大款，不跟她来这套穷游。她借来吕方成的信用卡，他金卡里有积分，可以折成钱来用，多少也能给报社省几个。

郑雨晴前脚拎着行李箱到机场，吕方成后脚接到希尔顿的短信，大致内容是，大床房没了，能不能换双床房。吕方成只当是错发的信息，没去搭理。但很快电话就打来了："吕先生，您通过网上预订的双人双早大床房，我们很抱歉地通知您，因为大床房没了，不知道能不能换双床房？"

吕方成莫名其妙："为什么是双人双早？"

对方答："对的。订单显示是两人的。这是您本人的订单吗？您和高……哦！不对，错了，是郑雨晴和高飞。"

吕方成脑袋嗡一声大了！！他打电话给郑雨晴，手机已关机。吕方成再拨高飞的手机，也关机。

飞机已经起飞了。高飞和郑雨晴坐在飞机的前后排。高飞是商务舱，郑雨晴在经济舱。

腾讯之行，令郑雨晴眼界大开！简直山中一日，世上千年。她压根儿没有想到，原来世界已经变化到这种地步！人家不仅仅是技术设备先进，人家理论和管理更超前！

无论在新媒体那里见到什么，郑雨晴都是一副下巴要掉地上的表情。高飞忍不住低声调侃："你算是我邀请来的，好歹给我留点脸面，不要总一副刘姥姥进大观园，没见过世面的样子！"

郑雨晴手里捏着刚刚用 3D 机打出来的青蛙，也压低声音："老大，这些全是你的同学。人家认得我是哪个？这小青蛙我顺走了，带回去给萌萌。你也顺一个，给你家高兴！"

高飞哭笑不得。

郑雨晴把高飞拉到一边："其实我心里慌得很。刚才那个动画媒体，我都看呆了。我们还在小米加步枪，人家都上隐形战斗机了！我还老在唱纸媒不死，纸媒挺住……"

高飞看着郑雨晴一脸丧气的样子，忍不住伸手拍拍她的肩膀，安慰道："机器生产包的时候，手工匠人都以为失业了，但现在看看，爱马仕比机器包可贵多了。各有各的活路。你昨儿还心潮澎湃地马车要跟汽车对决，今儿又心理崩溃了。两个小人在你那儿的打仗，可得有一阵子呢，你得挺住了。"

郑雨晴欲哭无泪："师傅，你还有招数没？"

智商情商都不够用啊

在酒店前台办入住时，郑雨晴才知道网上订房摆的这个大乌龙。她心里压根儿没把乌龙当回事，但她不知道，吕方成却翻江倒海，如同炼狱。几天后她回到江州，晚上九点半，高飞的司机把郑雨晴送到楼下，那辆耀眼的车缓缓开出小区，郑雨晴才挥手道别走进门洞。吕方成一直站在自家窗前，从高处洞察这一切。

郑雨晴到家把箱子往门边上一靠，二霞就主动过来收拾归类各种物品。萌萌在卧室里喊妈，郑雨晴诧异地看着吕方成阴沉的脸问："这都几点了她还不睡？！"

吕方成并不答话，郑雨晴拿出 3D 小青蛙直奔女儿的房间，跟女儿说了两句，就把灯关了，不再理睬萌萌嚷着让妈妈陪自己。

她径直冲进书房开电脑，二霞进来报账，她手一挥："二霞，你自己看着办。琐事不要跟我汇报。我明天要开集团大会，我得把稿子再顺一顺。"

吕方成面色阴郁，绕到郑雨晴身后站定，准备跟她长谈。还没等他开口，郑雨晴便没好气地说："你别在这里杵着。我深化改革方案还没整好。明天说不定死得很难看。"

吕方成憋住话头，知趣地坐到地铺上。他沉默半晌，还是忍不住问："雨晴，你这次到深圳，天气还好吧……"

郑雨晴简单地嗯了一声。

"住得也不错？"

郑雨晴再嗯一声。

吕方成清了一下嗓子，艰难地发问："你们这次，都谁一起去腾讯了？"

郑雨晴没回头，嘴里嘘一声，以示吕方成安静。

吕方成拿起手机，按按短信，看看微信。又没好气地扯过一本书，哗哗哗地翻得很响。

郑雨晴："求求你了！能不能别弄出声音来？都跟你说了，不要打断我的思路！"

吕方成冷笑："我还能喘气么？你一进家门，就嫌弃这个嫌弃那个！这家里，谁能入你的眼？"

郑雨晴不耐烦地摇头："大哥，我脑子现在短路，你别跟我这里占我内存！"

吕方成没好气地往地铺上一倒："好，我躺倒，我睡这儿可以吧？你真没什么可跟我说的吗？"

郑雨晴眼睛盯着屏幕，手不停嘴不停："你去卧室睡！你陪萌萌睡去！我要在这里，开夜车。"

吕方成忍着怒火，咬着后槽牙问："这是要分居的意思？"

郑雨晴没听出他话里有话，头都不回地甩出一句："以前也没合过呀！"

第二天，吕方成特意起个大早，想趁郑雨晴上班前再找她聊聊。可推开书房的门，郑雨晴早没人影了。她上班去了。

郑雨晴的转正与集团深化改革二会合一，会议规格相当之高：市长坐镇，宣传部和组织部两位部长镇场。郑雨晴连夜准备了洋洋万言，她站在发言席上，从五个方面深刻剖析改革的必要性。

"首先是生存的需要！我们作为面向市场的传统媒体，面对新媒体的阻击，已经没有还手之力，但究竟什么时候会面临分崩离析的局面，很多同事还抱有幻想……"

礼堂里坐满集团职工，人人手里捏着一只笔。大家仰着脸，看着台上的郑雨晴，静静地听着她的发言。旁边有人事部的人在发深化改革的投票表。

郑雨晴说："从执行层面上讲，我们很多内在的问题，如：费用问题、管理问题、策略问题等等已经爆发了，基于这些理由，我说它是一个生存的需要，我们要活着就必须有所变化。你再怎么反感、抵触，都要去变化……"

刘素英戴着老花镜看，手里的民主测评表上，郑雨晴的名字下面有"德能勤政"四栏，每一栏下面都有四个选项：优秀、良好、一般、不及格。她毫不犹豫在每个优秀的下面，唰唰打上大大的对钩。而表格的最下方，"你对深化改革方案的意见是"，刘素英填上：支持。

郑雨晴的思路异常清晰："第二个是战略执行的需要。我们集团的战略落不了地啊！最近为了推动本轮变革，我到各单位进行调研，对最基层员工进行访问，结果让我很沮丧。在你死我活大敌当前的局势下，很多同事还在为眼前自己的一亩三分地争抢。皮之不存，毛将焉附？由于我们的层级太多，我们的目标与执行力层层衰减，如果是这样的一种执行力，我们怎么和外界的竞争对手去竞争？"

粟主任也在打分，他在表格最下方填上"同意"。

"第三个层面是内部管理的需要。大家看到大屏幕数据，我们500名员工，2000多名退休职工，一线采编人员在几次精简以减少开支的情况下，只剩下不到40名。在比拼内容的今天，创造价值的员工如此之少，消耗价值、转移价值的管理者及部门如此之多……"

右右拿着笔咬来咬去。

何亮亮正襟危坐，轻声地："点赞！"

右右翻白眼："你点你自己的，你看我干吗呀？"

何亮亮很紧张地看着右右，生怕她乱来："你想好了填啊！"

右右填完立即捂上纸，何亮亮扒开她手想看，右右使劲捂着不让看。最后被亮亮看见的是两个字："好评"。

何亮亮不可思议地看着右右。右右不好意思地揪耳朵："我这人吧，大度！……好吧，我现在也觉得弄脏蹲坑的人是挺讨厌的。我自我反省挺好的吧？也不知她什么时候让我官复原职？"

何亮亮忍不住哈哈大笑，并且做出嘴巴张得老大、头到处乱摇的样子。右右按住何亮亮的头，不许他嘲笑。

郑雨晴说："观念的转变，能力的提高，是每个在座同事的自我驱动，我们的爷爷奶奶可以学会从摇扇子到开电风扇，我们的父母可以学会打手机发短信，我们自己就不能够在移动互联网时代让自己脱节……"

张国辉坐在台下，前后左右不停小声招呼："都看清楚了再画！要四项全优！都写同意！今天市长都来了，我们要和领导保持高度一致！

郑社是我们的好社长，有她在这个位子上，大家都好办事……嘻嘻嘻！"他边说边从口袋里摸出纸巾擦鼻头。

刘素英和粟主任听到，交换了一下复杂的眼神。

郑雨晴的发言已近尾声："我知道这次改革的难度，动作大、范围广、牵扯的人员多，可能会动了很多人的奶酪。哪怕把他从一个后台支持的管理岗位调到营销岗位上，他都会有些想法，尤其是在那些'春风不度玉门关'的地方。说老实话，在中国改革者往往是伤痕累累，尤其是在国有企业，搞不好就会半途而废，中途夭折。人家说'出师未捷身先死'，还没改成，你就倒在了变革的路上。这是我犹豫的地方，改好了大家受益，哪个地方做不到位，我们个人就会受到攻击。但为什么最终还是下决心去改呢？

"第一个原因，是我们集团和股份公司班子成员的支持。这个改革方案党委会议全体一致通过。对于我这个班长来说，确实坚定了看到未来的信心。大家都不想坐以待毙。

"第二个原因，就是我个人没有私心和诉求。在报社工作近十五年，我心怀坦荡，没有个人私利，没有个人诉求。改革无论成功还是失败，我问心无愧。我非常推崇一句话，'岂能尽如人意，但求无愧我心'。为了报业集团的未来，为了《都市报》，为了我们的员工，希望我们的员工和我们一起成长，希望我们的员工都能为集团的发展感到荣耀和自豪。我们不想落后于这个时代，这是我的心里话。"

卢市长冲右边的江部长满意点头，又侧脸和左边的组织部长交换肯定的眼神。三位领导颔首微笑，带头鼓掌。

全场掌声雷动。

张国辉第一个站起来投票。他就那样用两个手指尖拈着票，张张扬扬，一路抖得哗啦啦响。他不停对台上郑雨晴挤眉弄眼做着暗示，只恨不能把票送到郑雨晴面前去买好。张国辉夹着屁股走到投票箱前，站定，左顾右盼，四下张望，又冲着台上的领导们逐个谄媚一笑，轻佻地把表投进票箱。

会议最后，卢市长宣布任命："我代表中共江州市委，任命郑雨晴同志为中共都市报业集团党委书记，都市报业集团董事长、总经理，都市报社社长！"

掌声里,江部长和郑雨晴握手:"小郑哪,祝贺祝贺!这么短的时间,你就把这里盘得风生水起,了不起啊!市领导对你相当满意啊!你,前途远大!"

郑雨晴谦虚:"在您领导之下取得的成绩!我还记得您向我宣布任命时,吓到我腿软,好几个晚上没睡着。"

江部长笑:"现在不怕了吧?"

"更怕了!"

一楼门厅里,郑雨晴送别三位市领导,她惊诧地发现,这里异常干净整洁,一扫平时脏乱差的衰样。不仅红毯铺地,绿植盎然,鲜花盛开,连久不工作的 LED 也出现字幕:热烈欢迎市领导莅临集团考察!热烈祝贺郑雨晴当选集团党委书记董事长……

怎么回事?这次大会特意没有通知物业,就想让领导们看看物管有多差,这样在汇报的时候,好顺理成章地把这个作为问题和重点。但是,好像有人走漏风声了?

刘素英的个性就是这样,她想不通的,前面就算黄金万两,强按头都不喝水。但凡她想明白的事情,刀山火海,九头牛也拉不回。郑雨晴回到办公室,刘素英已经在此恭候,开门见山道:"我想,明天就上岗。"

郑雨晴百感交集:"真要这么快?"

刘素英肯定地点头:"既然要开刀,就从我身上下第一刀!不要磨磨叽叽了。"

郑雨晴顿时泪湿眼睫,她攥着刘素英的手,又忍不住抱了抱刘素英。

半晌,刘素英打破沉闷:"嗨,能说点吉祥话吗,我这是华丽转身,你搞得伤感兮兮的。兴许我把物业整得花好月圆的,还跑创业板上市了呢。"

郑雨晴立即掸了掸袖口一拱手:"刘总,我祝你,生意兴隆年年旺!"

刘素英低低地道个万福:"回郑社,财源广进天天发!"

郑雨晴借机开口提要求:"师傅,你能帮我消化几个人不?就那几个开电梯的……"

刘素英一摆手打断她:"得得得,你适可而止啊!要走市场化,咱就按市场化来,我还没开始跑,你先给我系上沙袋。那几个奶奶,免谈!"

郑雨晴娇嗔地白刘素英:"我这给你人财物支持的,你连个人都不替我带。市场俩字一挂上，都唯利是图了。"

刘素英一乐："你不要跟我搞国企那一套。"

郑雨晴抽出纸巾很响地擤了一下鼻子："这么多天了，一直克制着，刚才到底没忍住。哎，哭一哭，心头松快多了。"

刘素英的声音也是囔囔的，两个人相视一笑，拿着纸巾擦眼泪揩鼻涕。

一个不高的男青年，立在门边探头探脑，他敲了敲门框，有点犹豫："我，我，没打扰二位领导抒发感情吧？"

郑雨晴和刘素英都一愣。

男青年赶紧自我介绍："郑社，是我，美术设计部的小李，李旷华啊！"

李旷华是上来要求承包食堂的。

郑雨晴很意外："你是美院毕业的吧？"

李旷华："哎，老板，你不要有学历歧视嘛！画画跟烧饭不冲突啊！用的都是大脑里创意的那部分。我吧，我有家学渊源。"原来小李爹妈是开饭店的，从三十年前的路边摊一直开到连锁十几家的金满堂。

郑雨晴和刘素英大惊："金满堂是你家开的？！你是富二代啊！怎么从来没听你说过？！"

李旷华："不敢讲，怕领导去蹭饭。嘿嘿，玩笑玩笑。主要是我爹妈比较自卑，老觉得开饭店不上台面，他们死活要让我高雅。不过吧，我从小耳濡目染，对厨艺有浓厚的兴趣，郑社，你如果让我承包了食堂，就等于实现了我的中国梦！"

刘素英敲打小李："食堂工作又脏又累，繁杂得很啊！可比不上你设计栏标画小刊头清闲！"

小李："两位领导，食堂交在我手上，我保证菜比现在做得好，钱比现在收得低。我还能给各位加班的同事准备爱心打包晚餐——哎，刘副总，我的食堂还可以和你物业联手，给大家提供全方位的服务，解决居家难题！不过，我有个前提条件，别告诉我爹妈。他们只要看我每天早上开车来报社，他们就安心了。"

郑雨晴和刘素英相视一笑，立即吩咐陈思云："起草文件。"

陈思云深提一口气："懂！咱集团深化改革的第一炮！"

"关于刘素英李旷华同志的人事任免通知"旋即下发到各部门，立即像油锅里溅入了水星，反响极大。

粟主任听到这些七嘴八舌，走出自己的小单间，立即被记者们包围："粟主任，你给解读一下这个文件？这一老一小让人感觉是商量好似的，他们这是要把肥缺都占掉的意思？"

粟主任笑了，冲发牢骚的同志说："那，你也可以竞争上岗。刘总物业的位子，你去干，只要你能提出比刘总更好的方案。"

对方立刻缩头了："刘总以前绰号就叫拼命三娘！我搞不过她。物业也不是啥好差事，抹地扫厕所的，我不去！"

粟主任又笑："那你去承包食堂？"

旁边有人挤对他："就他，搞食堂？粟主任，你饶了我们大家的胃吧！"

粟主任很严肃地说："是啊！知易行难。看别人占上的位子，都是好。让自己做，却都不肯的。你们啊，有这空牢骚，赶紧转身看看，眼跟前的事还有哪些能主动争取的。何亮亮已经和江天佑搭了对子，负责建市七百年的宣传策划……"

大家又开始尖酸刻薄："能不能公布一下你们领导对这次改革的时间表和空缺啊？怎么好口子全都给占走了？"

"七百年的宣传市里专门拨款有500万！这好事怎么轮不到我们呢？"

"当然轮不到你。你爹是宣传部长吗？还传说她爹马上要升市长了！"

"从这个角度来看，确实生死存亡！有门路的，和领导走得近的，不仅活下来了，而且吃香的喝辣的，死掉的都是我们这样的草根！不公平！"

粟主任："何亮亮他们小组，两个人确实力量也单薄了！大家，有愿意参加的吗？"

一群人举手："我去我去！500万啊！闭着眼花花！"得知还是没钱也要打酒，500万一分钱不给花，那些手，缩得比举得快。

有一只手却还在半空："记者提问！记者提问！一分钱不花，那市里给的500万社里花哪儿？"

粟主任一看，原来是刘素英。他指指老刘："到底是老记者，问题犀利！领导决定，这500万，花在内容上。今后，凡是出了重大的、优秀的稿子，奋战在一线的记者，所获的奖励，有可能超过郑社。社里正谋划首席记者制。"

众人"唰"地都不见了。粟主任诧异地看着空荡荡的办公室："再大的理想，都得用钱去落地啊！跑得比兔子还快！我还没说首席记者的标准呢！"

他打开微信群："今后我们都在群里办公，跑一线的记者不必打卡，以稿子点卯。我们的标准是重质也重量，有新闻价值的稿子，你一年发一篇也行；找不到有价值的稿子，按量计酬也行，但采取末位淘汰制。不适合采编的人，自寻岗位。"

半天，群里都没回音。粟主任笑了。

张国辉被公安带走了。在众目睽睽之下。

温泉中心的老胡实名举报张国辉搞新闻讹诈。老胡之所以能办下那么大一个温泉养生中心，显然不是寻常人。张国辉得意之时全然忘记在这个复杂关系的时代，打狗也得看主人。更要命的是，张国辉低看了长相粗鄙，看上去没心没肺的大老粗老胡。老胡每次见张国辉，都带着录音笔，每次电话都录音。带着这些证据，老胡把举报信、广告协议和报纸上的新闻一并交了上去。

张国辉的时运应该是到头了——纪委举报邮箱里，早几日就躺着几封匿名举报信，举报罪名是，《都市报》搞"有偿新闻"。两期保健品特刊，采用先黑后洗的方法，有计划有步骤，先抓住保健品生产厂家的小辫子，再收"保护费"，手法之老道绝非初犯，后面还附着张国辉在温泉中心卖保健品的照片。

两起事件互为佐证，张国辉一脚踩中，同时引爆。

张国辉是在办公室被带走的，走的时候还故作镇定地对走廊里的同事说："你跟郑社打声招呼，就合同单位有点情况，需要我去说明一下，工作暂时移交给她。放心吧，我没事！"

张国辉一进公安局的门，就开始咬人。"都是郑雨晴让我干的！首长，你们也知道，我们现在都是一把手负责制！所有的事，她不点头，我不能干啊！我个人又捞不着什么好处！我举报材料早就写好了！只等你们召唤！我怕只有我一个人举报，身单力薄被她整啊……"

张国辉还说自己是传说中的卧底，在《都市报》忍辱负重，只等光明来到的那一天。"我早也盼，晚也盼！盼穿双眼……"张国辉如戏子一般，开始唱样板戏。

郑雨晴一个人在办公室里，仰面朝天闭目养神，脑子飞转，张国辉乱咬自己，她并不担心，但又不知道将要面对什么样的局面。面前的桌上摊着张国辉一系列报销单据和财务部画得惊人的红线。郑雨晴在上面写了画，画了又写。

方成妈这几天总挑医院的毛病，嫌对面病床的老太太打呼吵得人不能睡，又是想孙女不能早晚看到，还心疼儿子花的住院费，总之一个要求，出院回家。二霞看她恢复得不错，就做主办了出院手续。自从上次打不到车受到歧视，二霞一口气在手机里下了好几个打车软件，这次她叫了个专车，一个人轻松愉快地把老太太接到家来。路上方成妈有点懵懂："二霞这车是谁家的？比郑雨晴的官车要高级吧？"

但在洗澡环节上出了问题，那个热水器老臣，好三天坏三天，现在又摆谱了，这次让方成妈一身的肥皂泡，很狼狈地坐在浴缸里出不来。

二霞摆弄不好热水器，只好向郑雨晴报告。而郑雨晴又赶紧把任务转包给吕方成。

吕方成在广场舞排练现场，一边是音乐沸反盈天，一边是旁边小区居民拿大喇叭抗议：广场舞严重扰民！

看到是郑雨晴来电，吕方成赶紧接听，但他根本听不清电话里面郑雨晴在说什么。他一溜小跑钻进洗手间，耳朵里却传来对方挂机的声音。

郑雨晴被吕方成电话里的噪声吵得头疼，对着话筒讲半天，吕方成连一句整话都没回过来。她只好挂掉，再给吕方圆拨电话，发现吕方圆占线着，便再拨高飞，高飞也占线。郑雨晴一筹莫展中，突然想到了刘素英。

吕方成这边给郑雨晴回拨电话，郑雨晴占线。他略一犹豫，鬼使神差就给高飞打过去，高飞也占线。吕方成一声冷笑放下手机，抬头，看到镜子里的自己，一脸尽在掌握不屑为伍的鄙视。手机又响了，吕方成蔑视着屏幕上的来电人郑雨晴，鼻孔里哼出一声，手机往裤口袋里一揣，推开洗手间的门。《最炫民族风》的强烈节奏旋即冲进来，包围了他。

郑雨晴对刘素英说："大姐，你看，我让你当物管，先给自己牟上私利了。我家热水器坏了，您能帮我买一个安排装上吗？越快越好。我家老太太满身泡沫等着呢！我也只能求您了。"

刘素英在物管科，一手叉腰一手讲电话："雨晴啊，我这就算上岗了吧？你交代的这些事，没问题。都可以帮你办。我的任务就是帮你解决后顾之忧的！但我有一个问题啊！"

"你放心，发票给我留着，实报实销！"

"不是这个事！是物业不让位啊！我们两边现在正准备干仗呢！"

老物业和新物业已经都拿着武器剑拔弩张了。一个要上岗，一个不让位。刘素英在电话里问："我到底是现在去换热水器，还是在这儿拼老命？"

郑雨晴吓着了："大姐，你千万别胡来。我是让你工作的，不是让你送命的，你要是有啥，我咋跟姐夫交代啊！先撤，先撤！我回来解决！"

郑雨晴没了主意，只好去找高飞。茶馆里，高飞与郑雨晴相对而坐。

高飞打趣郑雨晴："我就一个电话没接你的，你就心急火燎要见我了啊？对我的思念与日俱增啊！"

郑雨晴双手奉上物业合同："大麻烦，大神你赶紧给我送走吧！不然要出人命了！"

高飞简单翻了翻，合同轻轻放回桌子上："就这事儿？要出人命？"

郑雨晴飞快地煮水，洗茶，烫盏："你不要小看这物业，我特地翻了翻这两年市里的报纸，光换物业发生的暴力案件都十几起，人都死过三四个！我就纳闷了，看起来也不是啥肥差，怎么值得动刀动枪呢？"

"你这是抢夺人家几十口人的饭碗，那人家不跟你拼命？再说了，哪个物业公司只管一摊子事？他这一摊子要是败北了，以后在其他地方想混得响就难了。这就是争地盘啊！"

郑雨晴："我的改革这才迈一条腿出去，就要给绊倒了？"

高飞邪邪一笑："你呀，对待非常人，要用非常方。"高飞端着小茶杯，吹着茶叶嘬水卖关子："你这个小文人。"

郑雨晴放下茶壶："你什么意思啊？"

"书生意气。"

郑雨晴狐疑看着高飞，拿起合同一页页翻看。

高飞："跟这帮人过招，用法律那就搞大了！他们一屁股屎自己都清楚呢，点他几句，自动滚蛋。"

郑雨晴还是不解："我怎么点？手上又没拿着人家的短处。"

高飞压低了声音："打人的时候，不是在打，是举棒瞬间的吓。"

郑雨晴："他们怕我吓？"

"他们怕人民来信吓。"

郑雨晴瞪大眼睛："这我没有。"

高飞叹气："唉，一看你就是缺乏对敌斗争的实战经验……我告诉你啊，这个物业公司敢在报业大楼里摆摊卖东西，就一定还有别的损招子！合同是吴总签的吧？这里面可有啥猫儿腻？吴总，在里边待着，那就是两不通气，麻将你会打吧，诈和，嗯？"

郑雨晴恍然大悟，深深点头："厉害厉害！佩服佩服！"

"厉害啥啊，都是一点点自己摸索出来的。日子长了，吃的亏多了，攒的经验丰富了，你也能给人当智囊团。"

郑雨晴有点紧张："我刚学会说话，现在又得练演技了！你那个EMBA 我不去念了啊，我先到中戏进修去！你知道，我胆小，又不擅长撒谎，到时候别给戳穿了，那我就没脸活了。"

高飞点点郑雨晴的脸："你呀！连个谎都不会撒，就出来混领导了。"

郑雨晴立刻举起茶杯看看四周，站起来，假装单膝跪地："师傅！请受徒弟一拜！"

高飞给吓着了："干吗呀，教你点损招，哪那么言重啊！快起来，周围人都看你呢！"

郑雨晴坐稳，撩一下头发，很轻松地说："我先练练演技。脸皮子不厚一点，咋撒谎啊！"

高飞笑，还用又是欣赏又是心疼的眼神，飞快地掠了一眼郑雨晴。

郑雨晴突然又问，如果有内奸，该从哪里查？她总觉得自己身边晃动着一个虚影，给物业公司通风报信。

高飞想了想，疑惑地说："你秘书？"

郑雨晴果断否定："思云不可能！"

高飞想想又问："你司机……"

俩人眼睛同时亮了："小唐！"

郑雨晴在办公室坐定。十几年前，高飞导演让郑雨晴学会示弱，多用小姑娘的武器，掉点眼泪。十几年后，高导演又让郑雨晴表现镇定。郑雨晴深吸一口气，一副主场比赛胜利在握的笃定，让陈思云召来物业李经理。

等李经理进来，郑雨晴先向他表示感谢。李经理一愣，明明自己跟郑雨晴的姐们儿——那个刘素英干了一仗，怎么她还谢自己？

郑雨晴："我刚当领导不久，真没啥经验，光知道抓内容了，忘记了表象，多亏你几次补漏，不然，单位上上下下哪能在领导眼里看着这么容光焕发？这，还不值得我谢吗？"

李经理得意："哎哟郑社您客气了。这些都是我应该做的。拿人家管理费，就是要把活儿干漂亮了，不叫人挑剔，也不叫人踢摊子。"

郑雨晴笑："你是说刘素英跟您换岗的事吧？"

李经理不卑不亢："换岗不存在吧。大家按合同办事。合同到期可以不续聘，合同不到期，除非我们有什么错处，否则……您说是吧，郑社？"

郑雨晴斜眼看李经理笑，笑得邪恶，笑得有内涵，笑得有些嘲讽，却不说话。老半天了，郑雨晴就这一个表情，把李经理汗毛都笑竖起来了。

"郑社，不知您笑啥呀？我哪点说得不得体？"

郑雨晴打开抽屉，从里面掏出厚厚的牛皮纸袋，往桌上一丢，叹口气："李经理，其实我也不愿意让你走……我做个不好听的比喻：在家当媳妇的，是希望从外边请保姆干活呢，还是想让自家婆婆来帮忙？"

李经理不晓得怎么接话。

郑雨晴："从我内心里，我当然希望你李经理留下。吩咐工作布置活儿都是契约关系。可是，看样子，你是留不住哇。"

李经理觉得牛皮纸袋里有玄机，伸手去拿。被郑雨晴一把按住。

李经理："那里面是……"

"人民来信。"

李经理顿时一脸放松的表情，他轻轻地喊了一下："我这人吧，一不搞女人，二不想当官，一个吃本分饭的，怕什么人民来信！您收着吧！"转身便要走。

郑雨晴把牛皮纸袋拆开，拿出一封信，展开了看："搞女人顶多是生活作风不好。想当官呢，那也算有职业理想。可经济犯罪就是大问题了。

社里有好几笔账，数目不清啊！去年，我数数，一二三四五六……最少六笔，到你们的账上，依据人民来信的线索问财务，财务说是吴总签的字。这，我就不好交代了。因为吴总的案子都还没判呢！啊呀！这封信上，连招行和中行的卡号都有啊！不过很奇怪，户主的名字看着像女人啊！"

郑雨晴笑了，有些轻慢地看着李经理："最近也不知道为什么，都流行实名举报，而且查到最后，都落实了。张国辉，张副总，也进去了，去领导那儿保了他几趟，都保不出来。这次中央反腐的决心很大。"

李经理住了脚："这个，我们都是针头线脑的小账……"他在猜测那人民来信写的内容，权衡着轻重。

郑雨晴也不吭声，把信一封一封塞进信封。

"这些信，肯定不是冲着你李经理的。但每次打老虎都有苍蝇一起给拍死了，拔出个萝卜都会带出点儿泥。"郑雨晴把信塞柜子里，锁上。

郑雨晴玩着手上的钥匙："这信，在我这儿，我能保证不传出去。吴总是我的老领导，不忠不义的事，我郑雨晴不做。这是客套话，也是实话。我不希望我坐在这里的时候，还有警察进来。"她再次打量李经理："我也只能，帮你到这里了。"

说完郑雨晴冲门外叫："小陈，让小唐送我到高新区去。"她收拾东西准备走人。

李经理在郑雨晴出门的那一刻，突然喊："郑社长，那提前解除合同的话，违约金你还是要付的吧？"

郑雨晴停了一下，头都没回就走了。

郑雨晴上车以后跟小唐说："去高新区，我要找个人。"然后如约给高飞打电话，俩人开始演戏。

郑雨晴："哎，高飞，我现在过去了，看看她还有什么消息没在信里写清楚的。"

高飞在电话里大声说："你要注意安全啊！你们俩。别到时候给李经理跟踪上。"

"放心吧！我走的时候，李经理还在大楼里。你能不能帮我到纪检去摸摸底，看这个女人有没有到那儿胡说八道。"

高飞说："我会的。她就是胡说八道，跟你有什么关系，又不是你的错，不都是你前任的问题嘛？"

郑雨晴一脸瞧不上的神色："我最讨厌这种不仁不义的女人，好处她没拿？翻脸不认人！像她这样的，凭什么好处都得了，到头来装无辜？就不能让她得逞。跟李经理无关，我本来也不喜欢他。完全不是帮他出头。但此风不可长！"

高飞："你多事！好，我挂了。"

高新区到，郑雨晴下车，跟小唐扬扬手，自己往里面走。小唐目送郑雨晴走进高新区，迅速拨打电话……

没一会儿郑雨晴手机响，来电显示"物业李"。

郑雨晴故意晾他，手机就持续不断地响。响了再响。

郑雨晴接了电话："李经理，您有事吗？我这正谈事呢！"

李经理果断地："郑社，我们物业开过会了，郑社转正履新，我们不能给您工作造成额外的压力，正好最近又有其他的大厦在招聘物管，我们想是不是这两天就跟刘总交接一下？违约金，我们也不要求了！"

郑雨晴说着客套话，感谢李经理把报社当家一样管理，最后她说，提前解约了，也不能让你们这么多兄弟吃亏，违约金，报社付一半。

李经理大喜，连连致谢。

郑雨晴跟手给刘素英打电话，报告说前方道路已经扫清障碍，请放心驶入。刘素英也报告说，热水器已经换了新的，老太太正在舒服泡着澡呢。

郑雨晴再给高飞打电话，称赞他是神算子，又心疼："人家都不要违约金了，你干吗非要我给一半？"

高飞道："穷寇莫追。这些人都是没底线的。何必给自己惹麻烦？毕竟，公家的事，不要让自己受伤害。你还没吃晚饭吧？我去接你，一起吃个饭？"

小吃街上生意一如既往地兴隆。烟雾缭绕，人头攒动。一群跳舞大妈们吵吵嚷嚷，嘻嘻哈哈，簇拥着吕方成往小吃街走。大妈徐娘半老，挎着吕方成的胳臂，嗲嗲地："哎呀，今天排练辛苦，吕行长出血犒劳大家啦……我们不能白吃啊，要跳出成绩跳出水平！给吕行长争光！"

"对呀对呀！"

"我们肯定拿第一的！"

吕方成手抄在裤口袋里，胳臂被大妈们左拉右拽。他笑容满面，大妈们集体咿咿呀呀，做撒娇嗔怪状。

一个大妈指着叫："那边，有位子！"顺着她的方向，吕方成看到郑雨晴和高飞两个人，面对面坐着，边吃边聊，不时还相视一笑。

吕方成的脸一下就黑了，掉头就走。

清晨，郑雨晴手里攥着验孕棒，在卫生间里等结果。最近工作上的种种琐事，让她压力大到已经三个月不见姨妈的踪影，成天犯头疼。验孕棒慢慢显示出清晰的一根红线。郑雨晴哑然失笑，把验孕棒随手扔进垃圾桶。然后，她一身轻松，拿起二霞给准备的打包早餐，匆匆出门上班。

吕方成打开书房门，他一夜没睡好。头顶鸡窝，眼窝深陷，面色青黑。这副模样把他妈吓了一跳。

萌萌指着他嘻嘻笑："爸爸你好像植物大战僵尸……"

二霞赶紧给他端上一碗热腾腾的面条，吕方成一挑筷子，面条里卧俩鸡蛋："发财了？吃俩蛋？"

二霞鬼头鬼脑，指着吕方成的脸色笑："哥，你不看看自己什么脸色。你必须得开小灶，多增加点营养，补充蛋白质！不然太伤元气了！"

吕方成叹口气："工作忙啊！"

二霞也压低声音："你何止工作忙啊！我看你跟嫂子平日里话都不多，还担心你俩感情不好。闹了半天平时都节省体力，鼓足干劲整小二！想赶单独二胎这趟车？那真得抓紧！趁萌萌跟小的年纪差距不大！"

吕方成疑惑地看着二霞："你从哪儿知道我们要小二子啊？"

二霞指指卫生间垃圾桶："咳，别不好意思了，我都看我嫂子早上验孕了！"

吕方成大惊："验孕？！"

二霞体贴地安慰吕方成："这次没中。下次努力！"

吕方成冲着二霞横了一眼，把碗一放，立即奔到卫生间，一眼看到桶里的验孕棒。他如五雷轰顶，立在那里，动弹不得。

二霞本来想进去再安慰安慰吕方成，看见镜子里吕方成异样愤怒的脸，吓得不知说啥。萌萌还在嚷嚷着要扎小辫儿，二霞赶紧捂住她的嘴，带着萌萌像贼一样溜出家门。

刘素英正式入主大楼的物业办。她拿出管家婆的劲头，把大楼当自己家来收拾管理。笤帚拖把从大市场批，洗手液大盘纸在网上团。看到郑雨晴进她的门，刘素英喜滋滋地报账，今天去一个新开的市场进货，全场特价，又省百十块钱。

郑雨晴笑她是操心的命，刘素英大笑道："还说我，难道你不是？！我都听人议论了，说以前的领导上任就谈五年规划十年战略，郑社上来就谈省钱，说这不像国企，像大宅门！"

郑雨晴突然皱眉："妈的，账上有钱，谁不会糟蹋？现在都千疮百孔了，还谈毛战略啊！为怎么弄着钱，怎么把手头的钱花到位，我愁得大姨妈都快仨月不来了。"

刘素英半开玩笑半责备："哟！你别是怀了吧？我昨天还看你打恶心。"

郑雨晴翻眼："没有。我验过了。"

"你这年龄，验得不一定准，还是去医院抽个血比较把稳。"

"不可能。我俩多长时间连话都顾不上说，更勿论其他。"

刘素英警惕地问："哟，那，你外边有人？"

"你看我现在这样子，像是有人吗？我就差卖身报社为奴了。"

"你……真没有？再仔细想想？"

郑雨晴委屈地说："我都快结蜘蛛网了。"

"不老实。没有你验什么？"

郑雨晴有些不好意思地说："嗨，我不就是中二妇女嘛，我寻思着天上掉下个官帽子都能砸中我，还有什么事碰不上啊？我怎么就不能自力更生怀个孕啊？""

刘素英哈哈大笑，一巴掌拍郑雨晴后背上："你还当你自己是圣母玛利亚啊？你啊，你这不叫二，你叫四！二的平方。不对，你叫井，你横竖都是二！"

郑雨晴自嘲："事实证明，我不是女神的料，我更像女神经。"

俩人笑得前仰后合，被二霞一个电话打断。她结结巴巴："我哥他……嫂子，我，我说错话了！垃圾桶里那个验孕棒……我以为，是你和……我哥他，情绪相当，不稳定！"

郑雨晴听完又哈哈大笑了："嗨呀，这事啊，你放心吧二霞！甭搭理你哥！晚上回去我跟他说。"

刘素英拿手点点郑雨晴，无声地说："二货，没事都弄出事来！"

电话又响，这回是高飞的。高飞居然也关心地问郑雨晴，确定没事吧？

郑雨晴一惊，他怎么知道，还真是神算子不成？她说："我不确定啊……刘姐让我去医院抽个血。"

高飞大惊："抽血？你哪儿不舒服？"

原来两个人说岔了，高飞侧面打听到，张国辉诬陷郑雨晴，说那些钱都进了郑雨晴的腰包。郑雨晴满不在乎回答说，自己问心无愧，不怕半夜鬼敲门。

郑雨晴放下电话，刘素英一脸疑问："还说外面没人！你，是不是和这个高飞？"

"他是我和方成共同的好朋友。"

刘素英像审犯人一样，仔细端详郑雨晴的表情，想找出点蛛丝马迹："可我听着他的声音里，有着超出常规的关切。"

郑雨晴捂住头原地蹦跶："乱了乱了乱了！我和他，真是清白的！"

刘素英开够了玩笑，一脸正色道："我已经和小粟陈思云商量过了，我们三人分头写证明，一定要还你一个清白。你呀，你还是没经验。张国辉就算是诬陷，你最少得放慢步伐好几个月，咱们集团改革可等不了这么久。"

郑雨晴："我这就让财务总监，把张国辉所有的账目给我，咱直接交上去，也配合调查。"

回到报社，郑雨晴开始着手"除内奸"。但小唐是在编身份，不能干脆地打发走。郑雨晴秉承"宁得罪君子不得罪小人"的古训，安排小唐去夜间记者站开车，以"司机班班长即将退休，集团正在物色接班人"为名，给小唐画了一个美好的大饼。没费郑雨晴多少口舌，小唐便高高兴兴地去新岗位上班了。

而自从李旷华承包食堂后，饭菜质量确实大有改观，而且价格实惠。午饭时分，郑雨晴打了一份土豆烧牛肉、一块大排、一盅炖鸡蛋、一份乌菜，加上米饭和西红柿蛋汤，才十块钱。右右和何亮亮惦记着李旷华的牛肉粉丝煲，馋得骑行三十公里赶过来。俩人端着牛肉粉丝冲郑雨晴打招呼，郑雨晴指指自己边上的空位让他们坐。

突然，有一个人冲上前，拍桌子道："可算找到你了！"

郑雨晴一看，原来是报社退休职工钱惠玲。她赶紧恭敬地站起来，叫了一声"钱阿姨"。

"快，给阿姨签个字，把药费报了！"钱惠玲从包里掏出一沓医药发票。

就在上个月，退休老同志们的医药费还是全由集团兜着。不拽自己的毛不知道疼，浪费很是惊人，谁家没几抽屉过期药？深化改革大会之后，郑雨晴咔嚓一下把这块给切了，全部社会化，社保给报多少是多少，报不了的自掏腰包。大部分老同志只是关在家里骂骂，解解气，最后都理解并配合新政策。唯独钱惠玲不是省油的灯，在财务那里碰了壁，直接来找郑雨晴。

郑雨晴礼貌地请她坐，又请她在食堂用餐，但是一口咬死——不给报销。

钱惠玲见卖老脸无用，怒火就上来了："执行几十年的规定，到你郑雨晴这儿说翻就翻？"

刘素英给她解释："这不是郑雨晴一个人的主意，是集团党委的决定。"

钱惠玲开始挑唆："小刘啊，听说你去搞物业了？真可怜啊，你也老了，去抢扫帚把子了，还不如我！这也是集团党委集体研究决定的吗？这什么集团啊，一点儿人情味都没有！"

钱惠玲开始忆苦思甜，从《都市报》创刊说起："二十个人，挤在两间小破房里办公，冬冷夏热。现在你们倒好，享受这么阔气的大楼！电梯、空调、电脑，这都是我们老同志给你们挣出来的！我们当时才拿 32 块 8 毛一个月！郑雨晴，你命好，你坐享其成，可你不能嘴一翻，说不报账就不报账。谁给你的权力啊！"

郑雨晴脱口而出："钱阿姨，单位效益不如从前，没钱了呀，我负担不起了呀。"

文人就爱抠字眼，"负担"两个字，一下让钱惠玲抓着了把柄。她冷笑一声："原来在你眼里，老同志都是负担！谁都有老的那天，你也会成为别人的负担！不给报也行，你把我这辈子给报社做的贡献折成房价，你在这大楼里，给我划块地，我租出去，我以房养老！从今往后，我不麻烦你报医药费。想糊弄老同志啊？什么集团的决定，分明是你自己捣鼓的！你真的不给报？"

郑雨晴态度还是很坚决。

钱惠玲轻蔑地说："你郑雨晴后台硬啊！多少领导不敢干的事，你就干了。你以为我们这些老同志不知道你的斤两？你何德何能！论资历，新闻部的孙昊比你更适做社长；论能力，广告部的张安棋为社里攒下大把银子。人家都干不了这社长，就你被钦点，还组织部直接任命，你以为你干的那些事真没人知道？"

食堂里的职工都给钱惠玲惊动了，纷纷聚拢过来。

郑雨晴仍旧心平气和："钱阿姨，我是您从小看着长大的，咱一直住一个大院儿里，也就最近几年刚分开，我的历史，您只怕是最清楚的，我自己也好奇，我究竟干了哪些见不得人的事才能坐在今天这个位子上呢？"

"那我问你，那李保罗的医药费你怎么给报了？他才工作几年？他花了社里多少钱？！"

"钱阿姨……李保罗是绝症。"

"真是想得周到，你这份深情厚义李保罗他知道吗？当初如果你对他好点儿，李保罗也不会年轻轻地得这种怪病！"

郑雨晴眼圈红了："您这话是什么意思？"

"什么意思你懂！天天坐人家的摩托车，拿奶子去蹭李保罗的后背……全报社谁不知道！你要不要脸啊，外头谈着恋爱，里头跟人保罗不清不楚。保罗多老实一孩子，你耍人家玩儿？你前头结婚，李保罗后头就给气病了，你当我们不说我们心里就没想法是吧？"

右右忍不住了，她像个小兽一样，"嗖"一下跳到郑雨晴前面，护着郑雨晴："有事说事，有话说话！您都这么大年纪的人了，还满脑子男女关系，翻什么陈年旧账，你翻给谁听！"

钱惠玲不拿正眼看右右："报社这地方现在邪气重啊！这是什么红毛绿尾巴的成精动物！轮得着你跟我说话？滚开！"

右右听了，往前直蹦："你让谁滚？你骂谁是动物？"何亮亮紧紧抓住她的胳臂，不让她蹦。

郑雨晴忍气吞声："钱阿姨，我尊称你一声阿姨，也请你当得起这份尊重。"

钱惠玲斜眼看着郑雨晴："尊重要靠自己挣！单位这么多能人，怎么就轮到你掌这帅印？哦，老傅躺在病床上钦点的是吧？你跟老傅，啥情分啊？是什么特殊感情才能舍得命来保你啊？"

郑雨晴怒了，有点哽咽地说："钱惠玲，你不要血口喷人！"

"我不血口喷人，我这不就等你给大伙儿一个交代吗？这其间的弯弯绕绕，恐怕只有你自己心里明白吧？谁沾着你谁倒霉！李保罗植物人了吧？集团领导，躺倒一个进去四个！张国辉又进去了！听说你又钓上一个总裁？我真佩服你老公，忍者神龟啊！他没憋出毛病吧？哼！我告诉你郑雨晴，这钱啊，要是不给我们报了，我们就到市里去静坐去！"

郑雨晴气得脸青手抖，手指头死死抠着椅子背，仿佛一松手，那巴掌就会飞到钱惠玲的胖脸上。刘素英紧紧拉着她的胳臂："雨晴，别听她一张臭嘴！你千万忍住！"

钱惠玲把报销单据收起来，指着围观的职工："看到了吧，这就是我们老同志的下场！你们这些人啊，都长点心吧！给她这种人卖命，能有啥好下场！"她端起饭盆，哗啦一下泼向郑雨晴，"哼，你不管我吃药，我也不让你吃饭！我们走着瞧！"说罢扬长而去，郑雨晴一身狼狈，立在原地。

幸亏陈思云脑子灵活，拉着郑雨晴就上楼："郑社，市长办公室来电话了……"

郑雨晴跟陈思云说："你现在去给我买几套衣服，不管啥样式了，能穿就行。钱我回头打你账上。我看在这位子坐下去，以后被泼粪都有可能。"

陈思云："钱惠玲那一张臭嘴，您就不该给她这个脸。换了我，甩袖子走人！"

郑雨晴淡淡地说："这是我的主场，我干吗要走？让她骂好了，她还能骂掉我一块肉？我身正不怕影子斜，反正，一分钱也不给她报销！"

好事不出门，坏事传千里。郑雨晴被钱惠玲指鼻大骂当众泼饭的视频，很快就被传上微信。朋友圈已经被刷屏，吕方成恨不得自己是个瞎子。

下班回家，吕方成却不见人影，打他电话也不接，再打就不在服务区了。郑雨晴感觉身心俱疲，她迫切需要吕方成的安慰和开导。在她最需要吕方成的时候，吕方成却不在身边。郑雨晴感到异常地孤单。她迫切需要钻进吕方成的怀里，求安慰，求抱抱，诉诉苦，哭一气。抬头看看墙上的钟表，时候不早了，得去单位看版样，郑雨晴抱抱孩子，又回报社。

小唐去了夜间记者站，郑雨晴便自己开车。大好事啊，还省掉一个人力成本。但当她下了夜班在小区里找车位的时候，又有点后悔。小区居然挤成这个样子，好不容易有个空当，郑雨晴又担心自己的车技。正在一筹莫展，黑暗中站出一个人，仔细一看，竟然是吕方成。

郑雨晴有些惊喜："哎呀！方成！你来接我吗？哎，你怎么知道我自己开车？快快快！帮我把车倒进去。"

吕方成看看郑雨晴，半晌不说话，眼神哀怨而复杂。终于，他迈步走到车边。

郑雨晴闻到吕方成身上的酒味，捂住鼻子说："你又喝酒了！算了，不要你倒了！你指挥我吧！"泊好车钻出来，郑雨晴忍不住笑，这车停得有技术啊，前后左右塞得紧紧张张的。明早出来又有麻烦。

吕方成纳闷儿："你司机呢？"

"我给他调走了。碍事儿！干啥都感觉旁有耳目！"

吕方成冷笑着哼了一声："那我碍事儿吗？"

"也碍啊！走，回家！"郑雨晴有口无心地说，拉着吕方成上楼。

郑雨晴蹑手蹑脚进门，摸黑换鞋，不想吕方成把门砰地关上。

郑雨晴压低声音："轻点！他们都睡了！"从鞋柜摸出拖鞋丢到吕方成脚下，"你赶紧去洗个澡，瞧你这身酒气……你忘记自己过敏了吗？回头又要我给你挠！"

吕方成不作声，拉着郑雨晴的手就进书房，门一关，灯也不开，直接把郑雨晴按在墙上。吕方成粗鲁地去吻郑雨晴，伸手去撕她的衣服。

郑雨晴躲闪不及，就有点恼火，她想推开方成，没想到一失手一巴掌打吕方成脸上。一声脆响，把俩人都吓愣了。

郑雨晴摸一把吕方成的脸，赶紧道歉。吕方成像被这巴掌扇清醒了，他冷静下来，粗重地舒口气，又像是放下一个大包袱："雨晴，我们离婚吧！"

郑雨晴以为他酒还没醒，懒得搭理，转身要去卧室看萌萌，岂料被吕方成一把扣住手，用很大的力。

郑雨晴疼得一龇牙，压低声音呵斥吕方成："大晚上的，你闹什么闹？！撒酒疯是不是！"

吕方成缓缓地，从衣兜里，掏出一张纸，抖在郑雨晴眼前："财产归你，孩子归我，我们搬出去。签字。"

郑雨晴打开灯，草草在纸上瞟一眼，很奇怪："你什么时候写的这个？你想离就离啊？不离！不同意！"郑雨晴干脆地将纸拍在桌子上。

"这事由不得你。郑雨晴，这么多天来，我一直忍着不吭声，其实我早知道你那些脏事！"

郑雨晴莫名其妙："我什么脏事？！哦！你还在为早上验孕棒的事……"

吕方成："咱能不提那事了吗？到此为止。"

郑雨晴："是到此为止！咱俩之间连最起码的信任都没有了！"

"信任？你配谈信任？！你和高飞俩人双宿双飞，我给你时间和机会解释，你都完全不把我放在眼里！我们之间哪里还有信任二字？！"吕方成掏出手机，迅速翻到大床双床那条信息。

原来吕方成的心结在这里。郑雨晴赶紧解释网上订房弄错了，自己也是到地方才发现的，去深圳她和高飞都没在一个楼层住，标准间和行政套房本来也不在一个楼层。她问吕方成："不过是一条短信，我们之间的感情这样不堪一击吗？"

吕方成脸色铁青："西谚说得不错，妻子为非丈夫最后知！已经满城风雨了，你还敢跟我谈信任谈感情！真拿我当傻 B 了！郑雨晴，郑社长，你到底怎么当上这个社长的？！"

郑雨晴寒心："别人诬陷我也就算了，你是我的男人，为什么也捡我风雨飘摇的时候落井下石？外边的风言风语就要把我压垮了，你还嫌不够，再加一根稻草？方成，你能不能省省事，你帮我分担点行不行？你是我的亲人啊！"

但是吕方成已经没了理智，不放过她，步步紧逼，李保罗、老傅、小粟、高飞……吕方成现在就是一个狭隘的小男人，所有在郑雨晴身边的异性，都是他怀疑对象。

"郑雨晴，你到底背着我，给这个家庭，带来多少羞辱！！你不要忘记，你是孩子的母亲！你做出那些事情，叫萌萌以后怎么做人？！"

这个自己17岁就认识的爱人，是她最不能放手的亲人，这么多年了，两个人已经骨肉相连，甚至郑雨晴认为彼此的灵魂都长到了一起，现在却给了她最致命的伤害。

郑雨晴说："世界上不是所有的感情都是男女关系，我没想到方成你酒后能说出这样伤害我的话。你喝醉了，我原谅你，你赶紧回去睡吧。以后这样的话，不要再说了。"

"你不敢正面回应我，说明心里有鬼！你给我头上戴了十七八顶绿帽子，你伤害了我男人的自尊，我绝对不可能再和你过下去。我们离婚吧。"吕方成心里的坎儿今天是过不去了。

郑雨晴问："你可记得我们结婚的时候，俩人的约定了？"

吕方成似乎冷静下来，他说记得，吵嘴，不打架，主权问题不予讨论。

"我从落地起，就听我爹妈天天把离婚挂嘴上，不是吵，就是打。我烦透了！所以我定下了这规矩。"

吕方成又绕回去了："婚姻的规矩，都是你定的，我现在后悔了。当时应该加一句：不能戴绿帽子。"

郑雨晴像是不认识对方似的，用极度陌生的眼神，冷静审视吕方成。沉默了很长时间，她说："我希望你，不要后悔。"

吕方成掷地有声："我吕方成这辈子所做的决定，没有一件后悔过。"

郑雨晴冷冷看他一眼，又仔细看了离婚协议书："你老妈，和这房子，还有名下所有的存款，都归你。孩子归我。你去重新起草一份。"

"萌萌归我，她不能跟着你。我怕她有样学样！"

"萌萌必须归我。"郑雨晴忍了半天的泪最终还是落了下来："妈，房子，财产，都归你。我带孩子走。你拟好协议，明早上去民政局。萌萌还小，别让她知道大人的事。"

吕方成最终退让一步，孩子归郑雨晴，但两个人共同抚养。

清晨，郑雨晴下楼，发现自己的车已经被挪出车位。郑雨晴坐进车内，系上安全带，脖子被卡得铁紧。这车还是按照小唐的身高和习惯调整设置的。吕方成看见了，拉开车门，伸手进去先调整安全带，又调整座位和后视镜。默不作声干完这些，吕方成钻进自己车里，打着双闪在前头带路，一路引着郑雨晴的车，开到民政局。

郑雨晴从前采访来过民政局，印象中那些办离婚的人总是别别扭扭地气不顺。现在轮到她自己站在队伍里，前后左右一打量，感觉没有离婚的氛围啊！前面那对小男女，有说有笑，手拉着手，还商量着一会儿去哪里搞顿散伙饭呢。后面的几对，肩并肩膀挨膀，和颜悦色。网上曾经广为流传的唐朝离婚书，"一别两宽，各生欢喜"，郑雨晴心想，难道这些人是打唐朝穿越过来的吗？果真是散买卖不散交情。如果非要挑出一对标准款的待离夫妻，那也只有吕方成和自己能够入围了。虽没表现出反目成仇，但是疏离感是足够的。吕方成昂首站在队外，大义凛然，与自己形同陌路。他和郑雨晴的物理距离目测有三丈远，心理距离嘛，郑雨晴听到自己在心里呵呵了几声。两个人楼上楼下忙活一通，总算拿到了离婚证。

郑雨晴站在民政局的大门台阶上眼神茫然，一段看上去很美的婚姻，就这样结束了。她特地叮嘱吕方成，离婚这事，暂时别跟老人和孩子说。他们从认识到今天，已经20年了。爱情这东西，并非耐用品，无论当初多么炽烈的感情，经过这些年的柴米油盐，早磨得没了激情。她细细梳理自己失败的婚姻，发现用疲乏这个词来总结，最合适不过了。最近的一次亲热，在三个月之前，是郑雨晴去海南的前一天晚上；上一次看电影，是半年前，夫妻俩陪孩子看《白雪公主》。很长时间，他俩忙得没有自己的生活，要么不说话，要说话，就是一堆家务俗事。之前郑雨晴还跟吕方成谈工作，后来发现，两个人已经不在一个层面上，连这个都没法再谈。走着走着，就散了，回忆也淡了。郑雨晴突然想到徐志摩这句话，妈的，这诗看着空灵，还真贴近现实。

郑雨晴大半天没露面，也没电话，这让陈思云很担心，想到那车她都没摸熟就上路了，也不知道车技怎样。正在七想八想，郑雨晴进了门。

陈思云递上一沓材料，是自己和刘素英粟海峰手写的三份证明材料。细心的思云还做了电子版本，又提醒道，今天是老傅生日，您说要去探望的，我把时间改约在傍晚了。生日礼物思云也准备好了，印刷厂抵来了一批蚕丝被，质量不错，送老人很合适，比鲜花和蛋糕要实惠。

属下们如此贴心忠诚，郑雨晴眼圈突然红了。

傅书记病房里摆放着花篮，还有几个生日蛋糕。显然，郑雨晴来之前，已经有人先行探视为其祝寿。

床头放着一些仪器，胳臂上还打着吊针，傅书记正闭眼休息。

郑雨晴蹑手蹑脚走进病房，一把握住傅书记爱人的手，压低声音："对不起，大姐，我来晚了。"

"小郑，哎呀，郑社长，你那么忙了，还过来干吗？"

床上的傅书记动了一下，含糊不清地问："小郑？"

郑雨晴和老伴同时凑近病床。郑雨晴轻轻拉着老傅的手："吵着您了吧？"

老傅含糊不清地让座，屋里就一个凳子，郑雨晴谦让着不肯坐，但是傅太太跟她使眼色，她便很听话地在老傅床边坐下了。

郑雨晴轻声："傅书记……生日快乐！我代表集团500名职工，给您祝寿来啦！我拖到晚上才来，您不怪我吧？"

老傅手指微微摇摇，意思是不怪。

"我这有好消息报告给您，算是寿礼……"

傅书记微微侧耳倾听。郑雨晴说，我转正了。老傅立即艰难地竖个大拇指。

郑雨晴又报告第二个好消息："卢市长把建市七百年的宣传重任，放在我们这边。"

傅书记看起来微微笑，用手拍拍床帮以示鼓掌。他问，有第三个好消息吗？

郑雨晴一脸抱歉，暂时没有了。

"那有什么不好的消息吗？"

郑雨晴一惊，不知傅书记听到啥。她想了想，汇报了张国辉被抓的事情。

老傅说："抓到硕鼠，这是第三个好消息。"

郑雨晴说："那，真没啥不好的了。哪哪都挺好。集团按部就班地工作着，各二级单位运转也很正常，所有都各就各位，就差您没归位啦！大家都盼星星盼月亮，盼您回来主持工作！我呀，我就等您一回报社，让我有个主心骨，您指哪儿，我打哪儿！"

傅书记轻轻摇头，喃喃自语："回不去了。"

郑雨晴立刻娇嗔地喝止："瞎说！可不能瞎说！您这哪哪都好好的，不出几个月就回来了！集团离了您，哪转得开呀？"

傅书记微微笑，不知是欣慰，还是嘲弄："我不在，不是好好的？你干得，比我好。你是郑，我是傅！我不要回去。回去对你不好。你好好干！"

郑雨晴眼圈红了："书记，没有您，哪有我啊！"

傅书记用手制止她："你就是你。没有我，你还是你。你是和氏璧，不经历断手断腿，凿不出璞玉。你不知，我知。"

郑雨晴瞬间被击倒。这一向，天天焦头烂额，千疮百孔，看各色冷眼，听各种责难，外人不理解也就罢了，可最亲近的吕方成，对自己也极尽侮辱之能事。郑雨晴感觉自己惶惶如丧家之犬，灵魂都成了无根之萍。没想到，在老傅这里，她听到这么高的评价！郑雨晴的眼泪"唰"就掉下来了。所有的委屈，都化作感激。郑雨晴紧紧握住傅书记的手："我何德何能，让您如此信任？这副担子，哪怕我担不起，我也要拿命抵才不辜负您。"

傅书记反过来轻抚郑雨晴瘦弱而冰凉的手："你担得起。你是竹，弯而不折。我们是朽木。我们，不如你。"

探视的时间到了，郑雨晴赶紧告辞。临走前她对老傅说："我要从您这借点儿勇气，您呢，从我这，借点儿力气。咱俩匀一匀！"说完，郑雨晴俯下身，深情地，长久地，像抱小孩那样，抱着老傅轻轻晃晃。

两个人无言而深情。

已不见你暮暮与朝朝

新年将至，人心浮躁。微信群热闹起来，郑雨晴不胜其扰，烦恼不堪。她觉得这微信群就跟邪教一样，加进去就退不出来了。上回刚按个退出，还没清静几分钟，又给人捞回去了。索性全部设成新消息不提醒。

高中同学王苏雅在群里喊她，半天郑雨晴没动静，她索性打来电话，让郑雨晴赶紧上群开班会。

郑雨晴打开高中微信群，发现已经更名为"重返十八岁"，哗哗哗蹦出几百条消息。大家讨论得非常热烈，主题是讨论元旦聚会，这次有特殊要求，郭为华建议的"四个不带"：不带老婆，不带小秘，不带小三儿，不带孩子。

沉默多日的吕方成突然发言，他是来请假的，理由是年底银行事情多。说完，不等大家回答，吕方成就又沉默了。任王苏雅千呼万唤，再没露头。

吕方成这段时间离群索居，五心烦躁。婚是他坚持要离的，可是离了之后，没有半点轻松。同学群里的发言让他有一种"热闹是你们的，我什么也没有"的孤独感和距离感。一夜间，他失去了最亲密的爱人，和最忠诚的兄弟。而他们，在一起。时而，他觉得自己是举世英雄，为兄弟割爱，时而，他觉得自己是世间难得的戾人，众亲反目。

一向吃得香睡得甜的人，现在失眠多梦。以智商超群精力过人著称的吕方成，有点恍恍惚惚丢三落四不在状态。

徐文君站在他面前，观察了足有五分多钟，吕方成居然一直愣着出神，没有察觉。

徐文君忍不住伸出五指在吕方成面前晃，晃了半天吕方成才有反应。

"干吗？"

"老吕，你这几天到底怎么回事？萎靡不振的，还没到老姚的年纪，却有了老姚的疲态！"

吕方成没好气地问："你找我有事吗？"

徐文君拿着文件夹敲桌子："找你过年！"——每年的最后一天，银行重头大戏，存贷款规模，都要冲一冲的。

吕方成打着哈欠说："今年不好搞，网上这个宝，那个宝，存款利率高，贷款手续简便，我们被动啊！"

徐文君有些恨："现在连老乞丐都给余额宝拉跑了！"

"小门小户嘛，喜欢追逐蝇头小利！马云提高点儿利息，他们就挪过去，等到余额宝掉下来，他们自然就挪回来。小储户那点苍蝇腿，在你眼里算不得肉。"

徐文君愤愤不平："余额宝也不帮他们数零角子，讨来的钱，要我们点一下午，刚进账瞬间转走！我都想叫他们滚蛋！哪天黑客把网搞瘫掉，叫他们一分不剩，哭都没眼泪！"

吕方成不吭声。

徐文君："你那个广场舞大赛，看着轰轰烈烈的，有几个跳舞大妈上咱家开了户买了理财？广告费花了不老少吧，倒是便宜《都市报》了，我们不会赔本赚吆喝吧？"

听到"都市报"几个字，吕方成心情更灰暗了。他沉默了一会儿，调整好情绪，然后很认真地回答："徐主任，其实我们对老同志下手还是迟了！以前总以为孩子和女人的钱好赚，其实，老年人的钱最好赚！那些卖保健品的比我们有觉悟，早瞄准老同志们薅过一轮羊毛。目前的情况是，老同志们都处在灾后重建的恢复期，种地还讲究休耕轮作呢，我们也得让老同志们充分休养生息。"

徐文君哼了一声："别等我们维护好了，又给其他什么人抢先薅走了！"

"您放心，我安排小徐一直驻扎在排练现场办公，只要大妈们中场休息，小徐就见缝插针地给他们灌输理财之道。对老同志我们不能太心急，讲究润物细无声，只要前期铺垫得好，一旦他们缓过劲儿，余钱都得上我们这儿来。"吕方成很怕跟徐文君讨论业务，找机会就想逃离："我这就去现场督战！"

徐文君见吕方成要走，又把他拦住，凑近了他，手按胸脯压低嗓音："老吕，我跟你透露一下，我年后，要调任副行长了。你放心，我兑现承诺，我走到哪里就把你带到哪里。"徐文君眼波一流转，目光像舌头一样在吕方成的脸上舔了一圈，吕方成顿时一阵哆嗦。

徐文君媚笑："是不是听着小激动？"

吕方成赶紧摇手："不必了，不必了！徐主任，谢谢您的好意。我其实不配您的提携。和您的雄才大略比，我就是一个安于现状的普通人。能留在营业部里当个主任，我已经非常知足了。"

徐文君尖酸刻薄："哟，你是要跟我划清界线吧！你不要以为留在营业部，就能跟我撇清关系。咱们共事十来年，哪那么容易分得清彼此？银行上下所有的人，都知道我俩是荣辱与共的利益共同体。你的所作所为早已经表明你是我的人。你想独立是吧，车臣闹腾那么多年，到现在也没得逞嘛！就算你自立门户，那个王璐环能饶得了你？失去我的庇护，她分分钟灭你没商量！"

徐文君走到吕方成的面前站定，邪魅一笑："你和我捆绑销售这么些年，拆不散打不开，这叫人以类聚啊！老吕，我俩谁离开谁都不会比现在更好。以后这种损人不利己又伤感情的话，就不要再提了！"她抓住吕方成的手："吕方成，听我一句肺腑之言，是男人就要有大志向！我们俩，一定要站好最后一班岗，把今年营业部的成绩弄得风光一点。今年再不需要打啥埋伏，不用把指标带到明年，揽存、放贷、发卡、卖理财、基金、拉保险等等等等，都往高里做，嘻嘻……想接我徐文君的班子，没那么轻而易举噢！"她细眉毛一挑。

吕方成赶紧抽出手，指指外面："我现在就去增援小徐。一定努力把今年的业绩弄得漂亮！让您风风光光去履新！"

徐文君一把抓住想溜号的吕方成："等等！我亲自督战！"

广场舞大赛将在元旦举行，银行为方便各路参赛队伍走台排练，大手笔把体育馆提前一星期租下来，灯光音乐暖气管够开放。

吕方成不过两天没来，发现这里居然变成年货市场了！大爷大妈们也没心思练舞，三五成群，穿着舞衣舞鞋在各个摊点前转悠。

大门左手：核桃柿饼大红枣，大门右手：咸鸭火腿风干鱼。场地四周尽是羽绒被家居服糖酒茶的地盘，一个订报员占据了银行的地盘，小徐姑娘挤在角落里。

徐文君气得嘴都要歪了，箭步冲到小徐姑娘面前，拿食指直戳她的额头开骂："我是供养你当奶奶的是吧？你看看这满场子的人！我出钱搭台，让别人唱戏？我要你看着客户，你是怎么看的？我跟你讲！十分钟之内，这些人要是不消失，你就给我消失！"

小徐姑娘吓得浑身发抖，连话都不敢说了。

"还不快去！！"徐文君吼她。

吕方成拉过小徐，轻声说："你去把保安请来，请他维持一下秩序。"

小徐姑娘从徐文君身前一低头，赶紧溜。吕方成又赶过去，塞给她100块说："谢谢保安。"小徐姑娘感激地回望吕方成一眼，攥着钱走了。

吕方成开始驱赶各色人等，在保安的协助下，大家倒是客客气气散场。只报社负责订报的中年妇女，态度很横："凭什么赶我？这是我们《都市报》联合组织的活动！你跟我们领导打个电话，只要我们郑社发话，我立即就走！"

又是郑雨晴！吕方成感觉走哪里都躲不开自己的前妻，心里正郁闷呢，突然听到一声声口号。定睛一看，鼻子差点给气歪，你妹啊，居然康健王也在这里！

金喜善拍着巴掌喊："保健哪家强？"老头老太齐声高喊："中华康健王！"

小金眼睛尖，早就发现了吕方成，她略有点儿不自然，但很快热情洋溢地打招呼："吕大哥，您也来啦！告诉大家，我们吕行长的妈妈也用康健王的产品呢！"她真是销售的奇才，顺手就把吕方成利用上了。

吕方成正不知道怎样接茬，徐文君反应极快，拊掌大笑说："没错！吕行长妈妈本来耳聪目明，腿脚麻利，吃完康健王以后，鼻歪口斜，半身不遂，躺在床上到现在都不能动弹。吕行长正到处找你这个骗子呢！你自己撞上门来！哥哥姐姐们哪！这家的健康产品，吃了真是上天堂的啊！"

金喜善也不是瓤茬："这位大姐，你有什么证据证明老太太的病是吃我们药造成的？没凭没据可是要被告诽谤罪的哦！"

徐文君一屁股坐宣讲的桌子上，掂起一瓶营养品看看，斜眼问金喜善："老太太没吃你药前，是能走的吧？吃完你药，是瘫的吧？你不是号称吃完这个药……"徐文君看看包装外的说明书："哟！可以延年益寿呢！可以缓解高血压糖尿病耳鸣目眩偏头疼……啊呀呀，包治百病呢！"徐文君倒出一把药片，走到小金面前，一把拉住她的头发："这么好的药，你该自己吃，吃成千年王八做个范本给大家看看，你张嘴！"

小金推搡徐文君，徐文君穿着高跟鞋，明显要落败，便唤吕方成："你还不来帮忙？！"

吕方成新仇旧恨累积在一起，替徐文君钳制住金喜善，徐文君捏住小金的鼻子，趁她张嘴呼吸，把药片全部倒进她嘴巴里。

金喜善开始口吐白沫，惨叫连连，下面老头老太都在替她求情，又是叫保安，又是报警。

徐文君放下金喜善，叫吕方成跟着一起撤。但吕方成菩萨心肠，怕小金真出啥岔子，他打了120，要等医生过来看小金没事了再走。徐文君忍不住痛骂吕方成："她死了活该！你就是尿！一辈子被人欺被人骑！记住了，跟着我，有我罩着你，不受气！要气，也只能我气你！"

徐文君扭脸走了。吕方成想想，回到舞台上，扶起瘫软翻白眼的金喜善。

正是下班高峰，傍晚的大街车水马龙，人头攒动。右右拉着亮亮的手，在马路上对着各处电子广告屏指点江山。她一副气吞山河的做派，小手一划，把黄金地段的电子屏全划到自己麾下："这些，都必须给我们用！"亮亮说她太贪心，右右狡黠一笑："领导让咱不花钱打酒，咱也不能老被动挨打，咱也给她出难题，她要是办不到，咱们办不到也正常。"

"你这些讹人讲条件的本事从哪学来的？你又讹你爸爸了吧？今天那些企业也不问问我们什么项目，抬手就投钱。万一我们是骗子呢？"亮亮今天跟着右右跑了三家企业，居然很容易就筹到了二十万。

右右笑道："这几个人都是看我长大的叔叔伯伯，是我爸爸的好朋友。不看僧面看佛面啊！人家刷卡，我刷脸的！"她跟亮亮撒娇，要他陪自己走个戏，权当奖励。

亮亮痛苦一皱眉："又来？！你该考中戏！"上次在居委会门口，右右让亮亮演拯救失足女青年的好少年，已经有好多大妈缠着何亮亮，非要给他介绍对象。

右右说："这是拉动粉丝经济，粉丝可以拉，但绝对不许动！"说话间，她跳开一步即兴开演。这次，右右演一个小三，在街上对想回归家庭的男人死缠烂打。

行色匆匆的路人都停下了，一脸八卦地看着他俩，还有人举着手机拍他们。

何亮亮显然没有防备右右会来这手，他很窘迫地去拉右右："你别玩闹！"又冲着拍视频的人，"别拍了！别拍了！我们是闹着玩的！"

但是右右甩开亮亮，按照自己的套路继续往下演："什么闹着玩儿！我们三年的感情，怎么是闹着玩儿？说好了要做彼此的天使呢？你敢看着我的眼睛，说你从来没有爱过我吗？"亮亮给她逼得脸像蒙了一块大红布，压根儿接不上台词。

右右是人来疯，观众越多越来劲："你说话啊！你问问你自己的心！你到底和谁是真感情！"

何亮亮笨嘴拙舌地编词儿："她纵然有百般不是，可她是我孩子的母亲。我心疼我的孩子！"他一背身，"算我对不起你！祝你有个幸福的未来！"

突然从人群里冲出一个中年女人，上来"啪啪"甩右右两个大耳光："你到底有多不要脸！人家都不要你了，你非要死缠烂打！"

这一巴掌把右右给打蒙了，亮亮也蒙了——咦？这是啥剧情啊，哪来的女二号啊！没等两个年青人反应过来，中年女人又开始对右右施展"鸡爪功"，冲她又挠又抓。亮亮赶紧护住右右，上去架住那个女人的胳膊。观众的情绪被这女人调动起来："不要脸！狗男女！打死小三！打死狐狸精！"现场突然变得很混乱，交通也被阻。

右右吓得戏也不演了，抱着头叫唤："打人不打脸！我们是演戏闹着玩儿的！"

然后，警察赶到，把三个扭打成一团的"功勋演员"一块儿带进了派出所。

右右脸上挂彩，亮亮被扯下半只袖子。中年女人进了派出所还不老实，跳着脚要去打右右，被来接她回家的亲人制伏。原来这女人给出轨的前夫气出精神病，经常在街上替天行道，暴打小三。

警察没好气地冲着何亮亮两人："公共场合寻衅滋事，吃饱饭没事做是吧？哪个单位的？"得知是记者，警察开始教训人，"没有新闻，不要造新闻。你们这个行业的人，怎么唯恐天下不乱呢？你们拆散了多少明星家庭？你们祸害了多少医患关系？你们让我们警民工作有多难做你们知道吗？"最后把记者证锁进抽屉，"让你们领导来领人！"

郑雨晴绷着脸进了派出所，又绷着脸领着两个小年轻出门。她训都懒得训，准备到了报社再好好修理这两个捣蛋鬼。没走几步，她居然看到吕方成反剪双手，被警察铐着往派出所里带，身后还跟着哭哭啼啼的金喜善。

郑雨晴急步上前："方成，你怎么了？"吕方成把头别向一边，没理她。

金喜善边哭边说："警察可不能饶了他！"

郑雨晴火了，跳过去："你不饶谁？"

警察架开郑雨晴："这男的打人行凶！你是他什么人？"

郑雨晴脱口而出："我是他爱人！"

吕方成闻听此言，一愣。

警察指着金喜善："人家好好摆摊卖东西，你家男人差点儿没把人打伤……"

金喜善赶紧接口："已经伤了！要不是我装死逃过一劫，现在都没命了！"

郑雨晴狠狠剜一眼金喜善："打得好！见一次就打一次！过街老鼠，人人喊打！"然后她简明扼要地说了金喜善和康健王谋财害命，骗走婆婆二十万养老钱的事情。

警察一听原来这两家有宿仇，便懒得掺和，让他们自己先私了，谈不成再公了。

金喜善嗷嗷叫着要走司法程序，要求赔偿经济损失和精神损失。

郑雨晴冷笑说："公了很简单，明天就在报纸上吆喝一声，让康健王的受害者来控诉，搜集了证据然后法庭上见。"

金喜善一听就吃瘪泄气了，小声对警察说："那，还是算了吧。反正打得也不重……"

郑雨晴挎着吕方成的胳臂，得胜还朝。但吕方成却抽出胳臂，面无表情说："谢谢郑社长，回见，先走一步。"

右右与何亮亮看见了，互相偷偷使眼色。

吕方成早就认命了，他觉得徐文君，既像如来把他压在五指山下，又像太上老君，把他放在丹炉里烘烤。自从踏进派出所大门的一刹那，他就开始心智回归——如果没有徐文君，他一辈子都干不出钳制女人手脚、迫人在大庭广众之下流泪的事情。虽然他心里厌恶怨恨金喜善，但人和鬼之间的距离，自制和宣泄之间的距离，只夹着一个徐文君。

谦谦君子吕方成，只要在徐文君面前，就不再是个人了。要他做甚便做甚，没有一点抗衡之力，而这个能胁迫吕方成的心魔，还要继续捆绑他的后半生。吕方成开始厌恶自己，厌恶自己的前半生。

一念起，一念落，吕方成打开电脑，迅速写了一封辞职信。辞职信写毕，他潇洒地甩在徐文君桌子上，翩翩然开车出门。

他约了老姚在小饭馆里叙旧，二人把盏畅谈。老姚自从被发配到偏远支行，一直待在那个不毛之地，仿佛彻底被人遗忘。也是的，业绩难看，自然在行里没有存在感。他如同白头宫女，想找个人闲话当年都很难，正无聊得骨头缝里长霉，突然看到吕方成前来，非常意外，格外亲切。

"老领导，我要归零了，辞职了……"吕方成已经喝得满脸通红。

老姚醉眼蒙眬："辞职，是多么豪迈的气概啊！你年轻，有价值，赶紧去过自己想过的生活。不像我，在这个鬼单位里，一直混到老……"

吕方成大着舌头说，自己的前半生都是在给女人利用！他从今天起，要为自己活，想做什么，就做什么！

提到女人，老姚捶胸顿足，男人的价值就是给女人利用的！要是有一天连女人都不利用你了……他想到了徐跳奶，语不成句："老弟啊，你看看我现在，那真叫啥价值都没了！"

吕方成摇头晃脑地说，怎么能说自己没价值呢？连垃圾都是放错位置的财富！话出口，他反应过来，这道理是高飞教给郑雨晴的，心里一阵窝囊，又狠狠灌了自己一杯酒……

吕方成隐约记得是代驾把自己送到家，等他彻底清醒，一睁眼发现，手机上几十个未接电话。都是徐文君的。他在墙角蹭着后背上的疹子，回电话给徐文君，徐文君淡淡地说："辞职了，手续总要办一下吧！"

吕方成办好手续，等徐文君签字放人，徐文君皮笑肉不笑："就算再急着去新东家那里效力，老东家这点擦屁股的事情，你也得做完吧。要走也不着急这两天。"她慢条斯理："炒货大王的款子，年底必须到账，一分都不能少。"这个炒货大王是吕方成的老客户，往年都等春节后他的炒货款回笼，才跟银行轧账，今年因为吕方成的辞职，连带着客户都受到徐跳奶的刁难。

吕方成心里一咯噔，但不动声色地点头应下任务。然而徐文君还没完，她甩出一张老总名片说，这人是工行的大客户，她徐文君费了千辛万苦把他挖过来了，但最后一响送给吕方成去点炮："明天一早头班飞机你飞过去，明天晚上 12 点之前这个客户的钱必须到账上来。如果你放他跳水回工行，那疼爱你的审计大姐，肯定不会轻易放你走的。你懂得哦？"

吕方成略带揶揄地回答："懂。你一贯的作风。自己的骨头一定要看住，别人的吃食也得抢到自家碗里来。"

徐文君不以为忤，她一龇牙："老吕，我就喜欢跟你这样又聪明又努力的人合作，这满墙的奖状，有我的功劳，也有你的功劳。这个世界上，任何人都可以否定你，只有我，是肯定你的。你真的不再考虑跟我继续搭班共事吗？"

吕方成傲骨一笑："谢谢徐副行长抬爱，人各有志。"

他阔步走出营业部，老姚给他打来电话："你老兄昨晚是不是把我手机装跑了？我打电话关机，估计没电了！"

吕方成一摸口袋，果然多了个手机，昨天自己真是喝大了，遂大笑说："我充好电一会儿给你送去！"

吕方成开车直奔炒货大王的郊外工厂。路上，还没忘记在车里给老姚的手机充电。见了大王，吕方成一点儿没客套，开口就说还钱的事情。

炒货大王现在是全市先进乡企、郊区纳税大户。如果不是吕方成这些年的资金扶持，他哪有现在这个家业，想必还在城隍庙门口扯嗓子卖五香豆呢。得知今晚十一点之前必须到账，大王二话不说，叫来财务，让他立即去备款，把所有现金都归拢，货款暂时不发，看今晚能筹多少。

财务面有难色："新疆那边就等着款到放货，巴旦木、葵花子我们已经没有存货了。如果不打钱过去，恐怕过年的生意就要耽误了。"

炒货大王一摆手："吕行长事情急，你先尽着这边。"吕方成听了，感激得直拱手。

炒货大王说："筹钱也得给我点儿时间，来，喝杯小酒叙叙友情。"

吕方成说："不喝了吧！这里远，没代驾。我还得开车。"

大王不答应，我这荒郊野地的，想撞个狗都难，又说不能开就住下。

吕方成哪能住下，明天还得赶早班飞机，又拂不过情意，就说："我搞一小杯，意思意思，等年后我们兄弟再搞痛快的。"

吕方成刚举杯下肚，大王的手机就响，他眯眼看着短信答："你看，你杯起，我钱到！一杯价值一百八十万！"

吕方成看看小酒瓶说："这一瓶，能值八百万不？"

最终，吕方成踩着高低脚出门。大王比吕方成更醉："你一踩油门，就到北京了！"

吕方成："我这是奔向幸福路！放心吧哥们儿！钱开年我就打回来！"

吕方成心情大好，车里放着音乐。乡间的道路因为常走超载的大货车，被碾轧得高高低低，车的起伏犹如吕方成沉浮不定的心。吕方成跟着FM的广播在唱："心若倦了，泪也干了，这份深情难舍难了，曾经拥有，天荒地老，已不见你暮暮与朝朝……"当他开车准备拐进机场高速路口时，突然笑不起来了。远远地，入口处那里，停着几辆警车，几位警察正挨个拦着准备入关的车辆，一个个盘查。

吕方成一个激灵，下意识地转头便逃。警察发现了，在后面喊："站住！别跑！"

警车在后面追，警笛大作。一辆电视采访车也紧紧跟在警车后头。

吕方成关了所有的灯，连超几个大货车。在货车的掩护下，他一打方向把车开下路基，直往农田里面扎，他的车在荒草的掩映下，消失干净。

警车和采访车呼啸着，从田埂边驶过去，直奔前面亮尾灯的车而去。

吕方成突突乱跳的心在谨慎观察和聆听中渐渐放下。FM里一曲《新不了情》尚未播完，萨克斯风幽怨得有点呜咽了，透过天窗，吕方成看着满天闪烁的星斗。太美好！有多少年，披星戴月，日月兼程，都没有看过这满天星斗。进银行第一天少五百块钱，给乞丐数零钱，去永刚家送卡，把雨晴和李保罗的车吊上来，生娃，给老姚擦油烟机，在食堂的餐厅里用方言问候把审计的王大姐逗乐……这一切的一切，都即将过去，只有这星空，和十八岁那年一样美好。那年夏天，学校的天台上，吕方成第一次握住郑雨晴的手。

今晚，郑雨晴和她的高飞，回到同学会，和同学们一起重返十八岁，而吕方成，自己在星空下，独自回味青春的美。

天上的星星，真如梵高的画作那样，一圈一圈地舞蹈。吕方成痴痴地笑，他终于知道，梵高画的那幅星空，是在酒后，被世界逼迫得无处可逃的时候，与天地的对话。

吕方成最终在音乐中睡去。

"重返十八岁"主题班会如期举行。当年的班主任一见到郑雨晴，立即认了出来："就是你，当年害得吕方成跌断了腿。"

同学们哈哈大笑："老师记仇，到现在还惦记你的宝贝，可惜人家都不要来见你。"

老师不好意思地笑："你们都是我的宝贝。"

郑雨晴也不好意思："老师，我要澄清一下，当年我们真的不是谈恋爱，真是在结对复习！事隔多年，您老揪着我们不放！"

王苏雅："哎哎哎，郑雨晴你这话说得不对！老师就算放得过你们，你们自己也放不过彼此啊！"

聚会最后一位到场的，是高飞。不对，是两位。另外一位，是高飞牵着手走进来的小娃娃，大约三岁的小女孩，孩子的眉眼和高飞有几分相像。

高飞拱手："不好意思啊各位，家里保姆临时有事。"

同学们跌破眼镜："哟，高飞，你这是奶爸啊！""跟老同学交代交代，这是第几房了？""违反四个不带！你要认罚！"

高飞笑笑："认罚认罚！"

小女孩给大人们闹哄哄地一围观，小嘴一撇就要哭，直叫着："爸爸抱！爸爸抱！"

高飞蹲下来去哄，把孩子抱在怀里。

各位同学又逗孩子，让她叫人。

高飞略略迟疑："算了吧，那么多人，不大好叫吧？别难为孩子了。胆小。"

"这叫什么话？""怎么不好叫了？"

高飞想了想，果断指着老同学们，对小姑娘说："宝贝儿，咱们来个简单点的！男的，你叫舅舅！女的，你全叫姨！"

小孩子甜甜地叫着："舅舅好！姨姨好！"

大家都笑眯眯地答应着。

郭为华反应很快，他跳起来："是可忍孰不可忍！这个家伙居然让我们当他小舅子！！转着弯骂人啊你！"

王苏雅也娇嗔："高飞你好坏！我也不要当小姨子！不许占我的便宜。"

郑雨晴纠正："这孩子应该跟着你叫，男的，叫叔叔，女的，叫姑姑！"

高飞很邪行地笑："叫姑姑？你们女同学都变成我亲妹子了，那我以后没机会了啊！"

众人哄笑，逼问高飞心里对谁有想法，赶快交代！高飞抱着孩子，嘻嘻哈哈，避重就轻。

同学们又起哄郑雨晴，要她喝双份。即使不替方成代酒，就冲她郑老总新官上任，那也应该喝个痛快。

郑雨晴推托不过，也是离了婚之后心里不痛快，就跟同学们搞了几杯。

很快，她面呈酡红，酒意醺然。高飞看到她这般模样，便说："你喝倒了，我把你扛家去！全须全尾送到吕方成手上！"

宴会散场，一大群人到中年的伪高中毕业生们，簇拥着班主任，将班主任围在中间，齐声喊"耶！"以前调皮捣蛋的，横卧在老师腿前，高飞腿间夹着女儿，手里拿着相机咔嚓。一俟告别结束，高飞买完单，同学们便四下散去。

高飞的孩子已经睡着了，他把她放在后排的安全椅上，再拉开副驾驶的门，请郑雨晴上车。

郑雨晴："高飞，你真能瞒！连我都不知道你又生了个女儿！孩子她妈是谁啊？"

高飞欲言又止。郑雨晴撇嘴："喊，跟我还保密？"

高飞一咬牙，和盘托出："跟你也没啥好瞒的。这孩子，其实吧，不是我的。"高飞是替父顶缸。老头天天豪车出入，坐车接送孙子，被一小丫头盯上了。孩子落地他爸就抱给儿子，跟他说长兄如父。高飞别无他法，只能给老头当接盘侠。

郑雨晴一听酒劲都吓跑了："这是你妹啊！那她喊你爸？这差辈儿啊！"

高飞无奈："摊上个荒唐爹怎么办呢？她要是叫我哥，我妈还能有命吗？我妈要是没命，我爸还能活吗？想想我爸说得对，长兄如父，喊我爹，就爹吧！牺牲我一个，幸福全家人。"

郑雨晴："那吴玲，能同意？"

吴玲当然不同意。这孩子进门没几天，她就和高飞离了婚，带着儿子住到了外边。高飞说，不怪吴玲，谁摊上这事都得疯。自己是没办法，要是有办法他也想躲。

郑雨晴"呀"了一声："你也离了？"

高飞："都离两年半了。"

郑雨晴同情："这是天大的误会啊！你背了这么大的黑锅！"

高飞把头靠在椅背上："养儿防老，父债子偿。老爹的锅，我这个当儿子的不背谁来背？我不能看我妈一口气背过去吧？她那么火爆的性子。"

郑雨晴叹气："学了这么多人生的道理，依旧过不好这一生。"

高飞一脸疑问："你刚才说，也离婚了，这个也字，怎解？"

郑雨晴嗫嚅："我和方成……也离了。"

高飞轻轻嘘了一口气："缘起缘落，缘聚缘散。"

郑雨晴问高飞："你怎么不劝我们复合呢？"

"你外边有人吗？"

"当然没有！"

"那方成呢？"

"也没有。"

高飞说那不结了，劝什么劝："你们在没有外力干扰的情况下自动解散，这是缘分到头了。"

郑雨晴不吭声。

高飞以资深失婚人士的身份，给郑雨晴这位新晋离婚者普及新概念，所谓离婚，是人生到了新拐点。千里搭凉棚，天下没有不散的筵席，这场散了还有下场。

郑雨晴挑衅地一指后排那个睡得呼呼的小丫头："你，拐这里了。"

高飞笑得有点落寞无奈："我是拐死胡同了。特例。你们学霸不要跟学渣比。"他发动了车子，问郑雨晴现在住哪里。

郑雨晴一直在寻租房子，但没有挑到合适的。陈思云告诉她，一般年初大批的租房合同到期。于是郑雨晴决定忍几天，先在夜间记者站凑合着。年后再租。

高飞听了于心不忍，对郑雨晴说："那你先眯一会儿，到了我叫你。"

郑雨晴听话地合上眼睛，蜷在椅子里眯着了。待她醒来，已经是新年的第一天。郑雨晴发现自己居然躺在酒店宽敞干净的大床上。她吓了一大跳，像电影里演的那样，赶紧掀开被子检查自己的衣着。居然一身睡衣睡裤！

一位姑娘轻轻从外间走进来，手里托着郑雨晴衣服："郑总，新年好！我是高总派来陪护您的。您的衣服已经洗干净了。"

"洗衣服？"她想起来了，自己好像是吐过。郑雨晴问："这什么地方？"

"悦信大酒店。悦信传媒旗下的五星级宾馆。"

郑雨晴去前台结账，前台回答她："高总吩咐过，您的房间免单。"

高飞昨晚歇在宾馆，此刻也出现在大堂："怎么样雨晴，睡得还行吧？"

郑雨晴有点不好意思："我昨晚出洋相了。多亏是在你的酒店，要是在夜间记者站，那就丢死人了！"

高飞说："你用不着找房子，也别再住夜站。政府反奢靡，这里房子空着也是空着，你过来包吃包住不要钱。"

郑雨晴狡黠地说："那，作为回报，今年你的报纸广告，我多给你打点儿折。"

高飞哈哈大笑："郑社现在真是出息了，占着便宜还拴住生意！我今年真没打算在报纸做广告！"

郑雨晴瞪大眼睛："你怎能这样不讲情义呢？报纸于你有恩的，你就当报恩也该多登广告！还有，我要你几块电子屏做公益宣传！建市七百周年！"

高飞逗她："你拿500万宣传费，到我这儿怎么就公益了？"

"你江州人，为江州做点贡献是你的荣耀！"

高飞眼珠一转："那，算报社和悦信集团联合举办行不？不图利总要图个名吧？"

郑雨晴盘算了一下，与高飞击掌成交。

刘素英开着厢式货车从大市场进货，她目瞪口呆地看着郑雨晴和高飞，亲昵地从宾馆并肩走出。

吕方成还在麦地酣睡，被砸门声拍醒，车窗外，天光大亮，警察拿着武器围绕一圈站他身旁。他第一反应是用车里的手机打电话，看到警察已经把枪都上膛了，吓得赶紧放下手机，举起双手。

个个都是狼角色

警察拉开车门，拖出吕方成，伸手把正充电的手机没收了。一帮记者半扇形围在车前，扛着大小炮筒，齐刷刷镜头对准吕方成。吕方成开始还试图躲闪，后来干脆泰然处之，翻眼昂首：爱拍就拍好了。老子酒已经散了一夜，你们酒驾查个鸟！

果然连吹几次，酒精含量在正常值。

没喝酒你跑什么跑？心虚是吧，肯定有案底。警察查了一圈，吕方成干干净净的，啥前科都没有。警察怒了，这不是搅局吗！全市统一行动，新闻电视出去了，报纸头条也上了，别的分局都战绩显赫，就我们白忙活一夜。于是一审再审，想套出他酒后驾驶。但吕方成是状元啊，逻辑思维能力极强，脑子清楚得很，就是不跳坑。

吕方成的战术是，说的全实话，但他实话不全说。姓名年龄单位住址全都交代了，连自己刚刚离婚也没隐瞒。但就是一口咬死自己没喝酒。警察感觉受到了愚弄。只好找他单位领导，要从内部攻克堡垒。电话打给徐跳奶，按下免提键，徐跳奶的声音伴着广场舞的强烈节奏，在房间里回荡。

警察："你是吕方成的领导吧？"

徐文君："是啊！你是谁？他在哪儿？"

警察："他和我们在一起！"

徐文君警惕地："你是炒货厂的刘老板？让你还账不回笼，还耽误他出差……你叫他过来听电话！"

警察打断徐文君："我是高速公安，你们单位的吕方成，人在我们这里……"

徐文君哎地转了一个小嗓："啊呀呀……早就知道他会出事！这个这个，公安同志，吕方成他不是我们单位的人，他三天前就辞职了。真的，我有他亲笔签名的辞职信！我给您传真过来？"

吕方成听到这里头往后一仰，无声地叹息。

警察面无表情回答："你不是他领导吗？你刚才不还派他出差吗？你不过来赎他？"

徐文君一下气结："他，他，就是个临时工！临时工犯了事，跟我们单位有个毛关系！"完了，徐文君又饶有兴趣地问："这个吕方成，到底犯了什么罪啊？"

警察没好气地回答："跟你都没关系了，你还打听？"

挂了电话，警察充满同情："老兄，你日子不好过啊！不光是中年离婚，还单位临时工，我看你喝两口闷酒也是正常。昨晚呢，我们抓网逃，看你溜那么快，以为你逃犯呢，现在查验过了，你的确不是逃犯。"

吕方成苦笑笑，正要张口，突然发现警察又在套他："大哥，我真没喝酒。我过敏体质，喝酒得进医院。"

"哟，还死活不承认，你又不是公职人员，还怕开除么？"

"可我真没有啊！你不能逼我承认啊！"

警察一拍桌子，抄起电话打过去："你把炒货厂的刘永祥请来一趟！"

吕方成心里咯噔一下，低下头想了想，闷闷地说："同志，我想上厕所。"

警察抬手示意他去："快去快回。"

吕方成坐在马桶上，慌慌张张摸出自己的手机，调到静音，然后他手抖地查到炒货大王的手机号，拨过去，没人接。他迅速又拨了一个号出去，等拨完，屏幕上出现"高飞"二字的时候，他懊恼地闭上眼睛，迅速挂掉。无声地骂了一句国骂，把手机揣在裤兜里。推开厕所门，一愣，那个审他的警察正守在门外。

吕方成脸色阴沉："撒尿都要看着吗？我犯罪了吗？"

高飞电话只响一声，他很纳闷，吕方成这小子搞什么名堂呢？略一迟疑，便给他回拨过去。

嗡嗡嗡，吕方成裤兜里一阵颤抖。警察冷笑着从他口袋抄走手机："就知道你不老实！跟我玩这一手，胆子倒挺肥！"

警察摸出手铐，一个反剪，吕方成双手就给反铐起来。

警察看着来电显示，不无蔑视地问吕方成："悦信传媒，高飞，这是你同伙？"吕方成不吭声。警察接听，高飞急切而担忧的声音传出来："方成！你一声不吭挂电话，有啥事？"

警察冷峻地说："我是高速公安……"

吕方成双手铐着，脸色铁青。

省交警总队总队长办公室。

高飞满脸含笑："老邝，这人是我从小玩到大的朋友，我对他太了解了！我拿性命担保，他不可能有任何事。在以前，他可是我们班优秀学生的代表，当年我们省高考状元！要出事，也是我这样的学渣啊！"

总队长呵呵一乐："高总你都拿性命担保了啊！你发现没有，当年的好学生，如今都混得不咋地，还不如我们这种小混混呢！成绩好，算个啥呀！你这朋友跟你差别大了！单位都不肯出面保他。"

高飞赶紧说："我肯保。我来保！"

总队长两手一摊："你来迟了，他私藏手机给上铐了！他的底，我们起过了，要说大事，那肯定没有，但酒驾是跑不了的。他还跟我横，仗着验不出来。也不看我们是干啥的。"

高飞笑了，拍拍总队的肩膀："你跟他置什么气啊！反正都验不出了，就把他放了呗，晚上到我那儿喝酒。"

总队长把高飞手拨开："我真不是不给你老兄面子，昨晚是统一行动，一票记者全跟着！他怎么跑的，我们怎么抓的，全拍下来了，电视台报纸都捅出去了。什么事情，只要记者一掺和，简单问题就复杂化啦！现在省厅领导很关注，你让我怎么放他？"总队长轻敲桌子："老百姓眼睛都盯着呢，我悄无声息地把人放了，容易引起丰富联想！是公安抓错人还是又哪家公子哥走后门了？里外都不好处理！"

高飞正色："公安绝对不会抓错人！"他眼珠转了转："总队，要不，你们再审审？我这朋友胆子小，他跑必定是有原因……"

总队长抬眼看高飞，琢磨高飞话中的意思："那就，再审审？"

高飞拱手，讨好地笑："审审，再审审！"

警察再审吕方成，虽然仍然铐着他，但态度比之前和气多了，吕方成上着铐，羞愤交加，没好气地翻眼："欲加之罪，何患无辞！"

警察气他听话不听音，只好走到吕方成面前，一字一句慢条斯理地启发："你抬头，你看着我的脸！你呀，你再想想！你见到警察路查就心虚，你是车有问题呢，还是本儿有问题？啊？你好好想想再回答我，嗯？！"

吕方成听出警察话里有话，脑洞大开："本儿！我本儿过期了！我见到你们路查，心里一害怕，我就没多想，掉头就跑。我错了！"

警察长嘘一口气，满意地笑了："早交代多好！吕方成，这个问题，的确蛮严重的。"他给吕方成开了铐："下次注意啊！见到警察不要乱跑，耽误我们多少正事！"

高飞接走吕方成，路上，两个男人默默无语。为了打破沉闷，高飞打开收音机，FM里，主持人欢快地说："新年到了，让我们一起来听一首怀旧的歌……"居然，又是那首《不了情》："心若倦了，泪也干了，这份深情难舍难了，曾经拥有，天荒地老，已不见你暮暮与朝朝……"

吕方成的眼眶在无声中湿润了。

高飞一侧头看见，非常体贴地转到股票行情的台。

郑雨晴面对报纸，目瞪口呆。头条上那个闯关逃逸的男人，分明是吕方成！

陈思云看着郑雨晴的脸色，越说声音越小："郑社，您别生气，这事不能怪粟主任，他不认识萌萌爸爸。听说这是通稿……"

郑雨晴摆摆手："我是气萌萌爸爸！"

高飞电话进来："我刚刚把方成送回家……他情绪不是很好，听公安说，他辞职了。"

郑雨晴一惊未平，又吃一惊。

郑守富看到报纸上那个桀骜不驯的女婿，羞愤难当，恨不能地上有道缝自己钻进去："我早说过了吧，一次状元不等于永远状元！这个吕方成，他这辈子的高度，就停留在高考那里了。这些年，一点没进步！不对，他年年在退步！不光自己倒退，还带累我女儿！"他指挥许大雯："问问你那宝贝女儿，稿子是怎么审的，这样的文章她也敢登？她不要面子，我还要脸！"

郑雨晴回答许大雯："告诉我爸，把头昂起来出门。我们家跟吕方成已经没关系了。我离婚了。"然后就挂断电话。

郑守富怒了，结婚不经过家长，离婚也不经过家长！主意太大了。他对许大雯说："这就是你教出来的熊孩子！"

许大雯也怒了，立即翻旧账本："一出事就是我的孩子，她光荣领奖当社长的时候，都是你的孩子。你这个人，就是德行不好！一辈子都没什么责任感。一点不像个男人。"

郑守富说："那你找个像男人的跟你过去吧。看哪个要你！"

老两口过了一辈子，吵了一辈子，永远吵着吵着拐到离婚这茬上。这次也不例外。

许大雯胸口都气疼了："我是肠上有癌的人！我硬是靠着坚强的意志，现在才能站在你面前跟你说话！女儿已经离婚了，我也不想过了，咱俩也离，我搬去跟女儿做伴去！"

还是郑守富先清醒过来："怎么又扯到我们身上了，你还搬她那儿住，她现在住哪儿咱都不知道。"又指示许大雯再给郑雨晴打电话，让她下班后立即回家，爹妈有话要说。

郑雨晴接许大雯电话就嚷："我没空！"立刻给挂了。

刘素英一见到郑雨晴，就从鼻子里冷冷哼出一声，掉脸钻进小仓库。郑雨晴纳闷儿，追着她的屁股跟进来："姐，你怎么不理我？"

刘素英噼里啪啦乱翻东西，带搭不理。

郑雨晴眼圈一红："刘姐，我离婚了，求安慰……"

刘素英拉着冷脸："是该离，你早应该放过吕方成。"

郑雨晴的眼泪生生给憋了回去："你跟谁一拨？你是我姐们儿怎么向着他呢？我一肚的委屈！你都不问问……"

刘素英有些嘲讽地问："那你说说，你有啥委屈？"

"我天天忙成这样，他都不支持我，回去跟我吵，还怀疑我外头有人，我是让了又让，忍了又忍，实在过不下去了……"

刘素英还嘲讽她："哦！你外头没人？"

郑雨晴："我有鬼啊！"

"抱歉雨晴，我藏不住话，可能你听了不高兴。你和高飞在宾馆门口，依依不舍的那个样子，我都看到了。"

郑雨晴赶紧解释，又举手赌咒发誓自己和高飞一点关系都没有。

但刘素英追问："身体上没有那心理上呢？"

郑雨晴赌气："要不说舆论比法律还凶残呢！你要不要挖开我脑子和心看看？"

刘素英探究性地看着郑雨晴："你没有，那他呢？我怎么觉得他对你有意思？"

郑雨晴说："姐姐啊，我哪有心思去揣摩高飞，一个吕方成已经让我焦头烂额了！也不知道啥时候，他就辞职了！"

刘素英这下真的担心了："男人啊，看着刚强，其实比女人脆弱。兵败如山倒啊，一旦秃噜了，能一泻千里。万一吕方成从此一蹶不振……那沉沦起来，可是快得很！"她出了个主意，釜底抽薪！把二霞派到自己物业来，把家扔给吕方成一个人照顾，让他没空顾影自怜。"你们既然已经离了，那我就多嘴说几句。生活中没哪段婚姻是容易的。如果以一生去衡量，每一段婚姻都有难以逾越的瓶颈。所以俗话说，少年夫妻老来伴。为什么光提两头不提中间呢？因为中间这段是瓶颈，不堪提起，就是一个字，挨。等到送走了爹妈，养大了娃，把所有责任和债都还完了，才轮到夫妻俩自己的生活。所以，"刘素英感叹，"你俩这婚离得太快了，如果缓一缓，兴许瓶颈就能平安度过。多让人羡慕的金童玉女啊，说散就散，太可惜！"

郑雨晴听了，沉思良久。

郑雨晴回到家里，萌萌扑过来："妈妈！你终于出差回来了！我给你和爸爸都画了明信片……"郑雨晴一看，孩子画的是一家三口，手牵着手走在草地上，头顶是蓝天白云。郑雨晴觉得心口都堵住了。

二霞有点狐疑："嫂子，你箱子没拿家来啊？"

郑雨晴略一愣："忘在后备箱了。就想着赶紧上来，告诉你好消息呢，你不是早想进报社吗？明天去报到。我让报社物业公司的刘总给你留了一个位子。待遇不变。"

二霞惊喜之后又犹豫："我姨这里不能断人，萌萌还小，上学需要接送。"

萌萌抱住二霞："我不让姑姑走！"

郑雨晴手一挥："姑姑有姑姑的事，萌萌乖。"她对二霞说："你放心去上班，家里的事情，我已经安排好了！"

方成妈靠在床头劝二霞："过这个村没那个店，霞啊，你嫂子也是等了很久，才等到机会放你进去，千万别错过了。"

二霞很懂事地说："嫂子，以后家务事都留我晚上下班回来做。"

郑雨晴说不用："正好单位里要留个物业照看，刘总屋子都给你收拾好了！我这边也请人了。"

郑雨晴走进书房，回手把门关上："哎，你都听见了吧？"

吕方成和衣躺在地铺上，不理郑雨晴，他蓬头垢面，形容懒散。

"我是为二霞好。也是圆你妈一个念想。二霞一个有文化的人，总不能在咱家里当一辈子的保姆。"

吕方成冷笑："感动中国啊！为二霞考虑得真周到！你是和高飞轮番看我笑话吧？"

郑雨晴压低声音："不要不知好歹。你是我的前夫，是我孩子的爹，看你的笑话就是看我的笑话！而且，你不要把我和他扯一块儿，你自己心里的魔障不要怨尤到他人身上！"

吕方成翻她一个白眼："你们都走！都走都走！没你们一个二个，我吕方成一样能过得好！"

"你要照顾好萌萌，如果萌萌受到委屈，我饶不了你，立即把抚养权要回来！"

吕方成突然醒悟，这个女人原来是使计谋要夺走孩子的抚养权啊："想都不要想！我不会让你如意的！"

郑雨晴把工资卡交给他："我随时过来抽查，女儿每天晚上都要洗屁股换内裤，家里不能积攒脏衣服。孩子老师电话我有，我会去查功课和考试成绩。你自己的妈，你自己照顾，照顾不周，方圆自会来找你！"吕方成嗤之以鼻，根本不接卡。郑雨晴的手便一直伸着，吕方成干脆给她亮个后背。郑雨晴把卡拍书桌上："拿着吧，别抻着了。这卡本来就放二霞那里当家用的。我自己闺女总要养的。"

然后郑雨晴又加上一句："其实，妈和萌萌交给你，我才最放心。二霞再好，终究是外人。"

吕方成气得一骨碌坐起来："郑雨晴，你当我是你请的保姆？！妈是我的妈，孩子也是我的孩子！我吕方成就是再没有本事，我也一个肩膀扛一个！不会让外人看笑话！"

郑雨晴狡黠一笑："你有这个觉悟就对了。哎，方成，咱们能不能别像仇人那样？买卖散了交情别跟着散啊，最不济，你我还是老同学嘛！"

吕方成急忙拱手："我谢谢老同学。家里窄小，不便挽留，您还是赶紧走吧。"

郑雨晴故意气他："我哪儿也不去，我今天在家里陪孩子！以后老同学还经常回来抽查你的工作！"

吕方成一听，咕咚一声，又仰面朝天躺倒在地铺上。

早就传闻市领导班子将有大的变动。果然，新年之后，卢市长升为市委书记，江宏升为市长，全面主持市里的工作，周长林接了宣传部长的班，下面一班人马像下跳棋一样，跟着往前挪一个窝，喜气洋洋。

郑雨晴年前给宣传部打过报告，向组织力荐粟海峰。她极缺得力的副手。现在周长林接任部长了，说此事还应当请江市长定夺。

"小粟能力是不错，可是提集团副总……"江市长有犹豫，《都市报》这半年，两次重要的人事变动，都是破格提拔。一次郑雨晴，一次张国辉。非常时间的非常做法，可以理解，现在已经运转正常，还总这样不走寻常路，是不是不大好呢？江市长转脸征求周长林的意见："周部长你意思……？"

周长林憨笑："我听市长的。"

"你是现任的宣传部长，你要拿主导意见嘛。"

周长林奉行养生哲学，千年王八万年龟，最大的养生是以静制动，不消耗能量。跟领导混，要学会愚蠢。要比傻，你比领导傻，你就会很安全。所以，任江市长再怎么让周长林做主，周长林总是回答：我听市长的。

江市长最恨这种庸才，为了不出错，干脆就不做事，最没有担当和责任！改革的良机，就是给这样的庸才活活耽误的！

秘书接茬："记得都市集团有一位女中层，在青海锻炼两三年了，叫……罗美林。"

周长林失口叫出来："那个女人啊！"他小声与江宏耳语："和吴春城似乎不清不楚，现在提她，是不是……"

江宏大声说："吴春城风头正健的时候，把她发配到青海，吴春城倒了之后，组织上查出一串人也没牵扯到小罗，这个罗美林是被排挤走的，显然她在吴春城的利益集团之外，现在看来，她当年应该是饱受迫害啊！"

周长林频频点头称是："我这就打报告给组织部，把罗美林调回来。"

郑雨晴没有和罗美林正面打过交道，但对此人却早有耳闻。吴春城入主都市集团初期，曾经大肆招兵买马，向社会网罗所谓精英，允以高薪。罗美林是当年的精英之一。

罗美林一进都市集团，即是集团的中层身份，拿年薪当高管，郑雨晴们不知道她啥来历，能力如何，只听说她学问很深，学历很高，看做派，像是"海归"模样。配合这些高逼格的传言，罗美林也把眼睛翻到额角上，谁都不搭理，谁都看不起。很快就传出她与吴春城窃窃窣窣的事情。

郑雨晴当年埋首副刊部，两耳不闻窗外事，一心攻读"买汰烧"（上海话"买洗烧"的谐音，一般指买菜、洗菜、烧饭烧菜），这些绯闻从她耳边刮过，笑过便了，无心去求证其真实性。

吴春城自己是绯闻的终结者。他把罗美林发去青海挂职锻炼了。

挂职，并非一定有提拔的意思，吴春城把罗美林发配边城，都没打算让她再回来。据传，某夜，罗美林这个大龄剩女，对吴春城有了更多的企图，在他家门口拍门不止，吴春城烦不胜烦，于是驱而远之，了断后患。罗美林走的时候，并不知吴春城有意将她束之高阁，吴骗她等离完婚即请她回归主内，谁知吴春城将她派出去后，无论她几路请安折子挂念短信，他都只字不回，罗美林怒了，一封告状信写到宣传部，把吴春城与自己的私情及这个忘情人的恶毒一并告诉了组织。江部长悄悄将信压了。终究，坊间的传闻，依旧是传闻。

眼见他起高楼，眼见他宴宾客，眼见他楼塌了。一切来得太快，结束得太早，恍如一场春梦。若不是今天江宏提起，这个罗美林几乎已经被所有人都遗忘了。

江宏在家看报纸，右右蹲在沙发上，嬉皮笑脸地求她爸："你再给我介绍几家企业，要实力强大的，跑一家顶十家的那种！"

江宏疼爱地看女儿一眼，又问："你的顶头上司，粟主任，人怎么样？"

"不错！大叔范儿，挺能干，还巨帅！但是，比亮亮还差得很远！亮亮是花美男！"

等女儿回了房间，江夫人跟江宏咬耳朵："总听她亮亮长亮亮短的，是不是搞对象了？你打听打听，那个亮亮家是干什么的？"

江宏喊了一声："小孩子过家家，今天这个，明天那个。不用当真。"

停了停，江宏又像是自言自语："郑雨晴想破格提小粟，今天让我给否了。"

夫人问："他和郑雨晴，这个班子组合，不是挺强的吗？他还是右右的直接领导，他上去对娃不是有好处？再说了，现在人老周接班了，你好歹给人家点儿空间，你干吗老给自己找事干？"

江宏缓缓地说："领导不在乎事多，只怕事少。他们团结如一人试看天下谁能敌了，那还要我干什么呢？"

江夫人突然有点担心："那，你这样能干，会不会让书记不自在啊？"

江宏把报纸叠好放在茶几上，很有把握地笑笑："你多虑了。分寸感的拿捏，我还是到位的。"他拿起手机吩咐秘书："你去查查那个温泉中心，张国辉是经过组织考核提上来的干部，不要被人挟私报复。我已经听到不少人反映温泉中心老板营业不规范。"

老胡造假温泉一经坐实，温泉养生中心便彻底关张。之前老胡针对张国辉的指控，全部变成无根无据的狗屁吹灰。原本板上钉钉的张国辉，突然咸鱼翻身。

老胡在看守所里振振有词："温泉出水量每年递减，以前泉眼有小孩胳膊粗，眼看着一年年变细，现在跟筷子一样细！节约温泉人人有责，我当然要省着点儿用啦！

"这哪叫造假呢？这叫稀释。我堪称业界良心！我比酒厂厚道多了！他们号称五十年的原浆，一瓶里有几滴原浆呢？你们怎么不去酒厂查查？！你们怎么不处罚他们去！

"温泉粉是无毒无害的，还能治疗皮肤病，里面有硫黄！跟硫黄皂是一个功效！我还加了钙片呢！这是国际通行做法！日本你们去过没有？日本也是这样干的！我拿来主义！"

张国辉又回来了。他叼着烟头背着手，扬扬自得，悠达悠达，挨门挨户亮相刷存在。多日不见，居然之前的尖嘴猴腮变得略略丰腴，郑雨晴盯着他的脸兀自纳闷儿：这是肿还是胖呢？

张国辉龇着焦黄的牙齿，嘿嘿一笑："雨晴社长，我这段时间算卧底，这是辛苦费，你给批一下。"

郑雨晴错愕。张国辉以功臣自居："事实证明，我不仅没有任何污点，反而是一位勇于和不良商贩假冒伪劣做斗争的斗士！其他奖励不谈，你先开个全员大会，给我平反昭雪，今年评市级新闻先进工作者，我一定要为咱们集团，争一份荣誉。嘿嘿嘿！"

萌萌在外面敲门："爸爸开门！爸爸快开门！"

吕方成应着，打开卫生间的门，萌萌顶着一头乱发就冲了进来，夹着腿扭着小屁股，声音都变了："我要尿尿，我要尿尿！"坐上马桶，一脸轻松。

吕方成拿来梳子，趁着萌萌坐马桶的工夫，给她梳头发。

萌萌尖叫："轻点！爸爸你把我头发搞得好疼！"

吕方成无奈放下梳子："萌宝，咱们剪短头发好不好？"

萌萌不乐意："不好！短头发像男生！我不要！"

厨房里飘来一股煳味，吕方成赶紧放下梳子进厨房。原来方成妈心疼儿子，想伸把手帮忙，可是越帮越忙，一转身鸡蛋就煎煳了。

吕方成大惊："妈哎，你咋起来了？！你怎么挪过来的呀？！"

"我就撑着凳子，一步一步挪呗，总共不到十几米路，挪了我一个多钟头。唉，好心办坏事！手脚，太不灵便了，都帮不上你忙。"

吕方成抓抓头皮："妈，你这都进步不小了！还好没叫火烫着你！你能自己回床上不？再挪一个小时？等我忙完萌萌我就来伺候你。"

吕方成妈只好趴凳子上开始一点一点往屋子里挪，每次大约三公分。吕方成观察了一下，说："妈，你这方法不对。难怪你这样慢。你现在手脚不协调，手没力气。你这样，你拿脚踢凳子腿，你试试！"

老太太试着照儿子说的那样去走，果然，效率变高了。她夸赞："我的儿，你从小和别的孩子不一样！聪明，点子多。"

吕方成捧他妈的臭脚："遗传学证实，儿子智商是继承妈妈的。我这点小聪明，全是妈给的！"

萌萌在叫："爸爸，快来帮我梳头发，我要迟到了！爸爸！"

吕方成用手在萌萌头上刨了一阵，拎来吸尘器，把皮筋套在吸管的口上，然后对着萌萌后脑勺就是一阵吸。机器的轰鸣声里，头发全进了吸风口，吕方成趁势把皮筋撸下吸管，啪，关上电源，一只漂亮的马尾大功告成！

萌萌乐得抱着吕方成就亲："老爸！你太酷了！你酷毙了！帅呆了！你是世界上最聪明的老爸！"

就这样，吕方成被一老一小两个女人使唤，又被她们无限崇拜。本来跟黄连一样苦的心，突然就像灌进了高粱饴。女儿在自己嘴唇上亲吻留下的温暖，就像高粱饴外头裹的米纸一样爽口。

罗美林飞回江州，第一站先找江市长报到："江市长，谢谢您搭救，从此我美林就是您的人了！"

江市长吓了一跳："你哪里是我的人，你是党的人。"

罗美林眼含一包泪，目光盈盈："您是美林的再生父母，如果不是您，美林被吴春城迫害，恐怕一辈子待在高原了……美林早都已经抑郁了！"

江宏安抚她，回来就好，回来百病全消。他翻过罗美林的档案，知道她曾经在海外媒体工作过，便让罗美林负责采编，指导粟海峰的工作，希望罗美林能在纸媒的困境中，开拓出一条生路。

领了江市长的命令，罗美林穿一袭藏袍，重新在都市集团亮相。她给每间办公室献上一条哈达，无论见到谁，一律扎西德勒。

罗美林开门见山对郑雨晴说："一直对郑社长的敬业精神有所耳闻，美林很想为郑社分些担子，美林我单身一人无牵无挂，今后晚上签版夜站值班的活，你就交给美林吧。"

郑雨晴首先被罗美林的自称给镇住了，印象中，好像只有女儿萌萌，是自己称呼自己的名字。可罗美林都四十岁了，怎么还有如此儿童心智呢。郑雨晴默默将之归为老处女情结，未婚，姑且算作处女。

不过郑雨晴还是非常感激罗美林，求贤若渴，总算有了左膀右臂。

她求之不得。

罗美林一来就上夜班，而且照她的意思是以后承担所有的夜班，这负担也太重了，所以郑雨晴建议两个人轮流。但罗美林否决了："您去抓大战略大格局，这些小事，全部交给我美林。我从今天起，就以报社为家了。我本来也就赤条条来去无牵挂！"

郑雨晴乐了："哎呀罗副总，我们女人，可不能说自己赤条条。来，我带你去看看你的新办公室。"

罗美林的办公室也在八楼，就在郑雨晴的隔壁。正午的阳光铺洒在朝南的窗户上，办公桌上已经放了一盆水仙花，白色花瓣黄色蕊，看着冰清玉洁的。

罗美林一进门就大惊失色："啊呀！谁把花放我桌上？！我花粉过敏！赶快拿走赶快拿走！"

郑雨晴吓一跳，陈思云急奔过来把花抱走。

罗美林的眼睛瞟到墙上，又变色："啊呀！这墙上的字画是谁挂的？太没有品位了！"

小陈来不及把水仙花放到位，丢在走廊上就来摘画。

郑雨晴尚在发愣，罗美林又提出要求，朝南房间光线太强，皮肤受不了。换掉！她指着自己的胳臂："我皮肤在高原上晒的，已经是紫外线陈旧伤了！"

郑雨晴同情地握了握罗美林的手："让你受苦了，这两年。"

罗美林看着郑雨晴的眼睛，一字一顿地说："两年零 77 天……"再看一下表，"9 小时 40 分钟。我一辈子都忘不了我下了飞机的那一刻，缺氧的晕厥！"

郑雨晴一听那精确的数字，立刻产生缺氧征兆，同情感油然而生："罗副总，这间房呢，是这一层最好的房间了。其他的北房，有的是文件室，有的做了其他用处，都没腾出来……"

罗美林一挥手："就文件室！我去文件室就行！记住，要挂上窗帘，装个百叶窗吧！尽量少阳光！"

闻讯赶来的刘素英，带着二霞和其他几个人，赶紧去搬挪文件室。

等一切安排停当，郑雨晴去新办公室道喜，但她一进来就吓一跳，吉祥话生生被憋回去了。

　　窗户装着百叶窗，玻璃又拿报纸糊住，朝北的房间，立即变得暗无天日。办公桌上空悬一把黑色的伞，像接收卫星信号的大锅，反撑着。罗美林坐着的椅子已经从面向大门变成背着大门。她坐在桌前，那把伞就罩在她的头上。

转角七百年的回眸

吕方成的家务活亦渐渐上道。他拿出银行的管理手段，对家务实行目标化管理。EXCEL 表制定出家务详单，一应事务划分成日课周课和月课，日常三餐、简单打扫和修驾照分就属于日课，而清洗衣物整理橱柜是周课，擦门擦窗换洗床单这些大活，算月课。表格打印出来，张贴在厨房墙上，再干家务，便心中有数，每天瞄一眼，按部就班就行了。

除了不开晨会和夕会，大小活计对照表格，逐项按时完成，吕方成突然觉得，现在这日子，中规中矩的，倒和之前在银行没有多少区别。

吕方成是聪明人，无论干什么都动脑用心，很快伙食也上了路，色香味俱全，饭有饭样菜有菜样。

有天晚上萌萌闹着要吃家门口的比萨。吕方成带她过去一吃，当场就不乐意了，一小块面皮加一点肉片和西红柿酱，就这！敢要 88 块钱！吕方成转天到淘宝上淘了一堆做西餐的量勺和面粉之类的，把家里闲置多年的烤箱就用上了。当萌萌晚饭时候惊呼着"WOW"的时候，吕方成不屑一顾地说："就这！就值得 WOW 了？你爹明天要去门口开个西餐店，直接就把那个意大利人给灭了。啥比萨呀，不就是当年马可波罗烧饼没学会的变种嘛！"萌萌和奶奶快给吕方成乐死了。

罗美林当夜班老总，工作很尽职，近期版面平安无事。郑雨晴觉得，老天爷真是怜惜自己，终于开了眼。她便得了空回家突击临检。正是晚饭时分，萌萌看到妈妈回来，又扑过来亲热。

方成妈对小姑娘说："赶紧给你妈拿刀叉！你妈肯定还饿着呢。"

郑雨晴尚未坐定先吓一跳："刀叉？家里吃西餐吗？"

萌萌蹦跳着把餐桌布给铺好，吕方成拿来一盏很秀美的小蜡烛台，自己胳膊上搭着一块白布，从厨房里端出一盘牛排，一盘鱼，一盘意大利肉酱面，再从容地浇上汤汁。郑雨晴下巴要掉下来了："你外卖打包来的吗？"

萌萌拿叉子转着意大利面，摆着手指头："我爸爸自己做的！妈妈，可以把门口意大利灭了吧？"

郑雨晴惊跳起来："吕方成！你是打算开饭店吗？你有这手艺，竟然让我做饭十年？！"

萌萌吃得很香，一边狼吞虎咽，一边抱怨学校的盒饭太难吃。小姑娘问爸爸："我只吃一半，能把剩下的一半当午饭带到学校吗？"

郑雨晴不同意："带什么饭啊，学校不是有饭吃？"

萌萌嘟着嘴："学校的饭菜好难吃，我都倒掉的！"

奶奶受不了了，娃娃正是长身体的时候，哪能不吃午饭？立即让儿子明天开始，给萌萌带饭。

吕方成觉得老人过于溺爱孙女了："妈，人家能吃她也能吃，别惯她一身的毛病。再说了，这么冷的天，带去了又没地方热，吃冷饭啊？"

奶奶一本正经地命令："那你中午就给她送！"

萌萌得意了。吕方成又多了一个活计。

饭后郑雨晴自觉去洗碗，顺带着检查厨房卫生，她东摸西看，卫生达标。墙上那些表格吸引了郑雨晴："嘿嘿，新官上任，要看三个表。"

冰箱门上贴着便签：南瓜芝士蛋糕配方、洗衣小窍门、需要采买的物件清单和哪个网上商城即将开始啥优惠活动的备注。拉开冰箱，冰箱里明显按照科学的方法井井有条地重新摆放过，跟以前郑雨晴当家时候的顺手一塞差别大了。冷冻室里是吕方成精心准备的各种半成品，小包装上都做了标签，一眼望去，所见即所得：炖牛肉三份，制作日期1月27日；红烧排骨两份，制作日期1月20日。除了一抽屉的饺子，居然还有几碗冷冻的皮蛋瘦肉粥和扬州蛋炒饭。全是孩子爱吃的东西。

看来，只要萌萌想吃，当爹的随时都能变出一桌饭菜来。郑雨晴心里特别踏实，暗暗点了个赞，嘴里却尽量用平淡的口气："干得还不错。"

吕方成抄着手靠在门上，拿鼻子哼了一声："我收拾冰箱的时候，找到两年前过年，你骂我没从超市拎回家的北极虾。"

郑雨晴怒："胡说八道！明明你丢的你现在想赖我！"

吕方成懒得跟郑雨晴废话，直接掏出手机显示图片。郑雨晴不好意思地捂上嘴。

吕方成翩翩然走出厨房："家给你当成这样，我也是醉了。"

郑雨晴低声道："干家务我不擅长……"

吕方成劲劲儿地说："说句实话，你干啥都不擅长。"

郑雨晴看着吕方成的背影，白他一眼，做了个拿锤子砸他的样子，她摸出笔，在吕方成贴的那些课表里，添上几个字。

郑雨晴的好日子没过几天，《都市报》出事了。

一条统计局的稿子，大意是，国民经济在新常态下保持平稳运行，呈现出平稳增长的良好态势。2014 年 GDP 虽然增速是 24 年最低，但仍然比上年增长 7.4%。原标题是"我市去年 GDP 增速 7.4%"，何亮亮觉得标题不亮，从文中拎出后半句话，重新制标："我市去年 GDP 增速创 24 年新低"。罗美林也没动脑子，直接在版样上签了付印。

报纸刚上摊，江市长的电话就追到郑雨晴那里。江市长在电话里拍桌子暴怒："郑雨晴，你是打算语不惊人死不休是吗？你风头出惯了！去年是我们市创新低吗？你看过统计局的稿子没有？你想唱对台戏？！"

郑雨晴吓一跳，抓过报纸一看标题，就知道坏了。

江市长发飙："创！新！低！！2015 年刚一开年，你就来个新低，这是什么舆论导向！"

最后江市长做出指示："那个记者，叫什么，何亮亮！根本不适合从事新闻职业，让他去别的部门吧！我看文体娱乐……文体娱乐他都不能胜任！让他去资料室！"

郑雨晴问何亮亮："你怎么连这样的标题都敢做？"

何亮亮很诧异："您不是要求我们打破传统，做新时期的媒体吗？新媒体都是这样做的。"

郑雨晴怒："你们粟主任没告诉你，新闻标题要充满正能量，要给人以激励和向上的引导？！避免使用'下降''减慢''降低'这种容易产生误会的词语！"

何亮亮不屑地问："郑社，那你告诉我，下降这个事实怎样用充满正能量的方式表述？"

郑雨晴看何亮亮那副较真的劲头，仿佛看到了当年的自己。她又好气又好笑："咱们中国人，讲究好兆头！你看A股再烂，逢上两会国庆的，还拼命飘红讨口彩，向上挣出一根阳线呢！你倒好，元旦刚过，市领导们履新上任，你上来就创新低，谁看了心里会舒服？"

何亮亮犟头犟脑："郑社，我很想知道，咱这《都市报》，是办给老百姓看的还是办给领导看的？你给我个方向，不要今天民生，明天马屁的！这是我的检查。要是实在觉得我丢脸，那我辞职好了！"

郑雨晴翻了下检查，跟自己当年第一份一样，满纸都是不服气。她把检查扔给何亮亮："你跟领导讲道理，这也叫检查？我怎么给你交上去？我还没说你一句，你就要辞职！为你这个标题，领导今天指着我鼻子训我一个早上了！"

何亮亮翻眼看看郑雨晴："老大，你告诉我，这稿子怎么写才能让领导欢心？你给拟个标题？"

郑雨晴思忖片刻，在纸上写：幸福指数比GDP重要。

何亮亮看完，扑哧笑了："老板，算你狠！服了！你再给个检讨标本呗？粟主任说你有一堆！"

郑雨晴哭笑不得，打开电脑文档，从中抽出一个文件夹打包发给何亮亮："深刻点！谦卑点！给我手抄一份交上来！小东西！动不动拿辞职威胁我！怕了你了！"

何亮亮敬了个礼，跑了。

郑雨晴调出从前的检查，把段落顺序和关键词都动了动，想了一下，郑重其事地把标题从"我的检讨"修改为"深刻检讨"。然后编号再存档，接着开始手抄。

食堂打饭队伍里突然多了不少生面孔。张国辉端着托盘走到郑雨晴桌边："雨晴社长，我可要跟你投诉啊！这小李子把咱食堂开成饭店了！你看看这队排的，有几个是咱自家员工？全是外来客！"

郑雨晴伸头一看，果然。

张国辉又说："我还跟你说个事！这个星期我已经三次接到客户投诉，反映报纸送迟了！新地房产后期的广告打算撤单，下月他们要拿到晚报去做。"

郑雨晴放下勺子："凭什么？你拿提成奖励的时候，怎么一声不吭，工作一有点问题就跑过来诉苦！留不住客户我拿你是问！广告跑单，我扣你钱！"

张国辉焦牙一龇："郑社啊，你立了那许多新政向采编倾斜，他们既不管广告软文，也不负责发行，现在广告的日子最难过了！我都恨不得回采编干记者。"

"张国辉，这是你的真心话？"

张国辉赶紧诣媚："嘿嘿，开个玩笑。我就是嫉妒小粟！到底是年轻小伙子，你对他总是青眼有加……"他看到郑雨晴脸色变了，赶紧转口："民间有句话，惯子不孝，肥田出瘪稻！其实你应该雨露均沾！算起来还是我的回报率高！嘿嘿嘿……"

郑雨晴厌恶地瞪了张国辉一眼，伸手招来李旷华："怎么来了那么多的外人啊？"

李旷华解释："寻香而至，慕名前来……"

郑雨晴："你办的是食堂，不是饭馆。我们对员工是有补贴的！"

李旷华抱屈："那点儿补贴，能吃上这么好品质的饭菜？我有两个定价，对内煲仔饭二十五，对外卖五十。我以外养内！"

郑雨晴笑了："我建议你啊，你专门开员工通道。内外有别，别让单位的同志有意见。"

李旷华点头："我留一通道档给外来客，其他全是咱员工通道。"

郑雨晴看看门庭若市的单位食堂，忍不住笑："这附近这么多写字楼，你的生意，要做不完了。"

话没说完，李旷华就给食堂的人叫走："经理，后厨忙不过来……"

李旷华意犹未尽："是的是的！我已经让我爹妈在弄中央厨房了，专门做午餐外卖！"连蹦带跳地走了。

陈思云看着李旷华的背影："跟打了鸡血似的！听说现在晚上10点下班，早上4点半就到岗了。以前坐电脑前搞设计，没见他这样欢实。你知道吗？他爹妈的餐厅都为他改行了，一天光是白领午市，能卖45万！

要不是他改做食堂救了他爹妈的高档饭店，连着几年的反腐，他爹妈的店都要关门了！"

郑雨晴瞪大眼珠子："能卖这么多？！他哪要打鸡血，他现在自己就是鸡血！干报纸不如卖盒饭了！"

发行部的高主任，没等郑雨晴唤他，自己倒找来了。他告采编的状。

郑雨晴奇怪了——我没挑你毛病，你倒挑别人毛病。

老高把付印时间表拍在郑雨晴面前："领导，你倒是看看问题出在哪里！是我老高的责任，我不推。不是我的，也不要当屎抹我身上。发稿那么迟，昨天报纸五点钟才从机器上下来，我投递员开着飞机送也来不及！"

发稿迟？那就是粟海峰的责任了。

小粟一脸委屈："是罗副总，为了刷存在感，天天改那些不必要改的地方。甚至一个标点也动过来动过去！"

报社采编流程有严格规矩，只要在版样上动一下，照排都要重出一张样子，校对就得多校一遍。别看罗美林只改个标点，后面跟着她这一通折腾，至少十分钟！小粟叫："十分钟啊！前方记者为了赶付印时间，已经把采访写稿时间压缩到不能再压缩的地步了！"

原来瓶颈在罗美林。郑雨晴感觉有点头大。

刘素英来找郑雨晴。现在好像只有这位大姐，不给自己提要求、谈条件、要政策、强调困难了。郑雨晴刚想和她吐个槽，刘素英说，你先给我签个字。

郑雨晴低头一看："姐，你这火候也过了吧！报社员工自己的车都不够停了，哪还有空位对外出租啊！这我不能批！你掉钱眼里了！"

刘素英得意地说："分时段出租，我把夜里时段租出去。员工的车晚上不都开回去了吗？附近居民现在都在咱这里免费停车，我干吗当这冤大头啊！我圈起来收费！"

郑雨晴笑了，拿出笔唰唰签字："你太会算计了！你这算开夜店吧！鹭鸶腿上剔肉啊！"

刘素英小心把申请收起来："那也是蛋白质！剔得多了赛螃蟹！一个

月不少租子呢！我也盘算过了，你们集团领导现在的办公室面积，按新文件规定都超标了。我把你们合并合并，腾出几层对外招租。今后，你可以连我们工资都不用发了，整个楼的修修补补，都可以从我们这儿出。"

郑雨晴伸出手指算了算，睁大眼睛："妈咧，遍地黄金啊！姐，你要早干物业集团早就上市了！都像你这样，我愁什么呀！"郑雨晴叹息，瞟一眼对面办公室。

刘素英问："罗？"

郑雨晴点点头："要说她不能干吧，那是冤枉。人天天坐那里坚守阵地呢。要说她能干吧……唉，她就像我的义肢。姐，这感觉你能理解吧？"

"懂！表面上看跟真的一样，但后天嫁接的玩意儿，比不得亲生肉长的。"

小粟这回真的要走了。郑雨晴自己也觉得，再硬留人家，就是不人道，但她请求小粟把建市七百周年活动完成之后再走。

郑雨晴："这个案例是传统媒体的颠覆式创新，咱们《都市报》只有你唱念做打俱佳、文武昆乱不挡，只有你才担得起这个重任。这个案例今后蛮可以在江州新闻史上留下重重一笔的。你若半途而废，不是把功劳拱手让给旁人了吗？"

小粟感激地说："郑社，谢谢您的知遇之恩。我心里知道，您这是给我垫台阶呢！放心，我一定会站好最后一班岗。"

高飞的悦信传媒与《都市报》手拉手，拉开宣传攻势。电子广告屏全天滚动字幕：我的城市我做主！《都市报》也在连篇累牍："理想中的家园投票。"

一时间，人人诸葛亮，《都市报》收集了各路读者提供的金点子，主题都是为自己的城市祝寿。

右右傻了眼："一千个人有一千种办法！咱们得在报上折腾多久才有答案啊？黄花菜都要凉了！"

何亮亮建议："是不是要分类归集，拿出几个主导的意见？"

粟主任到底不同凡响，他很快就梳理出道道。新闻跑久了，自然道行深厚，社情民意了然于胸，粟海峰太知道江州人的痛点在哪里。

早些年的市政建设，修路架桥拿的是霹雳手段，行的是雷霆作风，几乎一夜之间，便把江州人引以为荣的行道梧桐树砍伐一空。江州的道路宽了，江州的天空亮了，但整个城市顿时空乏一半灵气。梧桐树是江州城的魂魄，也是江州人的精神寄托。梧桐满城的那些年，江州人所有的爱情故事，几乎都发生在梧桐树下。梧桐在江州，已经不是树，它是命，是魂，是精气神，是传家宝，是吉祥物。

粟主任从读者反馈中选出一篇高中生的来稿，冠以《梧桐美景入梦来》，干脆利索地引爆七百周年活动第一个点：

"小时候，满城皆是梧桐树。它像爸爸，为我遮风挡雨，它像妈妈，最是朴实无华……

如今这一切只能在梦中找寻。家乡的梧桐树啊，在你被截肢修剪连根搬家的时候，我居然没有问一声：你疼吗？江州七百年的生日盛宴，梧桐树，你还会回来吗？"

乡韵乡情乡愁，借着这篇作文，一下就蒸腾起来。

粟主任看看火候差不多，赶紧收口，在报上推出结论：七百年江州市庆，让我们为自己的城市，重新栽种梧桐树吧！

高飞立即表示对郑雨晴工作的支持，以悦信集团的名义带头认购四株梧桐，并以企业名号为这四棵树命名。

高飞这一玩法，引发活动的第二爆点。右右和亮亮前期拉来的资金，这时候全使上了劲！民间的众筹资金，也跟着哗哗哗地涌进来了。企事业单位认捐，百姓家庭认捐，夫妇新婚、老人百岁、婴儿初诞、孩子成年……无数美好的期许，都寄托在梧桐树上。纪念树的含义层出不穷。

市领导们感到新鲜，没想到郑雨晴真的不花一分钱就把酒打回来了。江州的名气，现在不仅全国知晓，甚至在全世界各地，都有了知名度。一提江州，必说梧桐，一看到梧桐，必联想到江州。借着这次炒作，《都市报》和郑雨晴也威名四方。

市委专门为梧桐树开了个协调会，卢书记非常欣慰地说："传统媒体在新时代的转身和探索，《都市报》做出令人信服的尝试，效果很好。先头批的 500 万宣传经费，市里决定，就留在《都市报》账上。"

江市长提出认捐的梧桐树种在新区："那边正好新路刚刚修成，还没来得及种行道树呢。如果把众筹来的梧桐种那里，市政这块也能省下一笔钱。郑社长再接着做一系列的人文题材，借着'七百年'这个概念炒一炒，新区那边的商圈和房地产，很快也就起来了！"

一室领导听得哈哈大笑！

"算来算去，还是老江占了最大的便宜！"

"我以为不花钱打酒，是郑社长自己的独创，现在看来，是江市长薪火相传！"

郑雨晴谦恭道："我只学到皮毛，眼光狭窄。领导才是高屋建瓴。"她趁机提出梧桐观景路今后的落叶，只捡不扫，更能体现江州城市文化中的人文精神。领导又频频点头赞同。

吕方成早上蹲马桶的时候，信手翻看《都市报》。几乎每版都有一条提示：建市七百年纪念活动，由《都市报》和悦信传媒共同举办。他冷笑数声："这么快就在报上手拉手秀恩爱了！低俗！浅薄！！"

骂几声，忍不住又摊开来细看，心里给出客观评价，众筹活动真是金点子。又展开联想，银行的业务能不能跟众筹挂上钩。突然又醒悟，自己早就不是银行的人了，操那份闲心作甚？不如想想中午给女儿送什么好吃的。昨天的糖醋排骨好像受欢迎，萌萌晚上带回来的饭盒都不用洗的，小舌头舔得真干净。

萌萌冲爸爸耍嗲，要求以后每天都送两份午餐。

奶奶大惊："娃咧，每天你爸给你送那么大份的量，怎么还要两份？你小心吃成个胖子！"

"刘力然和万思加都抢我的午饭吃……我都没吃饱！"

吕方成有点生气，立即打开微信在家长群里留言："刘力然和万思加的父母在不在啊？能不能别再抢我家吕萌萌的饭吃啦？"

两位学生的家长立即现身，跟约好了似的一唱一和，先是深刻道歉，然后吹捧吕方成的厨艺，最后提出要求，能不能多准备一盒饭给我家小孩？我们付费！你呢，反正一头猪是养，一群猪是放。

其他家长也跟着起哄："对咯对咯！多做些也不多费事，集约化生产，你的成本就下来了……我们家也能凑一份吗？"

班主任露头了："班级群里不谈与学习无关的话题，如有生意往来，请另开群！"

吕方成拿着手机怒了："谁要做生意啦？！"

突然，一个群就蹦到眼前：一年级三班小饭桌群。

吕方成哭笑不得："我没答应啊！"

几位家长一抬一捧，哼哈着把吕方成给捧到天上去，大家商量好了一个孩子一天按15块一顿，头一个月330块纷纷转给吕方成。为了让孩子吃口好饭，现在的家长也是蛮拼的。

十来个家长的钱，赫然蹦到吕方成眼前。吕方成从没想过自己要干这个营生。虽然歇的这一个月边重修驾照边苦恼自己要做什么，但敲破脑袋都没想过要开个小饭桌当厨师长。

堂堂一个状元，竟然落魄到如此地步。吕方成心有戚戚焉。微信里那些橙黄色的转账单，就挂在那里，吕方成根本不去点击。

家长们憋不住了，自己又单开个群："人家萌萌爸爸，以前也是银行营业部主任，当年还是高考状元，肯定拉不下脸给咱孩子做饭，不给够价格，人家不会干这个的。他会不会觉得侮辱他了？"

"也是啊！人家萌萌妈妈还是堂堂社长，家里又不缺咱这些钱。估计他是不肯的。"

有个家长发狠了，甩到群里一句："我儿子能吃，顿顿不能少了肉，劳烦吕老师照顾，我工作忙，晚上都来不及接，我一个月给您三千，两顿饭带让您帮着看做功课，吕老师，您只要把我那淘儿子教得和吕萌萌一样好，我另包红包！"

群里立刻就炸了："哎呀，吕老师啊！您还负责辅导功课啊！算我们家一个不？跪谢啊！"

"我们先谢谢吕老师啦。"

突然之间，吕萌萌的爸爸就变成吕老师了。在微信群里，立即德高望重起来。

吕方成盘算着重修的驾照也快拿到了，只能回："我车里坐不下，看着做作业的孩子，最多收三个。"

吕方成，是被家长们逼着，上了小饭桌。

以后每天中午，吕方成送的饭就不止萌萌一盒了，得用塑料周转箱来装饭盒。放学铃一响，吕方成准时出现在学校门口，隔着大铁门点名，点到名的孩子们，就派上一盒饭。

孩子们喜眉笑眼，小嘴甜甜地叫他叔叔伯伯吕老师。有性子急的小子，当场就有忙不迭打开盒饭的，香气四溢，引来四周一阵惊呼。

吕方成满脸挂笑，嘴里哎哎地应着，手上忙着，头上渗出细密的汗珠。

远远地，银行营业部的小徐姑娘，就是吕方成先头派在广场舞蹲点儿的那个员工，在马路对面，伸长脖子向这边眺望。她想过来帮忙，又有点儿犹豫。小徐姑娘咬了半天嘴唇，最终还是鼓起勇气来到吕方成身边，一声不吭，帮他发盒饭。

吕方成很惊喜："小徐，你怎么来了？营业时间不能擅自脱岗……"

小徐小脸红红地回答："吕经理，现在是午休时间啊！我出来透透风，正好看见您在这里。"

吕方成有些不好意思："我是没办法，被萌萌班里的家长逼着帮他们孩子送点午饭。纯属帮忙……"

小徐仰望着吕方成，轻轻说："吕经理，你收我不？你要是收我，我帮你一起送午饭。这比在营业部工作舒坦多了！"

"你开什么玩笑？银行多好的工作……"

"银行再好，也就是金融民工嘛，吕经理不也辞职了？挣的还没卖盒饭赚得多，还要看那个鸟人的脸色！你收了我吧！我好歹正规本科毕业，不丢你送盒饭的人！"

吕方成大笑："姑娘啊，我辞职可不是为了干这个。很快，我就要去别的单位。趁着上新岗位的间隙，我弥补一下当爹的愧疚。你别安慰我了！我不需要！"

"啊……"小徐姑娘眼里，是真切的失望。

吕老太每天帮儿子洗饭盒数饭盒："儿啊，已经七十一份了！"

吕方成拎着大包小包的菜进门，听妈这么说有些紧张："哎呀妈，你是不是迷瞪了？哪有那么多？"

方成妈抬起头，目光明亮，她思路明晰声音朗朗："一点不迷瞪。你得换个场子了，不能这样在家里搞作坊小打小闹。你去，到学校周边看看，有没有啥楼对外招租，你把楼盘下来，正经拉开架势好好弄！"

吕方成给娘吓着了。他从没跟妈妈说过自己辞职的事，每天出去学车，就假装上班。老觉得老太太糊涂了，肯定以为自己还在银行上着班，没想到妈妈今天来这一出。

吕方成嘴里打着哈哈："我哪有那闲工夫？我还要上班呢！这就是顺道给萌萌班同学一起烧饭了，拢个人缘儿，年底三好都评萌萌。"

老太笑了："笼鸡有食汤锅煮，野鹤无粮天地宽！我看做这个事挺好，不比那银行的营生差。你那银行的工作，早都可以歇了。"

吕方成大吃一惊，支支吾吾："妈，你……知道了？"

方成妈瞪了儿子一眼："你再聪明，也糊弄不了我！我是谁，我是状元他妈！你那智商，都是从我这儿分出去的。"

吕方成单膝跪在妈面前："老太太，姜还是老的辣嘛。"

方成妈怜惜地摸着儿子的脸："儿是妈的心头肉！儿子憋屈了，妈的心窝窝会一直疼……"

吕方成眼眶一热，鼻子一酸。停一停，他问："妈，你不嫌儿子做这事丢你脸面？伺候人的……"

"什么活不伺候人？就算当领导，那还有官大一级压死人呢。你这活儿好，想干就干，不想干最多下个月不收钱，随时能关，还不看脸色！"

吕方成一点头，心被拨亮了。

方成妈从椅子上站起来，伸胳膊撩腿地锻炼："你呀，你索性开个班儿，把孩子们放学后都接到你那小厨房，帮人家把作业辅导好。你领他们看书写字，这些孩子们，将来不得状元及第连中三甲？！"

吕方成一拍大腿："哎呀妈呀！你一点不糊涂啊！我就按你说的办！开个状元及第工作室！"

过不多久，萌萌学校对面的小饭桌，不，"状元及第工作室"，没有鞭炮没有鲜花，悄无声息地开业了。吕方成既是老板又是员工。他一个人往玻璃门上贴招聘启事。

背后，有人敲他一下，回脸一看，是娇俏的徐姑娘："老板，用我行不？价廉人美，实心实意！"说完把吕方成的启事就给揭跑了，欢欢喜喜去店里贴照片整理书籍。

梧桐观景路正式开通前一天，郑雨晴陪同市领导们提前踩街视察。虽然寒冬尚未过去，梧桐新叶未萌，但眼前的一切，已经能让他们想象出，几个月后这里将是春天新绿树影婆娑。

领导们指指点点："这条路，算是我们市的文化地标呢！"

"地价都飙上去了！都上央视新闻了！"

"卢书记，您不知道，因为这条路，您在老百姓心目中民意可高呢！我们都做过网络调查了！"

转角处，卢书记停了下来，指着一株树形秀美的梧桐发问："小郑啊，这棵树跟你同名呢？"

郑雨晴定睛一看，真的，树下立着一块牌子："雨晴树。"

江市长开郑雨晴的玩笑："如果我没猜错，这应该是郑社长的仰慕者认捐的树。"

卢书记也开玩笑："老江，你再找找，说不定这里也有一棵叫江宏的树呢！"

江市长赶紧摆手："使不得使不得！一旦有叫江宏的，那纪委就得跟着查账了。"

领导们都哈哈大笑。

郑雨晴立在原地，紧紧盯着雨晴树，牌子上面还有一行小字："转角七百年的伫立，只为你偶一回眸。"

郑雨晴耳朵轰鸣，眼冒金星，脑子里一阵呼啸。领导们在说什么她一句没有听清，她心里被一股电流狠狠击中。

郑雨晴脱口而出："高飞！"

女不强大天不容

七百周年活动结束后，市统计局专门做了调查，结果显示活动好评率几乎是满分。市领导还指示《都市报》与电视台，做了城市宣传片《梧桐江州引凤凰》，宣传片在央视晚间 12 点左右反复播放，据说国家高层领导都看到了，很给卢书记江市长争脸。

那段时间领导们很忙，不仅要接待来客参观城市"修新如旧"，还要走出去传经送宝。以前评了几次不能成功的"全国文明城市"，今年眼看就要旗开得胜。卢书记对郑雨晴说："像这种人型的稳妥的活动，还是要靠你们传统媒体，交给新媒体，不晓得会给走成啥样，尤其是老领导，怕不能接受。我现在一看各种电商做广告用的词，我头都炸！什么'无下限'，什么'逼格高'，听起来都像骂人，不优雅。今后市里的大型活动宣传，还交给你们，还是政府花钱，你们放炮！"

郑雨晴大笑。心里一块石头落了地，到账的 500 万原先只敢看不敢用，怕上次 GDP 报道把领导惹毛了，以后再没活水进来，卢书记给吃了定心丸，现在终于敢花了。

她在采编会上说："挣钱挣得漂亮，花钱也要花得漂亮，可不能当守财奴。能挣会花才是经济的良性循环。好钢使在刀刃上，你们大家谈谈钱的用法？"

有老同志立刻提："以前说账上没钱，把老同志应该报销的医疗费给停了，现在有钱了能补发吗？"

有年轻人提："很多有才干的年轻人都逃跑了，能不能提高年轻骨干待遇，挽留住人才？"

还有人提议："发谁不发谁都摆不平，不如投入基础建设，人才管理也包括健康管理，单位的健身房篮球场年久失修，用这上面谁都没意见。"

"光说花钱，没说挣钱的事。财源还要广进！那个食堂小李，每天利用我们报社的食堂平台，赚这么多钱，盘活他家资产，我们得问他收场地使用费吧？"

"我听说物业刘总说市场化，不再拿单位的钱，自己开工资。她哪来的工资，不还是从我们头上挣的？这钱不能那个小团体拿啊，得大家分！"

张国辉嬉皮笑脸："别吵别吵！让雨晴老总说说，刀刃是哪里？"

郑雨晴道："首先重奖粟海峰、何亮亮和江天佑。这次活动做得好，他们三位是功臣。今后咱们实行首席记者制，重大优秀的稿件和策划，奋战在一线的记者都会获得同样的奖励！剩下的钱，我想都投入在内容的制作和输出上。"

大家齐声喊："内容天天给人偷，又不赚一分钱！凭啥？"

郑雨晴淡然一笑："有人偷说明有家底。要是连贼都不惦记了，说明你一点都不值钱了。虽然内容看着不值钱，但你要坚信未来内容是值钱的，这个钱，也许不是现金，名声也是啊！流量也是啊！不值钱，也要做好。"

她环顾大家："有一些人啊，正能量没有，负能量满满。自己不干活，还容不下干活的人有成绩。食堂小李，自己倒贴钱让大家吃饱吃好，物业刘总，本来罗副总的位子是她的，她给年轻人腾出地儿来自谋生路，现在都能接外面写字楼的生意了，人家汗珠掉八瓣给自己带来的好生活，怎么就看不惯呢？以后谁看不惯，谁自己找点子，自己也谋个好路，那些负能量满满的话，以后不要再说了。"

粟主任终归要告辞。走之前他惨惨一笑："走了的人，从来都回不去。这你知道。满满的伤心。"

郑雨晴答："常回来看看。你就当回来看看你受苦受难的大姐。在外头，过得不如意的时候，就想想我，你就舒坦了。"

郑雨晴嘴上说受苦受难，其实心里还是有愿景的，至少，省新闻协会的年度好新闻评选，她寄托了很大的期望。按照正常预测，仅丹凤湖小区爆炸案的特刊就足够包揽这届大奖了。

但是，现在是新媒体当道！评奖新政向新媒体倾斜，专门设立一个奖项叫新媒体奖，报送单位圈定为新媒体。而其他针对传统媒体的奖项，新媒体照样可以参与。郑雨晴拍了拍手边一摞打印出来的参评稿件："新媒体送评的稿件，八成都是抄袭传统媒体的，咱们评奖原则的第一条，必须是原创稿件，对吧！"

新媒体人并不介意："天下文章一大抄！《都市报》参评的爆炸案稿子，线索是从我们江州在线得到的吧！你们也不能算原创。"

主席劝："郑社长不要太激动哈！他们以前没有记者证，不抄也不行，不过最近网媒要发记者证了！以后他们就独立调查！"

新媒体人大度一笑："欢迎你们传统媒体的人，包括郑社，来我们新媒体高就！"

郑雨晴两肋窜气，顶得生疼，差点在椅子上坐不住了。她审读完所有参评稿件，交上自己的意见，便匆匆离会，并不像其他家的老总，坐等复评结果出来。

郑雨晴也是不得不提前走人，卢书记在电话里已经批评她了，卢书记一直温和有礼，这样急召郑雨晴是头一次。因为著名企业家、省人大常委、致公党的宋主席，投诉《都市报》。

卢书记把报纸连同投诉信一起拍在郑雨晴面前："你不要以为做了一次成功的众筹实践，就用经济效益这一把尺子去衡量所有的新闻！你们手中的话语权，是用来追求真相和阐释真理的！不是让你进行权钱置换的！"

郑雨晴没吭声，低头认真看报纸："奇怪，这个记者是谁啊，我们那里没有叫钱多多的人嘛！"

"我看你拎着箱子，估计要出差。你先放下手头的事，去把这件事彻查一下，不然我没办法跟上头交代。"

郑雨晴苦笑道："我这就是把手头紧急的事放下，刚下火车就奔您这儿了。您打算让我怎么处理钱多多，才好跟上面交代？是不是让他去资料室，永远不给上版面？"

卢书记一愣。

郑雨晴："卢书记啊，我虽然还不知道这钱多多是谁，可我想替他求个情……"

"小郑，你上任这几个月，时时刷新我对你的印象啊！你们《都市报》

的表现，过山车一样，建市活动刚刚 HIGH 到顶点，转手来个新闻讹诈！宋常委说，涉及被调查组进驻的企业总共有四家，你们只提他们一家，主要是因为他们去年没在你们这里做广告。小郑啊，你这是丢个辫子给人抓。"

郑雨晴叹一口气，一脸死猪不怕开水烫的无所谓："书记，反正我检讨都写成家书了，今天索性跟您说点心里话。"

卢书记示意她有话直说。郑雨晴便口无遮拦，像机关枪一样，突突突突一阵猛扫："新闻记者这个行业，已经没法干了。怎么干都是错。只要踏进记者这个行业，就带着原罪。花钱写表扬叫有偿新闻；没花钱写批评新闻叫新闻讹诈；花钱了，既没写表扬也没写批评，那叫有偿沉默；人不花钱，我可以不可以写呢？仍然不行！因为你这是在提前布局，准备左右手互搏。卢书记，你告诉我，我该怎么做？您知道北京西直门立交桥吧，东西南北上下左右，无论朝哪个方向走，都违反交规！干新闻也一样，全是 G 点，碰不得！"

卢书记："哎！咱俩到底谁给谁上课？你才全身 G 点碰不得！你的兵，都是好的？你的做法，全是对的？我怎么听说你又跟新闻协会主席干上了？说人家新媒体怎么怎么恶劣。你这样抵触情绪，会造成行业内部都把火力集中在你这里。我召你来，也是希望你远离是非，多干事，少表态。"

"不行，再不表态我就委屈死了。我们跟新媒体在一个舞台上表演，人家三节棍飞镖蛊毒全上，而我们根本就是戴着镣铐在跳舞……这也不能那也不给！尤其是纸媒，白纸黑字的，一百年都抠不掉！你训来训去，只有训我！"郑雨晴委屈得声音都变调了。

卢书记关切地问："小郑，我可是头一次看见你负能量爆棚。最近工作不是很顺利？有没有什么需要我给你支持和帮助的地方？你呀，要把工作呢，就当成打游戏升级，要有既竞争又娱乐的心态，这就是我们常说的，不能感情用事啊！你先回去吧，先了解一下情况，再做个文字上的……汇报？让下面工作人员，好好提高一下业务水平。"

郑雨晴眼圈忽然一红，她低头，吸溜几声鼻子，赌气说："我就大包大揽了！就批我一个好了。我管理不善，我水平不高，反正我就这一摊了，要死不得活的，求您了，现在记者也挺不容易的！别折腾他们了！"

"你啊，你这个倔头倔脑的样子，很得老傅真传！好了好了，你们女同志，情绪忽高忽低的，今天，你不适合理性谈话。我们到此结束，不把矛盾扩大化。过两天我再找你聊。快走快走！"

把郑雨晴轰走以后，卢书记无可奈何地笑了，连秘书都笑："怪不得江湖都喊郑雨晴'中二妇女'。跟书记说话都这样冲头冲脑。"卢书记摇摇头："她呀，这是内外交困，委屈叠加了呀！中国呢，对贤者的要求，要任劳，还要任怨，要负重，还要忍辱。很多人是能够任劳负重的，就是受不了任怨忍辱。"

秘书想了想答："在中国，想做一番事业的人，谁不是这样？"

郑雨晴问罗美林："荣兴那条稿子是谁写的？钱多多是谁？"

罗美林坐在雨伞下面："钱多多？美林我不认识，这稿子是何亮亮邮箱发来的。"

郑雨晴赶紧把何亮亮召来："怎么又是你！上次写了检讨，这才过去几天啊！"

何亮亮低头说："这是政府通稿，原本是四家企业都在上面，但张副总坚决要求拿掉三家，而且要我必须署名本报记者。我当时就知道会出事，所以，就署名钱多多了。"

郑雨晴暴怒："知道会出事，那你还敢发？！"

"张副总坚持要我发，说这稿子发得师出有名，敲打得了无痕迹。我哪敢跟他抗命？"

郑雨晴把稿子拍在张国辉面前，怒不可遏："我看你还是没关够！你怎么一点教训都不吸取？！你到底要把《都市报》给祸害到哪里去？！"

张国辉避开郑雨晴的暴风骤雨，毫不顾忌地当着她的面点了支香烟："广告大客户保护名单谁家没有！我打击这些不做广告的，是对大客户负责。客户关系有远近亲疏，老百姓办婚宴，红包一千和红包一百的，不也坐一桌的席吃一样的菜！郑社，你做你的新闻，我搞我的广告，咱俩各管一摊相安无事多好！跟一家人似的，男人挣钱女人花！可你这个女人啊，就是不会安静享福！动不动就说我新闻讹诈，这个在广告学上，叫营销！"

郑雨晴气得脸色发青，"啪"的一声，把茶杯扔在地上，杯子顿时四分五裂："张国辉，你把烟给我掐了！本来我在卢书记面前拍胸脯撑大个儿，想把这事给你顶了，现在看来，没有必要。明天，你自己去市委，跟书记说明情况吧。"

张国辉按灭烟头："原来是卢书记啊！雨晴社长，荣兴这家企业仗着政府保护，不晓得有多横！说起来是这代表那代表，天天拿国家补贴肥自己腰包。他老大光外头私生子就三个，还不是一个女人生的，第一我不算曝光他，这是新闻通稿；第二我曝光他也是为民除害，他有一屁股屎，哼，还敢去市委告状。我今晚就把他跟女秘书开房的照片发网上！不怕他不服软！"

郑雨晴拍桌子："张国辉，两条路你自己选，出这个大楼，随便你咋搞，要想留下来，你必须循规蹈矩！"

张国辉皮笑肉不笑："哟，听您这话的意思，是想赶人下班了！我张国辉，虽然蒙您推荐，但好歹也是组织正式任命的，哪能你叫我走我就走？"

陈思云把地上收拾干净，又给郑雨晴泡上一杯茶。也给张国辉倒了一杯，张国辉轻佻的口气："陈思云，风物长宜放眼量，你有前途，没有狗眼看人低。"

陈思云气得不行，郑雨晴冲她做了个手势，她气鼓鼓地退到外间。

郑雨晴厉声道："张国辉，只要我在这里坐镇一天，你就不得放肆！你现在暂停手头工作，下去给我写检查去！"

"凭什么呀？文章是何亮亮写的，版面是罗美林签的，要写，也是罗美林写啊！屎盆子扣我这儿干吗？"

话音刚落，罗美林飘了进来，声音激烈到失控："美林不写检查！检查会影响美林的进步！美林还有很长的路要走，不能给自己增加污点！郑社长，你听我说，事情是这样的：那天美林正准备签样，已经晚上十点多了，张副总他进来了，点名要我发钱多多的稿子，他纠缠我不放，深更半夜孤男寡女……"

张国辉嘀咕："我纠缠你？就凭你那蜘蛛精样儿，你花痴了吧？歌舞厅随便拉一个也强过你啊！脑子有病吧你……"

罗美林一下跳到张国辉跟前："你说谁有病？你才脑子有病！你们一家脑子有病！！"

郑雨晴听得头大，不耐烦地打住罗美林的话头："好了我知道了！这稿子与你无关，检查也不用你写！"

罗美林凄凉的表情："郑社长，你不让我写检查，是不信任我了吗？你是要让张国辉取代我去市委检讨吗？"

郑雨晴搞不懂了："哎？罗副总，你到底什么想法啊？你这这这……你想要哪样呢？"

张国辉："对呀！你今天磁场又没调整好吧？"

罗美林惨着一张脸："新闻无小事！信任重如山！"

郑雨晴都快被她搞神经了："那这样好不好，罗副总你写一份情况说明。"

罗美林惨淡回眸一笑，一脸诀别的表情："美林宁为玉碎，不为瓦全，你若是逼我去检讨，我今天就从你这里跳下去！"

郑雨晴："罗副总，我求求你了，别在我这里闹了！要跳回自己那儿跳去，我还要写检查，我还有很多事情要办呢。头都给你吵大了。拜托你们二位爷，都赶紧各就各位。明天一早把检讨带着，咱一起去跟书记交个差。都走吧！还站着干吗？！"

罗美林立即不吭声了，像个魂一样，悄无声息地飘出郑雨晴办公室。张国辉见状也准备溜走，被郑雨晴叫住："你站住！你回来！我还没说完呢！你那照片，你可千万别乱发！我们去年干了一年的好事，别因为你这一件坏事，全给冲跑了！"

张国辉坐下："郑社长，其实吧，我跟你透个底，"他凑近郑雨晴，压低声音，很神秘的语气："这稿子，江市长，是知道的，就算卢书记批评了……最后肯定也是不了了之！不信，我们可以打个赌！"他坐直身体，得意地抖腿："咱这报社风气不对啊！本来都团结干工作的，现在全凭上头领导谁硬。这样工作是搞不好的……"

"砰！"突然楼下传来重物着地的沉闷一声，接着有人大声呼救："快来人啊，来人啊！有人跳楼了！"

罗美林真的跳楼了。从她自己的办公室里，纵身跃下。肝脑涂地，魂归西天。

公安来了，在地上用白灰描出了一个人形。四周围，拉上黄色警戒线。

罗美林的办公室门口，也拉上了警戒线。被糊上报纸的窗户，大开着。风呼啦啦吹进房间。桌上的一摞旧报样被吹得一地。那香盘，还袅袅冒出青烟。风一吹，青烟立即四散得无影无踪。香盘下面压住一张报样，写有一行红色大字："美林被郑雨晴迫害致死……"

门口一群人探头探脑，一阵窃窃私语："是血书吗？"

郑雨晴站在罗美林的桌前，眼睛被那红字刺得生疼。她觉得眼前这一切都像是梦游。

警察问："听说郑社长是罗美林生前见到的最后一个人，请您谈谈当时的情景。"

郑雨晴喃喃："我没有迫害她，我和她没冤没仇啊？刚才，在我办公室里，我们为了处理善后一条稿件，进行正常的业务探讨……她表现得，有点怪怪的。"

警察记录着："怎么怪法？"

郑雨晴努力回忆："她一直就表现怪怪的。所以她说要跳楼，我根本没当真。"

张国辉从人丛里站出来："报告政府，我有话说！我是人证。我是这个集团的副总，第一副总，我叫张国辉。郑雨晴和罗美林探讨业务的时候，我在场。"

郑雨晴立即轻松了："对了，张副总也在场。"

张国辉一脸冷峻的表情，他一字一顿对郑雨晴说："郑社长，罗副总，确实是被你逼死的。我不能撒谎。"

郑雨晴不敢相信自己的耳朵，一阵寒意从头袭到脚："张国辉，你说什么？！"

张国辉重复："郑雨晴，你迫害罗美林不是一天两天了。她就是给你逼死的。"

现场顿时安静得连一根针掉下来都能听到。

张国辉对警察说："罗副总的位子，郑雨晴本来是留给自己心腹的！可是罗副总一回来，郑雨晴家天下的美梦就破灭了！她多次在公开和私下的场合里，排挤刁难指责罗美林。我们广大群众，都是看见的！罗副总从高原回来后，一天都没休息，郑雨晴把什么苦活累活脏活都往她身上压！她让罗副总天天值夜班！出了事都让罗副总兜！动不动就写检查！罗副总，罗副总，她，多好的，人啊，实在是……撑不下去了！"张国辉哭了，哽咽着把台词全部背完。

郑雨晴简直惊呆了，这个活流氓，居然还是个演技派。

人群嗡一声，炸窝了："啊？罗美林真是郑社长逼死的！""哇靠！劲爆啊！"

陈思云站了出来，她气愤地说："我也在场，我也是人证。事情根本不像张副总刚才说的那样！"

张国辉："警察同志，这个女人的话你们不要信，她根本不在场！而且她是郑雨晴的心腹，是她的人，一贯把黑的说成白的，把死的说成活的……"

警察说："你们两个人证，都写份书面证明材料吧！"

小饭桌的小徐姑娘也看到消息了。她表情古怪地把手机递给吕方成："这个，微信上的新闻，不一定可信，不过，你看看！"

吕方成一看就急了，赶紧联系郑雨晴，但是她手机关机。

刘素英急得快疯了，报纸出版眼看着成问题。郑雨晴电话不通，谁安排采访？谁过来审稿？谁晚上签样？她像热锅上的蚂蚁，正在团团转呢，突然小粟如天兵天将，英明神勇地出现了："刘总，知道报社出事，我就回来了！你放心，我不是奔着罗副总的位子回来的！做人做事但求无愧于心。"

刘素英激动得鼻子都囔了："太好了！这得让雨晴赶紧知道！她现在估计已经伤心绝望到顶了。可是，现在连警察都找不到她。"她索性直接打电话给高飞。高飞正在外地出差，完全不知所以："你是谁啊？出什么事了？你怎么有我号码？"身边的人眼看着高总的脸渐渐凝成了一块寒冰。

郑雨晴把自己关在酒店房间里，手机，关机。房间电话，线给拔了。桌子上，放了一沓空白的纸和一支钢笔。

高飞站在她的房间门口，指示服务员："把门打开。"

服务员拿出磁卡，吱的一声划开门。门从里面反锁。服务员不知咋办。

高飞一脚把门踹开。大家冲进去。

房间里没有开灯。窗外是万家灯火，勾勒出一切的剪影。郑雨晴趴在床上，如死人一般没有任何反应。室内很冷，窗户大开，窗帘被风吹得飘啊飘。

高飞上去一把抱住郑雨晴："雨晴！"

雨晴双眼紧闭，手脚冰凉，高飞急了，拿嘴唇去试探雨晴的额头，郑雨晴这才慢慢睁开眼。

高飞心疼又惊骇："你吓死我了！你干吗呀你！"转头吩咐员工，"你们都出去。"

郑雨晴泪水无声地大滴大滴滚落，厌倦地又闭上眼，转过头，不让高飞看自己。

高飞有些痛心地说："雨晴啊，你是个多么坚强乐观的女人啊，出了那么多事都没有打倒你，一个罗美林，就让你失去意志了吗？你是一个报社的社长，你是萌萌的妈妈，你是郑守富的女儿，你有那么多责任，哪能说不接电话就不接电话呢？"

郑雨晴没任何反应，就是流泪。

高飞跟她开个玩笑："你还没钱呢！哪能任性？"

郑雨晴轻声叹气，悠悠长长，气如游丝："我一直在想，为什么，跳楼的不是我呢？"

高飞赶紧制止："胡说！雨晴，你怎么会有这样可怕的想法！"

郑雨晴轻轻地说："那样，我就一了百了了，我就轻松了。人言，真是可畏，难怪阮玲玉要自杀。"

"阮玲玉是没有爱人才走绝路的！罗美林也没有爱人，可雨晴，你和她们不一样啊，你有那么多爱你的人。你有我呢！"

郑雨晴的眼睛一下又被泪蒙住了，模模糊糊，既看不清灯光，也看不清高飞。

她眼泪滑下："你相信我吗？我没有逼罗美林，我问心无愧。"

"我当然相信你！雨晴，这世界，有六十亿人，绝大多数跟你都没有关系。他们道听途说，他们不负责任地诋毁你，他们谈论你像谈论天气，他们根本不在意你是死了还是活着。你为了这些与你完全不相干的人，而要抛弃我们这些爱你的，疼你的，懂你的，舍不得你的人吗？你的心长到哪里去了？你这里，到底有没有我们？我们对你的信任，敌不过那些不相干人的毁誉？"

高飞警觉地看看窗台，立刻把窗户拉起来。"你想跳楼？"高飞一把把郑雨晴搂在怀里，"你要是跳下去，我这辈子下辈子，都不会原谅你！"

郑雨晴跟犯错误的孩子一样："没有。我心口闷，想吹吹风。我有一刻，有跳下去的欲望，那一刻，一下就把自己吓醒了。我不能跳！我要是跳了，就逞了小人之快，痛了亲人的心。"

高飞由怒转笑，怜惜地摸摸郑雨晴的脸："没白疼你，还不糊涂。好好睡一觉，人这一生哪，就是高高低低，上上下下，要有一颗平常心，天大的事都会过去。"

郑雨晴呜咽："我睡不着，脑子里像陀螺那样飞转……"

"我看着你，你乖乖闭上眼睛睡。"

郑雨晴闭上双眼，听话得像个孩子。

高飞轻轻吻了吻她的额头："晚安。"

郑雨晴惊恐地睁开眼睛："你要走了吗？"

高飞保证："我不走。"他给雨晴盖上被子，触到郑雨晴的脚，那脚冷得像冰一样。高飞二话不说，拉开自己的衣服，把雨晴的双脚揣进自己的怀里。

深夜，突然窗外传来刺耳的刹车声，郑雨晴惊醒，她惊叫一声，随即哇的一声号啕大哭，像个孩子一样惊惶地四下张望。

高飞正在Pad上改文件，他赶紧放下手里的活，迅速走到郑雨晴床边，兄长一般拍打她的后背："不怕不怕，我在这里，雨晴不怕。"

郑雨晴嘴里叽叽叽叽不停："我对罗美林没有恶意。是她自己坚持要值夜班的，换都换不下来，我怕她以为我干涉她工作，所以不去夜间站了，我没有让她写检查，我都跟领导说了我一个人扛，我从没想过迫害她！不过我动心起念了，我在心里看不惯她，我从情感上没接受她，我不该说那句要跳回你自己那儿去跳……"

郑雨晴哭得上气不接下气。高飞像哄孩子一样"嘘嘘"地拿手指堵她嘴，实在堵不住，便用唇贴上去。郑雨晴挣扎了两下，突然就安静而归顺地彻底把自己交了出去。

外面打着春雷。吕方成正在备课，听见雷声，他赶紧把窗户关严，拉上窗帘，屋里安静了。吕方成给萌萌拉好被子，又一次拨打郑雨晴电话，仍是关机。他放心不下，终于忍不住，打高飞电话。

高飞电话在高飞衣兜里。

高飞衣服在衣柜里挂着。

高飞和郑雨晴在床上。

没人听见。

吕方成思忖片刻，给高飞发了条微信："你知道雨晴现在在哪儿吗？"

没有回应。

吕方成再等片刻，又发个微信："你若见到她，让她给家里报个平安。"停顿了一下，他加一句"萌萌想她了"。

吕方成走到厨房里，站在他的那面课表前，默默盯着看。口中喃喃："你这个中二妇女啊，可别干糊涂事……"课表当间，是郑雨晴上次偷偷添的几个字：郑在点赞。还有一个笑脸符号。

清晨的阳光从没拉严实的窗帘里，探进房间。郑雨晴像婴儿一样，蜷曲着身体，高飞睡在她的身后，环护着她。

她睁开惺忪睡眼，高飞立即发现了，轻声问："醒了？还冷吗？"

郑雨晴答非所问，她盯着窗帘上那透亮的一片，喃喃道："天亮得好快啊……"

然后是一阵长长的沉默。

高飞看看表："亲爱的，该上班了。我们都只请了一天假。"

郑雨晴一脸痛苦地躲避："我不想上班。领导训我，同事讨厌我。我不想出去。"

高飞摸摸郑雨晴的脸，然后站起来："你必须得出去。一，你是单位领导；二，今天你还得到公安局去；三，吕方成在找你。"

郑雨晴仍然背对着高飞，轻轻问："那棵树……为什么要叫雨晴树呢？"

高飞一愣，笑："送给你的，当然拿你冠名。你觉得不好吗？"

郑雨晴有点不好意思："上面写着雨晴树，下面写转角七百年的伫立，搞得好像是我在等你似的……"高飞俯下身子，亲吻着雨晴："我错了，它应该叫高飞。是我在那里一站七百年……怎么能让你站那里等我呢，真是太没觉悟了。"

郑雨晴终于被高飞逗笑了，笑完以后又叹气，叹气以后才缓缓起床。

高飞继续劝她："晚上回去陪陪孩子，还有你父母那里，抓紧时间去报个平安，别让老人操心。"

郑雨晴打开手机，飞出很多条微信和未接电话。"你放心。这个世上有这么多牵绊我挂念我的人和事，即使负重，也要砥砺前行。"郑雨晴上班去了。

郑雨晴刚在办公室露个头，陈思云就蹦过来，一把抱住她，带着点哭腔，连珠炮一般喊："姐姐！郑社！"

郑雨晴轻拍她的后背："别急，有话慢慢说！"

陈思云破涕为笑："讨厌，人家为你担心死了！"她报告一个好消息，原来罗美林突然跳楼，是因为她的病，严重的抑郁症。

那天小粟回到报社，刘素英腾出手，带着公安就去了罗美林的家，在她的卧室里，发现一溜排的药瓶，书柜里有罗美林从青海到江州求医问药的诊断书，罗美林的日记也被公安找到了。

虽是好消息，但郑雨晴一听，却更难过了，都觉得罗美林怪，自己怎么没想到那是病呢？！

陈思云递上罗美林的日记本："公安已经结案了，我把这个留下来……"

郑雨晴心情沉重地翻开罗美林的日记，满篇全是罗美林失恋之后，抑郁心情下灰色的心。她的病，罪魁祸首是那个负了她的吴春城。

郑雨晴合上她的日记，深深叹口气："痴情女子所托非人啊！爱有多深伤有多重。"

"她病得那么重，我们都在背后长长短短议论她，却从没想过伸出一只手给她……她虽不因我而死，但我对她有很多的错。"郑雨晴仍在自责。

陈思云想了想却说："不是你的错，郑社。她的命，是她自己浇铸的。她跌在吴春城的小坑里，从此再没爬起来过。其实，没有任何一个男人，值得用生命去爱或恨的。"

郑雨晴回到娘家。许大雯一见到女儿，扑上去摸头摸手："哎哟我的孩，你没事吧？可把妈吓坏了……打你电话怎么不接啊！你要是出了事，让妈妈怎么活呢？"

郑雨晴安慰地拥抱了焦躁不安的亲妈。

郑守富从书房奔出来，去厨房端出一碗汤，用从未有过的温柔跟郑雨晴说："身体是革命的本钱。我问过医生了，那个罗美林啊，之所以得抑郁症，就是太瘦了。女孩子到你这个年纪，要多吃，长点脂肪，抗抑郁！"

郑雨晴笑了，忍不住拉住爸爸的手说："我没抑郁。我想得通。你别担心。"

郑守富很坚定地说："对！无论出现什么样的状况，都不允许想不开！流言蜚语又不伤你毫发！随人家说！"

郑守富不能听人说女儿的不好，他特地注册了个马甲上网，谁说郑雨晴的不是，他跟谁干仗。

郑雨晴看郑守富的脸色："你脸怎么这么红？你降压药吃了没？"又拿血压计给父亲量血压。还劝老头，不要跟那些网上的人计较。不好的话不听，不看，不说。老天自有一杆秤，临走的时候，要称骨头的，不要把自己的福气白白跟这些人耗损了。"罗美林的死，让我悔悟了一件事：气头上要积口德，少说一句话，不伤己，也不伤人。我到底，还是修行得不好。"看到老头血压偏高，又叮嘱妈把网线掐了，不许爸再上网看帖子。

临走时，郑雨晴对爹妈说："这两天忙，我得空再来看你们。你们不要有怨恨恼怒烦。我不会让你们担心的。"

郑雨晴出门，许大雯有些心满意足地感叹："你们父女俩，要是能一直这样和平共处就好了。以前一见面就掐，都说女儿是父亲的小棉袄，我看她是你的紧箍咒。"

郑守富叹气："以前一想到她这样的也能当社长，我天天不放心，天天舆情监测，我发现，这一桩桩一件件过来，孩子真是长大了。"

粟主任在采编会上汇报说，将从下周起做几期心理疾病的专题，这个策划，也是采编同仁们对罗副总寄托的哀思。

一时会场里有兔死狐悲的凄然。

郑雨晴态度诚恳地检讨："罗副总，是用她的生命在提醒我，我对我周围的人太粗糙了。这几个月来，我太急于处理扑面而来的事，却忽略了那些交替出事的人。今天，我这个'中二妇女'，想跟大家道个歉。我这心呢，也是大得漏风，光想着报纸要出精品，报社要出效益，把过多的压力加诸在同事们的身上，希望大家多担待我点……"

她安排下周全体人员体检，并下了死命令，任何人不得以任何借口不去："咱们不仅要有身强力壮的躯壳，还得有一颗无坚不摧的心。"

右右嘀咕着："健康体检又不包括精神方面咯，万一我心理有毛病怎么办呢？"

郑雨晴听到了，笑着夸奖道："这是个好问题！请刘经理寻一个好的心理医生，每周为报社职工服务两次。"

大家静静听着，觉得郑社和以前不大一样了。那个风风火火的铁娘子身上，增添了几许温柔细致。

散会后郑雨晴问刘素英："今天怎么没看到张国辉？"

刘素英鄙夷地："公安一宣布罗美林是自杀，这货就闪没影了。听说是找了个会，出差去了。吓得不敢见你，尿相！怕你回来搞他。"

郑雨晴温柔一笑："我现在喜欢的人和事越来越多了，哪有时间分给不喜欢的人和事？他多虑了。"

刘素英小声道："那个高总，对你挺够意思的。"

郑雨晴低头，没好意思吭声。

刘素英拍拍她的胳臂："理解理解。人在特别脆弱的时候,容易失守。"

郑雨晴赶紧漂白："他并没有乘我之危。"

刘素英一脸鬼笑："原来是两相情愿，那更好了。"

吕方成扎着围裙，在状元及第工作室的后门点货。送货的小厢车里堆着生鲜瓜果鱼虾肉禽。车厢帮子上贴着不干胶：状元及第工作室指定供货商。

吕方成拎出一块牛肉，熟练地捻捻、舔舔、闻闻，随手一撕，牛肉一劈两半，他往送货人面前砰地一扔："你这是胎牛肉！刚生下落地就死的小牛犊，病牛肉也敢拿来给孩子们吃！你黑了良心！"

送货人伸头过去装模作样地看看，然后抱抱拳："哎哟哎哟，抱歉抱歉！你看我这啥眼神啊！咋混进这么一块！"

吕方成威胁："再有第二次，我就要换供货商了！"

送货人慌了："保证没第二次了！我给状元家送货，脸上好有光！交警都高看我一眼！"

小徐姑娘走来，小声说："吕总，前边……有人报名。"吕方成没抬头："你给他报吧。"

徐跳奶的声音蓦然响起来："哟，吕状元，你架子大啊！我特地来看你，不接见一下吗？！"

徐文君还是那副颐指气使的派头："吕老板，你好像不太欢迎我啊！开门做生意，笑迎八方客嘛！柜员都要求露八颗牙的，我带你们训练过，你可没有把好传统继承下来哦！"

吕方成不太自然："我不是做生意的，我是应孩子同班同学家长的要求，给孩子提供点营养咨询和教育帮助的……"

"你跟我还不讲实话。你这个小饭桌，我数数啊，"徐文君拿手清点桌椅："百十来个孩子了！你丫头班级有这么多同学？"

吕方成指着门头上的牌子，纠正她："我这是工作室，不是小饭桌！"

徐文君笑得胸脯颤抖："不都一回事吗？老吕真是书生意气。"看到吕方成真有些动怒了，徐文君赶紧改口："对，是工作室。我一个朋友的孩子，想进你这个小饭……啊啊，工作室！你给安排一下呗。"

吕方成面无表情："满员了。"

"编啥瞎话啊，什么满员了，赶紧把这孩子给我收了，我还要赶去财富汇呢。"

但是吕方成不收，而且特别强调，只要是徐文君带来的孩子，一概不收。

徐文君错愕地大张着嘴，好半天才吃惊地叫起来："你，长志气了啊！

胆子不小！"

吕方成居然变本加厉，开始往外轰她："你出去吧，我这庙小，蹲不下你这尊大佛。"

徐文君发作了："吕方成，不想好了你！"

吕方成龇牙乐："我就不想好了，你拿我怎样？扣我钱？降我的级？去上面告我一状？你以为你还是我老板啊？！"

徐文君愣了愣，口气变得委婉，规劝吕方成："虽然不是同事了，可低头不见抬头见，今后可能随时会遭遇上，咱能不能，而今迈步从头越，相逢一笑泯恩仇呢？"

吕方成屏屏地傲答："不能。"

徐文君气急了，又变脸："你惹我是吧？好了伤疤忘了疼了。你自己想想，我徐文君一路走来，可有没做成的事？"

从前徐文君在营业部一手遮天，在那个体系里，吕方成毫无反抗的力量。在她的胁迫下，吕方成一点点没有了自我，虽然良知未泯，但仍做了黑白不分的事情。但现在不同了，吕方成挣脱了徐文君的体系，他有了自己的一亩三分地，那种当家做主的痛快，让吕方成恨不得翻身奴隶把歌唱。

他从容地背着手，语调轻松："我现在是自由职业者，自由，你懂什么意思吧，自由不仅意味着想干啥就干啥，更意味着，想不干啥，就不干啥！"

徐文君一手叉腰，一手戳着吕方成，胸脯乱颤，冷笑道："你就算跑到天边去，我照样能治你！什么工作室能又卖饭又办学？你执照上写着餐饮是吧，你搞课后辅导就是超范围经营，我只要把举报信往工商桌上一放，你就等着工商来查你吧！还有，你有教师上岗证吗，你就敢给人辅导作业？！哼，让老娘不舒坦的人，老娘都不能让他活！我劝你，斟酌一下再回答我：我这有个孩子，你接还是不接？"

吕方成抱起小茶壶嘬了一口水："去告去告！尽管去告！我这儿的学生家长不少都是职能部门的头头脑脑呢！"吕方成掰着手指头数："工商税务卫生法院……全齐了！我们互相为对方解决后顾之忧啊。"

徐文君一愣，气焰委顿，声音有点虚："你给我等着！"她边走边扭头威胁吕方成："有你好果子吃！"

一回头不小心"咣"撞到玻璃门上，一大块玻璃掉到地上，稀里哗啦，崩得到处都是。徐文君脸上崩了好多玻璃碴，额头上还插一片玻璃，血糊一脸，其状甚恐。

吕方成也吓着了，一把扶住徐文君："快！我送你上医院！"

徐文君立刻阻止："别动！你等着，你等着！"

吕方成以为她要说，你等着我弄死你，岂料徐跳奶摸出手机开始自拍，自拍完了，又对着满地玻璃碴和那破碎的门一顿狂拍。然后捂着脸任一路鲜血滴答地走到马路上，撕下交警在车窗上贴的罚单，从容开车走人。

吕方成目瞪口呆。这个女人，太疯狂了！

小徐急坏了："你还不去追她？她肯定去报警了！一定要在家长来以前把这事给了结了，不然……"

吕老太不知道什么时候也跟进来了，这时却淡淡地说："好事。"

大家都不解地看着吕老太。吕老太重复："好事。幸亏是她撞了，要是孩子们撞了呢？说明你这玻璃门不安全。人家批评你是对的，你就是有好多漏洞让人抓。赶紧地，去换个钢化玻璃，这钱，不能省。"

虾兵蟹将的叛逃

忙完一切，傍晚郑雨晴终于回到家。白天她抽空给吕方成报过了平安，前夫声音里的焦急和关切让郑雨晴又感激又内疚。

应该一家人围桌吃晚饭的时候，怎么今天黑灯瞎火冰锅冷灶呢？郑雨晴正在奇怪，便听到窸窸窣窣的开门声，吕家祖孙三人一起进了门。

萌萌照例是惊喜，一头扎进妈妈的怀里。

郑雨晴问："宝贝，今天你爸没做西餐给你吃？"

"今天吃的是日餐，寿司！在工作室吃的！爸爸和小徐阿姨做的。"

吕方成纠正："小徐姐姐！"

方成妈又纠正："叫小徐老师！"

郑雨晴有点尴尬："什么工作室啊？谁是小徐？"

方成妈很有眼色地拽萌萌："走，萌宝儿，练琴去！"

萌萌却撒娇要妈妈陪练。方成妈说你妈妈爸爸有事，奶奶来陪。萌萌还是一脸不情愿。但吕方成自有办法，只轻轻一句，你忘记和爸爸的约定了吗？萌萌就欢蹦乱跳往钢琴那边跑。又被吕方成一把揪回，让她换鞋。

萌萌咯咯笑着拧身子护痒，吕方成便拿胡子去扎，父女两个好一阵亲热，郑雨晴这个当妈的被闪到一边，有点心酸。

等一老一小进了卧室，叮叮咚咚的钢琴声响起，吕方成立即收住笑垮下脸，一把攥住郑雨晴的手腕，往书房里走。

进了书房，吕方成关上门，忽然注意到郑雨晴不太自在的眼神，似乎没什么安全感，便敏感地又把门拉开，虚虚地掩上。

吕方成指着椅子，压低声音严厉地说："你坐下！"

郑雨晴乖乖坐下，嘴里不服："你什么脸色，要吃人哪！"

吕方成开始痛批郑雨晴："你让我很失望！对你我就没看走眼过，在困难和容易之间，你永远选择容易！"

郑雨晴："我怎么了我！"

"你关机的时候，考虑过别人的感受吗！你想干啥？！罗美林跳楼你想跟着去死？逃能解脱吗？死能百了吗？你想过萌萌吗？你让她怎么办呢？她以后结婚了，孩子谁给她带？"

"我没跳！高飞跟你胡说什么了！"

"我用得着他说！我对你太了解了！你一撅屁股拉几个粪蛋儿我都知道！"

郑雨晴嗔怪："你说话别那么难听嘛。你要允许我也有脆弱的时候。这两天，日子真不是人过的……但跳楼，那不是我的性格。"

吕方成咬牙切齿："关机也不行！以后再有什么事情，你必须第一时间跟我汇报！因为我是，我是，你孩子的爸爸！我要对萌萌负责！你记住，当妈的人没有权利脆弱，没有权利放弃生命！为母当自强！"

郑雨晴一脸愧疚地向吕方成道歉，承认自己做错了，确实，有那么一刻自己确实想当鸵鸟："我害怕听到电话铃的声音！我怕你问，也怕我爸问。我总想调整好情绪才回来见你们，怕你们担心……"

吕方成挂着脸，没好气："你现在回来，是调整好了是吧？你现在有疗伤的地方了，孩子和爹妈都不要了！"

吕方成心里记挂着郑雨晴，还得不露声色去安抚郑家爹妈。老人老了，变得脆弱了，门开时见到吕方成那一瞬间，老两口像找到了依靠和组织，红了眼圈。吕方成心一软，前嫌尽弃，从前老头对自己的不好与刻薄都丢到了脑后。还一个劲拍胸脯保证，自己已经和郑雨晴联系上了，她是在高飞那里，有他看着，绝对不会出事。

郑雨晴得知这一切，感情异常复杂，各种情绪交织在一起，堵在胸口，让她说不出话来。

吕方成与郑雨晴的谈话不时被电话打断，吕方成的表情和态度，也在不停切换。电话一响，吕方成热情洋溢地接听，在讲电话的间隙，还忘不了对郑雨晴怒目圆睁，仿佛告诉她，你等着，我还没训完呢。现在是广告时间，广告之后我马上回来！

听着吕方成业务繁忙的电话，郑雨晴喃喃自语："你成立工作室了？"

吕方成忙中偷闲对郑雨晴说了一嘴："转告你的男朋友，请他务必注意社交礼仪，打电话不接，发微信不回，我最讨厌他这种人了！"

郑雨晴点点头。突然她扑哧一笑："我好不容易熬到我爹老了管不动我了，怎么凭空又多出一位爹来了，你不光管我，还要教训我的男朋友。你想管就管吧，我巴不得你们都来管我。罗美林就是管她的人少了，才会出事。"

吕方成翻她一个白眼："你这会儿学乖巧了。"又说，"你别出声我给小徐回个微信。"

郑雨晴愣了一会儿，反应有点慢，小徐是谁啊？刚才进门的时候，祖孙三人对小徐的称呼，好像有点乱。

因为玻璃还没装上，小徐怕野猫野狗进来祸害，主动留在工作室里看门。吕方成轻声细语："让野猫进！你赶紧回家！女孩子家的，不要把自己置于危险中，我不放心！"

郑雨晴觉得自己不方便旁听这种电话，也是给吕方成腾地方，便跑去厨房找吃的。

吕方成看在眼里，内心小得意，看样子国企总裁过得比较惨淡，单位和男朋友都不管晚饭，还要到前夫家里来蹭吃喝。

等郑雨晴从厨房拿了块馒头回来，吕方成已经收了线，又摆出教训人的面孔："你这边吃边走的习惯很不好，下次要改正。"

郑雨晴再想问他萌萌这两天的情况，又被吕方成瞪了一眼："食不言寝不语。等你吃完了再聊。"

等郑雨晴把最后一口馒头咽下去，吕方成掏出一张卡，递给郑雨晴："还你。"郑雨晴一看，是自己的工资卡，坚决不收，这是孩子的生活费。

吕方成一脸傲气："我的女儿我来养！你在单位是老大，在家里，你已经做不了主了。你自己连晚饭都保证不了，迟早孩子的抚养权是我的。"

郑雨晴笑笑，也不跟方成争辩："不都说好了的，萌萌归我，我们共同抚养。你现在日子过好了，都能谈抚养权了。"

吕方成坚持让她收下卡："收入不一定有你多，但头上没领导，不用写检查。"

郑雨晴接过那张卡："我替萌萌收着，以后她上学出国结婚嫁人，哪里都用得着钱！哎，方成，我听了你这几个电话，觉得这个工作室你挺适合做！天时地利人和，非你莫属。"

吕方成又像从前的状元做派："我适合的事业多了去了，但这是我目前最想做的事情。边陪孩子边赚钱，啥事不耽误。"

掐指一算，像这样全天候的陪伴，总共不过十年，连头带尾只有3650天！等萌萌上大学，再回来就只有寒暑假，那就像客人了。吕方成唉声叹气："要是她遗传了你的基因，早早地身后跟个浑小子，我这个老爸，就快靠边站了……"吕方成看上去像是老了一截。

郑雨晴也很伤感。她回忆过去，好像自从跟吕方成谈上恋爱，自己都不把爹放在眼里了。

两个人不知不觉说了很多话。吕方成很诧异，自己居然跟前妻还有话可谈，转念一想，头天晚上郑家老头还硬留自己喝小酒呢，连跟前岳父都有得聊，那跟前妻，聊孩子有共同语言也是正常。

郑雨晴也心里纳闷儿，很久没有这样心平气和地与吕方成说话了，怎么婚都离了，彼此的态度却变得和蔼了呢？

聊到最后，吕方成总结道："孩子的成长是不可逆的，错过了一辈子无法弥补。我每天看着萌萌像花一样，一点点就开了，心里真的像抹了蜜。"

郑雨晴深有同感，她觉得自己忙于工作，好像已经错过了很多，所以，她要尽力弥补。

清晨，高飞跟做贼一样，将房间拉开一条缝，伸出脑袋左右张望，正准备跨出一只脚，突然听到电梯叮的一声响，吓得他一下又缩进房间。

郑雨晴有些惆怅："我们正经谈个恋爱，你搞得像做贼一样。是不是觉得我丢你的人了？"

高飞做了一个嘘的手势："这是我的酒店！让员工看到了……我以后还怎么坐在台上训人？"

郑雨晴一下就笑倒在床上："怕员工联想你在床上的样子吗？哎呀，你以前是不是常在酒店干不好的勾当？"

"你套我话是不是？我洁身自好！"

郑雨晴一撇嘴："让我看看你手！"

高飞莫名其妙伸出手："品德也能看手相看出来？"

郑雨晴仔细顺着左右两只手的大拇指和食指寻一遍，抿嘴坏笑："两手指也没茧子……"高飞抽回手，在郑雨晴脑门上敲个凿栗："坏女人！"

《都市报》这阵子走了不少骨干记者，小恺请长假写剧本去了，听说老柯去年炒股炒得不错，今年收了不少人的钱，算搞了个报社小私募。现在开个采编会，人坐得也稀稀拉拉的。散会了，郑雨晴和粟海峰还在会议室里，相对而坐。

粟海峰问，啥时候去市里读检查？何亮亮这阵子士气低落，真怕他也走了。

郑雨晴四处看看，声音很低："罗美林这一跳，估计把人大代表都吓住了。好像这事就算不了了之了。"

粟海峰："那，我让亮亮继续跑一线了？"

"你给亮亮派个好点的差事，让他振奋点儿。孩子也可怜，不像我们这些老江湖，我看他最近都无所适从了。"

小粟叹气："何止他无所适从呢？我看所有的纸媒都惴惴惶惶的。大家各自都做好了鸟兽散的准备。煲仔饭小李也走了，正式继承家业开饭店去了。这个报社，一步一步没落了。曾经对它有感情的人，一点一点磨平了，不欠了。"

郑雨晴伤感地说："为什么总是那些少数人，影响了大多数人的生活？大部分人都喜欢小李，感激他补贴我们那么好的伙食，可是，小李却不会为大多数人留下。伤感。"

小粟也伤感："因为大多数从中得益的人，并没有在他被诋毁的时候站出来保护他。"

郑雨晴无限忧伤："这个世界，总是这样，总是这样……"

"得把张国辉的嘴给封上，把他的权收回来，这样他的危害就小了。"

"你有什么办法吗？"

小粟微笑着掏出手机，翻到一个页面："我给你看一个架构，如何做到以内容养内容。你看，这批人去这里，这批人专门做文案策划，这批人去做媒体新尝试，这些，就文体娱乐家长里短……"

郑雨晴眼睛一亮："你太厉害了！以后我们慢慢减少对广告的依赖。撵不走他人，总可以把他冻起来。"

粟海峰笑而不语。

郑雨晴叹了口气："你回来了，什么事都好办了，你这去了又回，跟玩了一次快闪游戏似的。"

小粟："我大学毕业来面试，你爸爸老郑面试的我，问我为啥要考《都市报》，我那时年轻，没有自信，回答，我大学学的是新闻，只会当记者！"

郑雨晴问："那现在呢？"

小粟认真回答："我有了足够的本事，但我只想当记者。"

郑雨晴心中感触良多："我懂你。孙悟空打怪不是为了升级，是想实现自我价值。"

粟海峰会心一笑："你也一样。心有执念。"

发行高主任哭丧着脸推门进来："打扰两位领导。我刚才参加了一个葬礼，是一位自费订报几十年的老头……我们的资源，在逐渐流失啊！"

郑雨晴哭笑不得，但还得安慰老高："你要习惯这样的状况。你的订户天天在自然减员，没有增加的可能。你就像养老院一样，把这些培养出感情的老客户，一个一个送走。"

小粟却说大实话："你还不如老人院。未来是老龄化社会，老人院生意会比你好。等我们这批依赖手机和网络的人熬成老同志，报纸还印给谁看？"

高主任："两位老大你们会不会安慰人啊？我这心里更难受了。都说纸媒没得前途，那你们给我指条明路？"

郑雨晴目前能想到的出路，是让老高手下的发行队伍搭上电商这趟车，改做物流。很多电商正在搞落地活动，正好需要老高这样的毛细血管。郑雨晴说："你还得快下手，因为我想到了，别家报社肯定也想到了。大家都面临转型的问题，先下手为强，后下手遭殃。"

高主任一脸惊诧地问："电商是什么？"

郑雨晴头顿时大了。

登机口只有高飞一个客人，他在临起飞前匆匆给郑雨晴电话，拜托她代自己参加高西西的亲子会。

可是郑雨晴要开萌萌的家长会啊！

但她无法推辞，她知道，如果自己推了，可能高飞真的没人可托。别看他家业那么大，派头那么足，可依赖可信赖的人，没有几个。郑雨晴曾经盘算过，好像高飞身边的人，都是指望和仰仗高飞的，指着他吃喝生活，需要他摆平一应事务，而高飞，把这些人这些事，一把扛在自己的肩膀上。想到这些，就很心疼高飞。他太累了。

郑雨晴还是有指望的，萌萌的事情，她随时可以托给吕方成。吕方成一听说郑雨晴不能去开家长会，好像还有点庆幸，很痛快就答应了："你去忙！我去开！她们语文老师换了，我正想找她聊聊呢！"

挂了电话，陈思云有点羡慕："郑社，真羡慕你，前夫细心周到，男朋友能干有钱，你自己又是集团大老板。这种霸气，舍你其谁？"

郑雨晴哭笑不得："有几个女人跟我似的，自家娃的家长会不去开，跑去人家孩子那里代行母职啊？"

"也是哦！"陈思云托着腮。

高西西小朋友上的是贵族幼儿园。进门就跟机场安检似的，保安拿着探测棒在郑雨晴身上挥来挥去，到了班级门口，老师又把着门不让进，对郑雨晴左右盘查。直到高西西出来，冲着郑雨晴叫雨晴妈妈，老师才把高西西放心递到郑雨晴的手上。显然，老师认定郑雨晴是未来的后妈，便说："西西小朋友有点内向，你们做父母的，除了忙事业，也要抽时间多陪孩子，再好的幼儿园总不能取代父母的亲情。"郑雨晴尴尬地点头应承。

西西果然内向，无论郑雨晴带她玩什么，小姑娘都皱着小眉毛，显示出与年龄不相称的沉稳。

西西一开口说话，又让郑雨晴心疼："雨晴妈妈，为什么别的小朋友都有妈妈，我没有？高兴哥哥的妈妈为什么不是我的妈妈？"

郑雨晴只好说："你和高兴哥哥不是一个妈妈生的。你的妈妈在国外。"

"我妈妈为什么不来接我？不和我住一起？她不想我吗？"

郑雨晴心更疼了："西西，你妈妈想你的，每个妈妈都想孩子的。可她要学习，不能和西西一起住。很多孩子都不和妈妈一起住，雨晴妈妈的孩子也不和雨晴妈妈一起住的。"

西西眼睛里突然迸出希望的光芒："真的吗？雨晴妈妈，你没有宝宝了吗？那……我可不可以做你的宝宝，我喊你妈妈呢？然后你每天晚上跟我住？"

郑雨晴问："西西，你一直都叫我雨晴阿姨，为什么今天叫我雨晴妈妈呢？是爸爸教你的吗？"

西西像犯错一样，变得很慌张，低头小声："是我自己，雨晴阿姨。"

郑雨晴心里一紧，赶紧抱起小姑娘："西西，你想怎么叫就怎么叫！我就是你的雨晴妈妈，雨晴妈妈可喜欢西西了！西西长大以后，可以坐着飞机到国外去找自己的妈妈！现在雨晴妈妈就是你的妈妈。"西西听了，这才稍微快乐起来，立即拉着郑雨晴往小飞机玩具那里跑："我要坐飞机，现在就要去！"

后来郑雨晴跟高飞吐槽："你能平安活到现在，实在太不容易了。才半天我就不行了！压力太大！我很想好好疼疼西西，但她每叫我一声雨晴妈妈，我就别扭，仿佛我跟你老爹真有啥关系似的！比听她叫你爸爸还难受。我这浑身上下，都要起过敏疹子了！"郑雨晴说着说着就挠了起来。

高飞在她身边，给她挠后背，口气有点恼火："西西这样叫你？是谁教的啊！我回头让她改口。这次情况特殊，下次西西的事情，我让我妈去……"

"别作践你妈了。我更同情你妈。她对西西那么好。最可怜的是小孩。你家啊，因为有你那个轻狂的爹，天天跟唱《红灯记》似的，你爹，他不是你的亲爹，奶奶，也不是你的亲奶奶！哎哟这个关系错综啊！我现在相信你的话了。"

"相信我什么话？"

郑雨晴转过身，和他面对面："前些年你是真的没找女人。"

高飞苦笑："理解万岁啊！我能把家里家外亲的疏的几个女人都摆平，就功德圆满了。现在已经好多了，少个吴玲呢！前两年，吴玲跟我闹，西西妈妈跟我闹，我还怕我妈知道跟我爹闹，孩子小，也闹。"

郑雨晴突然就我爱我家了："我爹妈总吵嘴打架，我烦得跟什么似的。

跟你一比，真是，我知足了。"

高飞有点脆弱，他搂住郑雨晴："我的要求不高，我一辈子，没过过夫妻双双把家还的小日子。在我的心里，要是有一天，能跟我心爱的人在一起，过过二人世界，俩人歪着头在沙发上一起看个电影，有一点点私人的空间，就是幸福了。"

郑雨晴摩挲着高飞的头发，不作声。

吕方成一边切菜一边荒腔走板地哼歌，细听，原来是一首元曲："相思有如少债的，每日相催逼。常挑着一担愁，准不了三分利。这本钱见他时才算得……咿咿呀呀呀……"

小徐静静地听，一脸佩服地问："您这唱的什么啊？是银行的新行歌吗？为什么还唱相思？"

吕方成摇头晃脑地解释，这唱的是害相思就等于欠了高利贷。想赖赖不掉，想躲躲不开，只能硬着头皮撑着，每天肩头都挑着一副沉重的担子，从早到晚，没有片刻的工夫可以卸下来松一口气。时间愈久，担子就会愈重。这担子上挑的都是愁啊。本以为这一担愁就可以还了相思债，没想到却连那高额利息的十分之三也抵不了，更不用说还本钱了。最后吕方成总领中心思想："单相思，苦哦！"

小徐听得心有戚戚焉："单相思，真是苦哦！"突然冒出一句，"萌萌妈妈当年真有眼光。"

吕方成就不说话了。

两个人便低着头，面对面，咔嚓咔嚓切菜。

后来是小徐打破了沉默："听说，萌萌的妈妈有男朋友了，那个男的还是上市公司的总裁，吕经理，您，觉得，她会回来吗？"

吕方成："不指望她回来。夫妻缘分尽了，退而求其次，当个好朋友，也挺好。"

"那你怎么办？就一直这么单着？不再找了？"

吕方成迟疑了一下，果断地摇头："不找了。"

小徐眼里无限失望，都快浮上泪了。她顿了顿，忍耐地说："吕经理，你这是情伤没有过。她伤你太深。等时间慢慢过去，你就改主意了。不着急。"

吕方成放下手里的刀，跟小徐认真地说："小徐，青春很宝贵，一定要着急，你要抓紧找。我该办的人生大事都办完了，我现在就不着急了。"

小徐有些赌气："她有什么好，让你这样忘不掉？"

吕方成本想跟小徐说道，想了想，自己笑了，开自己的玩笑："我认识她的时候，她还是个小孩子，尺寸比较小，钻进我心里以后，长胖长高了，就卡在那儿出不来了。这就是为什么不提倡学生早恋的原因。没考虑到发育的因素。"

小徐被吕方成气乐了。

江家的例牌节目是，晚饭之后江宏看报纸，江夫人削水果、看茶，右右蹲沙发上，一副没正形的样子，玩手机。

江宏连翻几个版，没找到女儿的稿件，问："这段时间你很少见报，怎么回事？骄傲了？"

右右撇嘴："现在主要在帮企事业单位做活动策划。"

江夫人和老公交流了一个眼神："你的主业是当记者，做什么策划。是不是郑社长闲置你了？"

"现在新闻太难做啦！郑社说了，安全第一，鼓励我们转型。我现在主做企业策划，在策划界，也是响当当的人物！你们啊，别动不动把人往坏处想。我发现你们这代人，集体患上受迫害妄想症了。"

江夫人："老江，罗美林是这个症吗？——右右，你这是咒你妈啊！太没规矩了！"

右右不耐烦地跳下沙发："罗美林那个叫抑郁症！妈，你没事别总看韩剧，看得脱离国情了都！"

江宏批评右右："我们国情和抑郁症有什么关系？真是胡说八道！右右，你还是老实干新闻，别转型。"

"你们两个啊，一个官僚一个死宅！都不接地气！现在整个纸媒陷入行业困境，各家单位都在等死和找死之间，只有我们郑社，发动大家认真找事情去做！"右右批评完父母，蹦出了客厅。

江宏不满的口气："满口死不死的，像什么话！"

江夫人问江宏："什么时候给她换个单位？"江宏没吭声，江夫人又问："罗美林的位子，还没填上吧？你秘书小曹……"

江宏一抖报纸，用眼神瞄一下右右的房间，示意老婆别乱说话："你今天不去刷韩剧吗？管那些闲事！"然后又说，"孩子的事情，最好不要掺和。我自己累一点，希望他们今后过得单纯一点。"

江夫人半懂不懂。

郑雨晴相中的房子，是新装修好的两居室，符合她的要求，且离西林路的家不远。

高飞抽空陪她去实地看了一次："很好很好，就它了！"立即拍板，从口袋里掏出一沓现金准备付房租，被郑雨晴坚决按住："你不要这样。我一辈子，都没占过人便宜。你这钱存着，万一有一天我落魄了，我问你要。"

高飞乐了："你一国企，你能落魄到什么程度？要这么说，我比你落魄的几率要大得多啊！这个，就当是我的感情投资，以后我落魄了，你这里收留我。"

郑雨晴把高飞的手坚决推回去："你不必投资，我都会收留你。我就是平阳镇镇长。"

高飞大笑着收回钱："等着我这只虎落下去，你好接着是吧？"

可是平阳镇长，先给狗仔欺负了。她和小粟都没料到，文体娱乐报道也不安全。这回不是市委市政府点名，是明星直接把《都市报》告上法庭，理由是造假新闻，造谣诽谤她的名誉。一告一个准，不仅《都市报》要登报道歉，还要赔偿精神损失费和名誉费，索要数额巨大。

郑雨晴气得鼻子都要冒烟，冲闯祸的娱记怒喝："你说这个明星车震开房，这些资料你哪来的？！"

娱记嘴一歪："攒的。"又说娱乐新闻，就让人看着乐乐，何必当真！这个明星前一阵还花钱请我们写绯闻呢！现在又装纯洁！

郑雨晴："七屁八磨！无中生有！现在我们要去应官司了，你说怎么办？"

"打呀！咱跟她打不吃亏啊！她那是什么名气，咱这小报有啥名气？她明显智商低，我要是她，才不置这个气，莫名其妙帮我们上了头条。哦！也不对！咱这是互相抬轿共上头条！"

粟主任斥责："你都不知羞耻二字怎么写！你丢人倒也罢了，我们还要赔钱！报社要赔好大一笔！这钱，你自己出！"

娱记认真地对粟主任说，要两头算账。还引用郑雨晴的话，流量和名声，也是经济效益。他说："你去看看，因为我这条稿子，咱家网站点击量上了多少！不比你们之前做的那个，建市活动效果差！这要是折现，那得是多少钱啊！绝对能抵上赔款！再说了，我们国家法律，没罚巨款的说法，几百块就够了。等官司输了，我就再写一条道歉稿，谁会在意这道歉啊！里外里，我还帮报社赚了！"

粟主任给他驳得哑口无言。

郑雨晴敲敲桌子："同志啊，我们家是严肃媒体。就是娱乐新闻，也要有根有据！！我们要对报纸上的每句话每个字负责任！报纸要出名，不靠造假新闻搏出位！你这是在搞臭我们自己的名声！"

记者低头翻手机，不在乎地说："有道名菜，叫香飘千里，就是臭咸菜烧臭豆腐。臭到位就好了。"

郑雨晴："我跟你说话，请你抬起头来！"

郑雨晴让他回去写检查，但娱记从裤口袋里摸出一张纸，又从郑社桌子上的笔筒里抽出一支红笔，开始写字。

郑雨晴眼睁睁看到他写了俩大红字：辞职。

这个娱记一直在《都市报》打酱油擦皮鞋，文章都是填报屁股的质量。唯独这次的胡编乱造，让他在江湖上出了小名。新媒体看中他的娱乐精神，高薪挖他去网站发光发热。

丢下辞职信，冲郑雨晴深鞠了一躬，又冲粟海峰深鞠一躬，娱记走了。

半晌郑雨晴缓过劲，自嘲道："这种闯祸的家伙，走了也好。我下月又省了一个人力成本。"

小徐现在越来越能干了，成了小饭桌的中心。吕方成这个灵魂人物，反倒有边缘化的意思。

学生们喜欢她，萌萌也喜欢她，小徐还很有老人缘，把方成妈哄得，天天眉开眼笑。连吕方成自己也，嗯，很欣赏这个姑娘。原来在营业部总觉得她不起眼，小饭桌倒焕发了她的全部能量。可见，合适的人放在合适的位置上，是多么的重要。

许大雯在工作室门口探头探脑。自从知道吕方成开了小饭桌，她心里就有点七上八下的，说不清楚到底是操心什么。

吕方成抱着一口大砂锅，稳稳当当地放在桌子上，抬头，他意外看到许大雯，脱口就叫了一声"妈！"

这声妈，让许大雯熨帖。她嘴里哎哎地应着："上次听你说办了个工作室，我路过，顺便来看看。"吕方成立即热情地欢迎，回头招呼小徐："给萌萌外婆加副碗筷！"小徐本来很欢乐的脸，突然就不生动了。

许大雯看到小徐，立即明白自己的担心在哪里，她眼睛不错珠地盯着小徐，看她上上下下地忙，像个女主人似的，又跟方成妈他们毫不见外，便不由自主地叹了口气，根本吃不下一口饭。

趁着小徐去外间照顾学生，许大雯问吕方成："这个小徐，你打哪里找来的？"又看着吕方成的脸说，"你这阵子，气色比以前好。"

她说："有空多回家看看，我们人老了，也没几年好活，就盼着节假日孩子常回来走走。你爸还等你回去陪他喝酒。"

吕方成摇头笑笑。

许大雯看他摇头，心里更嘀咕了。她试探道："这个小徐，结婚没有？有对象没？"得知没结婚也没对象，许大雯立即开始行动："哟，看着也不小了，那得赶紧找。我一同事的儿子，刚留学回来，自己创业，条件不错，哪天给小徐介绍介绍？"

小徐姑娘笑眯眯给个软钉子："阿姨，我觉得这会子，您女儿应该比我更需要介绍。我还小，不急。"

许大雯给噎得难受。

方成妈现在看小徐姑娘一百个好，年轻、能干、喜欢萌萌、孝敬老人，最重要的，小徐喜欢吕方成，长眼的都看得出来。偏偏自己这个老大不小的儿子，一个二手男人，还拽得跟二五八万似的，不领黄花闺女的情！方成妈几次探儿子的底——到底这个傻小子心里有没有人家？还是傻不愣登地在等郑雨晴？但儿子总跟自己玩太极推手。

这天，当许大雯一步三回头离开小饭桌之后，方成妈跟儿子摊底牌了。她替儿子掸了掸衣袖上的灰："妈从不在你的事上多嘴。当初家里这么难，民营高中给十万让你去，我都不卖。后来你执意要上本地的学校，我也没干涉你。我尽量做个不讨孩子厌的老太。不过呢，你也不能太不把老人放在眼里。我觉得吧，小徐姑娘好，比郑雨晴好。"

"妈，你比男人还喜新厌旧。雨晴跟你一起生活这么多年，你身体好的时候帮妹妹带孩子，你身体不好了跟我们过，她伺候你一句怨言都没有……"

老太截了话头过去："因为那是她自己选的！想当初，她跟你的时候，多么风光！万里挑一，全省状元！你一点不亏欠她！你为了她，都不去北大清华！你俩的账，两清了！可小徐姑娘，是在你最落魄的时候，郑雨晴不要你以后，辞了好工作跟过来的，人哪，要讲良心。"

"妈，你这样说雨晴，我不同意。她不是那样的人。雨晴纵是有这样那样的缺点，但她从来都不是个嫌贫爱富的人。你忘啦，高飞落难的时候，她都愿意把咱家房子典当出去帮他忙。"

老太哼了一声："是啊！我看他俩，真是挺合适的。你和小徐，也合适，拆散一对，成就两双。"

吕方成蹲在妈面前："妈，我有你和萌萌，还有这帮孩子，日子挺好的。"

方成妈叹气："你把自己耽误了，把小徐耽误了，也把我孙子耽误了！"

吕方成一脸疑惑："哪来的孙子？"

方成妈口气神秘："这个小徐，你别看她小小巧巧的身板，她那眉眼，像是生儿子的！你俩的儿子啊，将来肯定还得状元！"

吕方成哭笑不得："我的妈，你这脑洞开得有点过大了！"

小徐姑娘不知道什么时候站在吕方成身后："吕总，要不试试？我就当借你个状元种！"

吕方成一巴掌拍她后脑勺上："尺度大了啊！广电总局要删的！"

许大雯回到家里，万般放心不下。立即给郑雨晴打电话，召她回家。郑雨晴在会场上，正强调会议纪律呢："今后，开会时不能再玩手机，不接业务以外的电话……"就这时候，郑雨晴手机顽强地响了。而且是掐了再响，顽强地响，不屈不挠地响。连粟主任都受不了了："郑社还是接一下吧！家里别有什么要紧的事错过了。"

郑雨晴又恼又怕，爹毕竟血压高。回家一看，家里平安无事，老娘端坐沙发上，一副升堂审犯人的做派："你知道吕方成小饭桌有个小徐姑娘吗？"

郑雨晴气急败坏："就这点事，值得你十三道金牌呼我立即回宫？我当火上房了，贼跳墙了！那个小徐就是小饭桌普通员工。"

郑守富的声音从书房传来："不要小看普通人！高手在民间！"

许大雯："连猫狗都知道撒尿圈地，你怎么不懂得宣示所有权呢？"

郑雨晴："吕方成现在也不是我的，我哪还有所有权。"

许大雯："那你就经常去那里转转，看看，亮亮相，秀秀存在！"

郑雨晴大叫："我家怎么好不了三天就又回到以前的轨道啦？！你们能不能不要管我的闲事！"

许大雯拿手指点着郑雨晴的脑门："这才不是闲事。相信你妈，我习惯性抓奸三十年，已经练到专业水准！苍蝇打我眼前飞过，我都能立即分出公母来！男女那点事，还能逃得过我的火眼金睛？"

郑雨晴凑过去问："那你告诉我，你一共抓到我爹几次？"

许大雯正准备清清喉咙细说当年，书房里传出威严的一声咳嗽："说正事！扯我干吗！"

许大雯改口："我对你爹，主要是防患于未然。要是没有我这个东厂的水平，你爹不晓得栽几个跟头了，你哪还有亲爹哦！"郑守富在练毛笔字，气沉丹田运完最后一笔，徐徐吐出一口真气："尽管你妈以诋毁我清誉的方式教育你，但是雨晴，我觉得你妈说得对！你要防止萌萌以后有个后妈。"

老两口确实着急了。以女儿的年纪和地位，那是高处不胜寒啊，哪个男人肯接盘？吕方成就不一样了，那八十二的不是照娶了二十八的？

郑雨晴给她妈一激就秃噜嘴了："我有男朋友。"

得知女儿的新男友是高飞，郑守富一脸的瞧不上："那个混混，连正规本科都考不上。"

许大雯则从另外一个方面，论证高飞及其所代表的大老板阶层，都是靠不住的："你们报上也写了，大老板有几个好下场？所谓成功人士的人生轨迹，都是先成功离婚再成功坐牢。"

老两口得出的结论是：高飞再辉煌的日子，都不如方成小饭桌踏实。

郑雨晴："不要小饭桌长小饭桌短的！他最忌讳人家这样叫他！是

工作室！我怀疑自己是抱来的，你们怎么不盼着我男人好呢？我身边任是谁，都不能让你们称心如意。"

许大雯最近开始学习炒股，有点心得："方成现在是低谷期，四面一看都是上升的希望，怎么都是人往高处走。股票上叫那个，处在上升通道！高飞就不一定了！所有底牌亮明面上，我可跟你说，最近这些大V都很危险的，今天进去一个明天进去一个。你不要老踏空！好多人股市亏钱就是你这做派，逢低割肉，然后追高！"

郑守富从亲情方面剖析吕方成的重要性："萌萌的亲爹，对萌萌那是掏心掏肺掏肝，肉都能割给萌萌。高飞做得到？为萌萌想，你都不能大意失荆州。"

许大雯接话："就是！方成和我们都是几十年的战斗情谊了，高飞这样的新人，还要重新了解，我们年纪大了，接受新鲜事物的能力差了，你不要老给我们新课题。"

郑雨晴强忍耐性，调整一下语气，跟许大雯说："妈，我不是小孩子了，你不要操那么多心，你现在重中之重就是保养自己，照顾好我爸，你们的意见，我会仔细考虑的，我走了。"郑雨晴夺路而逃，把郑守富最后一句话夹在门里："你必须搬回家住！大姑娘总在外边混，影响不好。"

郑雨晴对刘素英说，你听听你听听，就我还大姑娘，我是大姑娘的妈了都！我那一对活宝爹妈，是我原生态出厂自带程序，再荒唐，都删不掉。

刘素英细问周章，原来起因在小徐姑娘。她说，兹事体大，事关后妈，还是应该尽快去吕方成那里，问个明白。

但郑雨晴不去问。她自有一套说辞。以前在婚姻里，我会把方成当成我的私人物件，就像我的牙刷，我的房子，生人勿近。现在，我再看他，把他当成一个独立的人，纯粹的人来看。我能接受他本来的样子。他要是真喜欢小徐姑娘，我会把他的幸福放在萌萌之上。他好了，萌萌自然会好。萌萌若妨碍了他，我就带回来。我不去问。

刘素英一撇嘴，讽刺她说得比唱得好听，其实是心里有了别人，不好意思两头都霸占着吧："我们姐妹关上门说话，私心里，是让你锅里碗里多比较比较。我只考虑你，我不管别人。你一天没决定未来的幸福走向，我就决不能让吕方成给那些贼眉鼠眼的叼走了！这些个骨头轻的，人家男人才放出去几天啊，就想趁虚而入，得多嫁不掉才这么慌里慌张啊！把二霞派去，坐镇看着方成！"

郑雨晴若有所思："二霞过去也好。"

刘素英笑了："就是，跟我这儿，还装什么高尚！"

此事无关高尚。二霞以前就是教师，去吕方成那里算是专业对口，跟刘素英这是做物管，跟家里当管家，都不算正道。但二霞这个人，干一行敬一行，这让郑雨晴很佩服。"我是觉得，这样好的人，不能在你这里埋汰了。"郑雨晴话一出口，自己都觉得刺耳，怕刘素英不舒服，按着刘素英的肩膀说，"要埋汰，就埋汰你一个人得了，别扩散了。"

刘素英也笑："雨晴自从当了领导，境界已经跟我们不是一个水平上了，考虑问题，都是从对他人最好的角度出发，跟你比，我看我搞物管真不是埋汰。"

雨晴摇摇头："看了那么多高起低落，生生死死，觉得……不自私了。我爱的你们每个人好，我就好；你们快乐，我才快乐。"

刘素英有些钦佩地说："以你现在的修行，多少人对你扒心扒肺地好都不为过。小姑娘吧，靠鲜花一样的容貌吸引男人；你吧，靠钻石一样多彩又透明的灵魂吸引男人。方成心里，还是有你，高飞那更是不必说了。这也是你的命，你前生救了多少狗啊！"

郑雨晴不懂她的意思。刘素英跟她普及了一套救狗理论——传说，这一辈子要是有男人不求回报地对你好，无论你怎样不待见都为你守候，那就说明他上辈子是你捡回来的狗。只有狗才这样忠诚。

郑雨晴神往的眼神就飘忽了："我脑补了一下，一边是有情有义的前夫，一边是霸道总裁高富帅，唉，我上辈子太慈善了，搞得这辈子头疼。"

今天如果郑雨晴不来找刘素英诉苦，刘素英也会去找郑雨晴。她心里，这些天一直在考虑一个大动作，经过这几个月的实战训练，刘素英对自己的能力和物管的市场，都有了十分的把握，她想把物业拉出去单干。这让郑雨晴听了吓一跳："你疯了！你五十了，磨五年就拿退休金的人……"

"雨晴，这个社会每隔一段时间，都会刷新一次，每次刷新，都有旧行当被新行业所顶替。现在轮到咱们传统媒体了。咱这风口不行了，我得换个大风口。这个等不得，要是瞻前顾后犹犹豫豫，连这个风口也都会错过。这段时间，我已经看透彻了。老话说八十学当吹鼓手，我不过才五十，怎么不能再创业呢？我还有下半辈子好活呢，得筹划筹划。"

郑雨晴伤感："小李走了，老高也要走，你要是再一走，报社这棵树还没倒，猢狲先散了……"

刘素英笑了："先跳下树的猢狲先变成人，这是进化！"

领导的心思你得猜

吕方成这几天心里有点慌。徐文君自打那天撞得头破血流之后，再没露面，太不符合她锱铢必较、睚眦必报的个性了。

吕方成在厨房一边淘着米，一边问小徐姑娘："网站新闻都看了？江州在线的微博也看了？什么消息都没有？"

小徐理着菜，认真地点头："我天天上网看，还用关键词搜索过了，什么都没有！"

吕方成疑惑："奇了怪了，她搞那么多自拍，不是为了晒图吧？她微信朋友圈里是不是有照片？"

小徐抬起头："人家当行长的，怎么可能加我的微信？再说，我也不稀罕跟她一个圈！"突然小徐紧张了，"呀，她会不会报案啊吕总？"

吕方成："没见到公安上门来啊！不过公安来我也不怕。算了，不讨论她，没消息就是好消息！咱们该干啥干啥。"

说曹操，曹操到。徐文君的声音居然在他们身后响起："哎哟，你们两个准备干啥呢？嘻嘻嘻！"

两个人吓一跳，一起转过身，更是一惊！徐文君脑门上绑着一个大口罩，站在他们身后。

吕方成惊愕："今天有雾霾吗？你这口罩，戴错地方了吧？"

徐文君责备："什么口罩！我这是打的绷带！"

吕方成斟酌地问："你的脸，没事吧？"

徐文君立即把脸揪成一团："痛死我了，怎么没事啊！这里，严重受伤！破相了我！"她一指脑门，"缝好多针！伤得好深！都快见到瓢儿了！还有，"她又把头发一撮撮撩起来亮出头皮给吕方成看，"我这个脑袋啊，当时扎得像仙人球一样，医生从头皮里镊出好多小玻璃碴儿！你要不信，我有照片，我给你看！"说着，徐文君要拿手机翻照片。

吕方成赶紧说："我信！不用看那些照片，我都信！徐行长，你坐。"

徐文君坐下，斜瞄了一眼吕方成，发现自己刚才的表演起到效果，吕方成的情绪已经被自己掌控，也是一脸痛苦的表情。她换副哭腔："老吕，你要对我负责任……"

吕方成惊得脖子一缩："我，我给你报销医药费！还有误工费营养费！万一额头上真的留个疤也不要紧，我一个学生家长是整容医生。"

徐文君嗔怪："你当我是要饭花子，今天来找你要钱的？"她凑近吕方成，大胸抖着，口气神秘，"医生跟我讲，这次我伤口的出血量，抵得上女人生个孩子！就算以后留下疤，我也认了！"

她边说边抛给吕方成一个媚眼，拿手轻轻抚摸自己的额头，深情款款："方成，这是你在我身上留下的印记，就像河流带给大地的那些改变。"

吕方成听得快要吓死了，大惊着后退三步。

徐文君妩媚一笑，像唱歌一样，表情语气无比夸张："方成，我和你的关系，是鲜血凝固成的友谊！那天我开着车，一路上我嘀嗒嘀，嘀嗒嘀，嘀嗒嘀嗒嘀嗒嘀……"

小徐姑娘冷冷地打断她："徐行长，这歌是李玟唱的吧，好老的一首歌了。"

徐文君不满地瞪了她一眼，突然像发现了新大陆："哎哎哎，你们俩这个，围裙一样一样的！算情侣款吧！"然后，她便夸小徐长相端庄，有旺夫相，和吕状元很般配，几句话就把小徐从敌对立场，转到中立立场。小徐本来都懒得动弹，立即轻快地给徐跳奶泡茶去了。

吕方成明白徐文君的来意，还是要他收了那个学生。但他沉住气，她不提，自己也不主动提。

但徐文君何等人精，她只谈安全问题："老吕，你这个玻璃门，幸亏是我撞，要是哪个学生撞了，后果就严重了！那些家长不生吞活剥了你？"她伸长了脖子四下望望，"我来看看，你这里还有哪些不安全的隐患，索性我就给你全都找出来。万一找不出来，我拿身子帮你一个个去试！对了，你聘我当你的义务安全员吧！"

吕方成有点绷不住了。还是小徐先回过神，把他拉到厨房里，进行阶级教育："你可不能心软！她是什么人，你还不清楚？"

一句话把吕方成点醒，他想想都害怕，今天如果让徐文君往小饭桌里伸进一个手指头，往后她就能挤进整个身体。而且以徐文君的扩张性，从此以后，别想再赶走她。吕方成可不想再受二茬儿苦，营业部里曾经的折磨，给他的印象太深刻了。

吕方成一句话让徐文君死心："这个孩子，我还是不收。"

徐文君："这不是你的心里话，这是小徐姑娘的主意。老吕，你前妻，郑雨晴，就是主意太大，家里雌雄争霸最后不得不散伙。你呀，你是情种，老在女人这一件事上反复吃亏！"

她看一时半会儿说服不了吕方成，便开始撤退："老吕我给你时间，你慢慢决定。我不着急。我要去医院换药，今天不跟你们啰唆了。"

徐文君站起来向外走，快到玻璃门，她突然收住脚，心有余悸地伸出手上下左右摸索着，像杰克逊跳舞一样的动作。待确定没玻璃挡着，她才小心谨慎地跨出门。她回头对吕方成嫣然一笑："我这是，一朝被门撞，十年怕门框！老吕，这玻璃门要赶紧贴上画，省得学生来来回回不小心就撞上。下次我来要检查这里，你要记得哈！"

吕方成指指玻璃门，让小徐立即给贴上不干胶招贴画。他虽然讨厌这个女人，但不得不承认，有些话她说在点儿上。

江宏办公室里，张国辉一副可怜巴巴的表情。

江宏："你啊，要认清自己的地位，卢书记对她相当欣赏器重。"

张国辉委屈道："市长，我是你的人！我对你矢志不渝！"

江宏最讨厌张国辉这点，动不动把这句话挂在嘴边上，还嫌别人不知道他俩的特殊关系似的。这人，怎么做事情一点韬略都没有呢！

张国辉见江宏不说话，于是赔着笑："我现在是非暴力不合作。那女人冷冻我，我就挖她墙角。前两天在付印前撤了条广告，想给她点颜色看看，没想到，给人家霸道总裁男友给顶上了！"

江宏抬眼扫了下张国辉："是那个悦信传媒的高飞？这个女人，业余生活很活色生香啊！"

张国辉突然开悟："这个女人，不要看她平时不作声不作气的，绝对是个狠角色，你不知道她有多八面玲珑，上面有书记保驾护航，下面有富豪两肋插刀，报纸上还跟她前夫勾勾搭搭，帮前夫做宣传，江市长，我们干不过她啊！你得给我做主。"

江宏叹气："小张，我问你，你每天起床是怎么穿裤子的？"

张国辉意外，一愣："啊？我就两腿一蹬，再往上一提。"他边说边比画。

江宏似笑非笑："对啊，裤子必须从下往上穿。你如果自己不蹬腿不提劲儿，我就是有天大的本事，也没办法在上面帮你钩着裤腰兜住屁股，嗯？"

张国辉揉着鼻子，快速眨动小眼睛，突然他恍然大悟地长长"噢"了一声："市长，您这个比喻太形象生动了！我懂了！我理解了！我保证！前不露脐后不露腚！"

江宏有点嫌弃地看他一眼："穿是给你穿，露也是露你自己！"

张国辉赶紧纠正："是，是是，是我自己穿！我，绝对不会裸奔的，您放心。"

江宏拍拍张国辉的肩膀："去吧，你肯定输不了。这个郑雨晴啊，迟早会在男人方面栽跟头，那么多头绪，心思分散多了，总要有纰漏的……"张国辉听后一副如获至宝的样子心领神会地笑了。

张国辉临走之前，凑到江宏身边耳语："那笔工程款已经回来了，上次的收益小两百万呢……我自己做主，又替您放出去投资了。这家的宋老板在滨湖那边谋了块地，想做生物工程孵化器，已经进入二轮投资了，一直想请你吃个饭，您看您什么时候……"张国辉一脸请功领赏的表情。

江宏沉吟道："吃饭，就免了吧。有工作就谈工作，有这样的项目是好事，政府就是为他们这样的企业服务的。"

张国辉喜滋滋的，他的鼻子开始泛红，忍不住拿手去搓。

张国辉琢磨着江市长说的穿裤子，回来第一步就是向郑雨晴屈服。他说自己之所以会跟公安那里说胡话，污蔑郑雨晴对罗美林迫害，全是因为自己有病。请求郑雨晴看在他是一个病人的分儿上，饶了自己。说着说着快哭了："雨晴社长，我上网查了，我这个，叫谵妄综合征。我这病不比罗美林轻！说起来也是因你而得！"他说自己其实是公伤，因为郑雨晴给自己分派的任务过重，引起急火攻心意识模糊最终产生幻觉。

郑雨晴冷笑，请他回家休养，报社不是资本家，不能没人性让他带病工作。

张国辉那张嘴皮，翻得比谁都快："那哪行啊！我轻伤不下火线！我还要为咱们报社做贡献呢！再说了，我这个病，只要压力不大，不受刺激，就不会犯病，不犯病我就是个好人。犯病了我就保不准了嘿嘿嘿……"

郑雨晴拿张国辉的没脸没皮，也没啥办法："行了，我知道了，你下去吧。"

张国辉掏出一张邀请函，请郑雨晴出席地产商的广告联谊会。郑雨晴当然不会去："这种会也要我出席，我天天陷在会里出不来了！"

"是啊是啊！我也说您肯定不会去的。但对方说，如果您不亮个相。那明年他们就不在我们这里亮相了。"

郑雨晴嫌弃道："你什么意思？要挟我还是绑架我？"

张国辉一脸苦逼："雨晴社长，有的时候，不是我不努力，实在是人微言轻。我算个屁啊？十个张国辉绑一起，也抵不了您大老板的分量啊！"

郑雨晴敷衍："那就半天时间。"

张国辉立即手不抖了："好咯！就半天，多一分钟都不给他们！"

郑雨晴在会场上，发了个简短的言就走。回程的路上，张国辉递给郑雨晴一个纸口袋："会议纪念品，我帮你领了。"

郑雨晴翻翻袋子，一系列广告推介资料，一个印有单位名字的充电宝，和一个不起眼的印着主办方名字的小纸盒，再打开，里面是一对精致的耳环，由内而外透出一股低调的贵气。

郑雨晴狐疑地问："现在都什么形势了，还敢搞这个！这，挺贵的吧？"

张国辉一撇嘴："反腐倡廉，哪家单位敢逆潮流而动？肯定是义乌小商品市场批发过来的！不过，还怪好看的。"

郑雨晴好奇地问："女的是耳环，男的是什么？"

张国辉也掏出一个小盒子："袖扣吧？"说完把袖扣别在领口上，"雨晴社长，你也戴上试试？"

一日不见如隔三秋。热恋中的高飞和郑雨晴，在百忙之中，居然见缝插针，在高铁站的咖啡厅里见了面。一个去上海，一个去北京，大约有半小时重合的候车时间，略解相思之苦。

车站这地方，比较适合营造气氛。会让人们联想丰富，比如萍水相逢的擦肩而过，或是轻轻挥手后的天人永隔。再加上咖啡厅里若有若无的蓝调音乐，更是烘托气氛，容易让人入戏。

两个人现在就是这样，情意绵绵。

高飞说："我真恨不得一步老到位。中间这十几二十年跳过去，直接到退休年龄，哪都不去，天天陪你。"

郑雨晴："你现在就可以不干了，又不担心后半辈子的生活，干吗这样辛苦呢？"

高飞大笑："你看哪个亿万富豪闲着了？他们这些人的钱，几辈子都花不完了，有的都八十多了还在干，哪是为自己？我手下那么多的员工，我一套现，他们喝西北风去？人嘛，总要有点社会责任感。"

郑雨晴叹气："家庭责任感、社会责任感，我们肩膀上，背负着这么多责任感，独独没有对自己好一点，哪怕任性一点点，今天不上班呢？"

高飞与郑雨晴十指相扣："这一刻，咱俩可以任性一点点。谁都不认识咱，想怎么浪……"

旁边走过去一个人冲高飞打招呼："高总！你好！哟！郑社也在啊！"

两个人顿时出戏了！扣着的手跟触电一样缩回去。高飞反应过来，速度又牵上。郑雨晴忍不住笑到把头埋进俩人牵起的拳头上。

突然，高飞的眼睛盯在郑雨晴的耳环上："咦，终于知道打扮自己了！不错，有这奢侈品陪衬，你更好看了！这个呀，不能让你自己买，算我送给你的，三八节礼物！"

郑雨晴得意地晃晃脑袋："拉倒吧！才不要你送！"

高飞语气顿时有点醋味："那是吕方成送你？大手笔啊！"

"开会发的纪念品，不值钱的小玩意儿。"

高飞问她："知道这小玩意值多少钱吗？这是卡地亚的经典款，大约值人民币七万五。你开的什么会，主办方那么大手笔，拿这种奢侈品当纪念品发着玩儿？"

郑雨晴的脸也严肃了，她哆哆嗦嗦取下一只耳环："张国辉说这是义乌小商品市场批发的统货……"

高飞一听张国辉，立即警惕，拿着耳环仔细看了一会儿："我看这是真的。你先收好，等回来拿到专柜上去验一下。"

郑雨晴吓得不轻："天哪！这么贵的玩意儿，我收哪儿啊！还这么小，别丢了啊！妈呀！我这几天一直戴在耳朵上，没把它当回事！竟然也没小偷来撕我耳朵！我藏哪呀！万一要是掉了，我赔不起也讲不清……这……这可怎么办？"

高飞安抚郑雨晴："张国辉这人，很阴损，你一定要防着他。"高飞温柔地帮郑雨晴取下另一只耳环，从桌面抽了一张餐巾纸将它们包起来，收到自己包里："别担心了，我替你收着，万一掉了，我赔，行了吧？"

郑雨晴点头："你可得收好。"

停一歇，郑雨晴又说："耳环还是放我这吧！我还是比较相信我自己一点点。"

高飞边掏耳环边叹气："你这辈子，应该嫁给你自己，你才最放心。"

两个人聊着，郑雨晴突然发现，刚才坐在附近的人，怎么都不见了，自己的车，是不是已经在检票？欲拿出车票，核对时间。

高飞一脸的笃定，他让她相信自己："我可是天天赶飞机坐高铁的人哪！你这个人，就是不太相信别人。这个点要是开始检票了，我就在这里给你当众爬三圈！"

正说着，广播响了，内容是郑雨晴所乘的那班高铁即将停止检票。

俩人一顿狂跑，站台上，郑雨晴给高飞一个温暖的拥抱，眼神妩媚地说："回家爬，这里地脏。"

高飞尴尬地大笑。

火车徐徐开动，郑雨晴坐在车位上，诧异地看到，高飞装模作样做出爬的样子，在地上绕了三圈，还冲自己挤了挤眼睛。郑雨晴笑到捂上眼，心里无比甜蜜。

周六，吕方成从大市场批发文具回来。工作室里，小徐一个人坐电脑前，输入资料。

看到吕方成，她上前迎接，将他手上的东西接过来往里屋送。小徐头发湿漉漉的，好像刚刚洗过澡。

吕方成跟到里边："不是说了不让你住这儿？天天睡小板凳怎么行？"

"没有。我今天一大早过来的。想着下午还有孩子要过来补习，提前把资料复印好。"抬头低头一转身，小徐姑娘的湿头发甩出一串小水珠，飞溅到吕方成的脸上，香香的，凉凉的。打得吕方成一阵发蒙。

他喉咙发紧："你……你刚洗了澡？"

小徐轻柔地回答："对。我试试热水器的水温。天热了，孩子疯一天能冲个凉。水压不是太稳定，忽冷忽热。"小徐抬起脸，面孔红扑扑，嘴唇粉嘟嘟，眼睛水汪汪。

吕方成看得有点慌，鼻腔里充满了小徐身上热烘烘的香气。

气氛突然变得紧张，有点一触即发的意思。

"胡闹！冻病了怎么办？这里就你一个人顶着！换手的人都没有！"吕方成进屋拿了一块干毛巾来，给小徐裹头上，使劲地搓水。

小徐像小猫一样，轻轻伏在吕方成的胸口，突然，抱着吕方成的腰，轻轻喊了声："哥。"

吕方成一下就愣住了，不知该如何回应。

门一下被推开，郑雨晴拉着二霞进来："吕老板，我把二霞给你送来了……"

一下，四个人都尴尬了。

郑雨晴慌张得，不知该走还是该留。

小徐像受惊的小兔子一样，一下从吕方成身边蹦开，头上还顶着那块毛巾，一脸的羞红。吕方成表情尴尬："你们，来了啊！"

郑雨晴眼睛看着地上，羞愧得不好意思抬头。她轻声嘱托："我走了二霞。你在这里好好干。"二霞拉着她的手："嫂子，萌萌放我这儿你放心！我指定给你管得妥妥的。"

郑雨晴简单地哎了一声，匆匆回拉一下二霞的手："走了。"

吕方成也不说一句客气或解释的话。

二霞叉着腰伸着脑袋，在工作室里东看西看，然后把箱子砰地打开："哥，我也不去外边租房子，就在这儿搭个铺。你这儿网线和热水器啥都有，很方便。"

小徐却说这里不能睡人，因为吕总说过这里不安全。二霞接话："小徐，我们这里是教学机构，哪来的吕总，只有吕校长。我是镇宅的，我来了就安全了！"然后收起笑容，对吕校长解释，"我需要在工作环境里安静地备课。"又安排小徐，"麻烦你给我找下学生资料，我要先进入角色，下周工作能有的放矢。"

噼里啪啦一套组合拳，打得小徐的敌意油然而生。这明显是郑雨晴派过来的奸细，是来替她做代理老板娘的！

小徐根本不去找学生资料，就跟二霞硬扛着，把僵局留给吕方成。

吕方成一下就为难了，一股女人间的杀气在自己周围沸腾。

徐文君终于又来了。她如果隔几天不来，吕方成反倒不适应，生怕又出啥幺蛾子。不过这回来，徐文君倒是一脸巴望小饭桌发扬光大的诚恳。教室要搞地暖，厨房要用进口洗涤剂，更重要的是，工作室必须扩大规模，这是市场发展的需要。而这些事情，如果吕方成不嫌弃，徐文君说："放着我来。"

可是吕方成不想发展壮大，他说自己就喜欢小而美。

徐文君真是恨铁不成钢："啥小而美，那叫不求上进！满足不了广大家长的需求就是对市场的犯罪！"

也不知道二霞是怎么被徐文君洗的脑，才第一次见面，就站到徐文君那边，跟着一起劝吕方成："哥，徐姐说得对啊！王石有一句话，年轻时就释怀与淡泊，那种人生是没有希望的！"

对徐文君今天的笑脸，吕方成不好伸手硬打，他只能把气出在二霞身上。徐文君嘻嘻一笑："我知道你的怨气是冲着我的。我呢，也不为自己辩解，今天随便你骂，我跟你说啊，有一种治病的方法叫喧骂，你把这些年在银行，在我这儿受的憋屈，一股脑都骂出来，疏肝理气，有利教育。"

可是吕方成不骂，他不想翻那些陈年旧账，他希望徐文君尽快从眼前消失，从此不再相见。可是徐文君却说，一辈子很长，长到，相逢的人总会相逢。

徐文君说的相逢，是一份政府扶持教育的免息贷款："虽然你对我摆一副鸟脸，但我不计较，我要帮助你扩大再生产，把状元及第工作室做大做强。我调查过了，这个门类里，你是最有故事的。因为你跨界了，你既有餐饮又有教育，目前为止是市场上独一份。你放心，你的首轮融资我负责帮你做，不要提成的哦！"

吕方成看着眼前的徐跳奶，不知该哭还是该笑。他看她，先是笑了，又摇摇头，再笑。

徐跳奶特别殷勤而卑微地说："怎么样？看出我为什么升副行长了吧？我是一个真正做大事的人。你想到的，我都想到了，你没想到的，我也想到了！"

吕方成终于开口了："徐副行长，为进一个孩子，你至于吗？"

徐文君正色道："我们今天谈事业发展，谈境界情操。你不要呼啦一下把格调降低了。什么孩子不孩子的？你！今天我们只谈你！如何遇见前路上更好的你！"

吕方成冷笑："你？你还是谈私欲更合适！"

徐文君今天的修养特别好："谈私欲也行啊！你搞小而美那才叫自私呢！只想着独善其身却不利用自己的影响让这个行业变得更好。你的前妻郑雨晴，她格局比你大，担当比你多，是女中豪杰。可你是男人，你不该长着一副溜肩膀，该你挑的担子不敢挑！吕方成，你要拒绝这份贷款，那我真从此看扁你，一个自私自利毫无社会责任感的人。"

几句话骂得吕方成醍醐灌顶。这辈子，除了在选择文科和填报高考志愿两件事上，他任性恣意过，好像一直活得小心翼翼战战兢兢委屈求全。无论在单位还是在家里，他的欲望，从来没有野蛮生长过。

吕方成终于伸手："拿来吧！"

徐文君妩媚一笑，递上贷款合同："小饭桌这个阵地上，必须插上吕状元的旗帜！"说完一掩口，嗔怪道，"哎呀我该死，又说错了，是工作室。"

吕方成翻她一眼："这两个有区别吗？"

发行老高非常卖力。老高是那种响鼓也需重锤敲的人。其实大部分人都是这样，谁愿意自己折腾自己啊。又到了快退休的年龄了，舒服挨几年，就下班回家抱孙孙。但郑雨晴不放过他，这个时代也不允许老高放过自己，再放，连饭碗都一起放下了！一旦认识清楚，方向明确，老高是有绝对的执行力和革命性的。郑雨晴都和电商立下了军令状，老高可不敢怠慢，带着大家没日没夜练内功，终于验收合格，拉上了电商的手。

老高问："我这算不算'互联网＋'？"郑雨晴非常欣慰地点头。

老高感叹："早知道这样，我早该对自己狠点儿！兴许，能折腾出个上市公司！"

郑雨晴说，"这说明啊，人，不论年龄，不论职位，只要激发了你的潜能，没有办不到的事情，只有你想干不想干。"

高主任立刻点头："没错。你让我扛100斤砖头我扛不动，你让我扛100斤钞票，我不仅扛得动，我还能拉着跑！"

张国辉闪进江宏的办公室，秘书小曹很有眼色地，立即出门，随手把门带上。

江宏一副看不上的神色："怎么说你都学不会，每次来跟个特务似的！走路踮个脚尖一点声音都没有，你属猫的吗？就不能堂堂正正？！"

张国辉一脸讨好："在报社我搞习惯了，怕走路声音响了，影响同事们写稿的思路。"

江宏："有什么事？"

张国辉伸长了脖子："那个，孵化器的项目，B轮风投都进了，到现在没拿到土地许可证。工地都开工了，唐老板有点急，让我跟您这里说一声，催催下面。"

江宏："嗯。我去问问，看什么情况。"见张国辉没有出去的意思，他又问："还有事？"张国辉换上愁眉不展的苦逼脸："那女人根本不按牌理出牌，送她东西也换不回一张好脸，逼我去纪委交了……"

江宏警惕地问："你给她抓到小辫子了？"

张国辉否定："没有！怎么可能？人生如戏，全靠演技。我，杠杠地！"

张国辉走后，江宏又召来规划局局长询问生物孵化器的事。

那块地以前是做社区老人院的，老人院是省里重点规划项目，上一任省委副书记都来查看过两次，哪能说改就改呢？局长很难心，又不敢硬顶。他先说这块地国土局的手续不全，又说用地上的重大变化，得政府开会投票表决。

江宏听得一扬眉毛："你的意思，你就是不想干咯？"

局长赶紧表态："想干！想干！但要符合组织程序，不然我的名字签在那上头……"

江宏动了怒："什么事情都是从无到有，从不全到全！像你这样思维的干部，大饼拴在你脖子上你都能饿死！等一切手续齐备都放你面前你再办事，你这个位子，连机器人都会坐。精兵简政，要减的第一批干部，就是像你这样没有方法，没有干劲，被条条框框束缚住的人！你下去吧！"

规划局局长一走，江宏就把秘书叫来，让副局长李文渲主持工作："那个人，以后不要叫我看见他。唯唯诺诺，没有魄力。拖我整个大建设的腿！"

郑雨晴和高飞住进了出租房，好像也没过上希望中的家庭生活。因为二人经常出差。就是待在江州的日子里，也得忙到夜深人静的时候，他们才前后脚摸黑进屋。累得只是道声晚安就扑倒在床轰然大睡，第二天一早醒来后，再结伴出门各自去上班。

昨晚高飞的飞机晚点了，原本俩人约好床上例会的，等高飞进屋，都夜里三点半了，郑雨晴已经睡得梦回老家。好在养精蓄锐了一宿，两人情致极浓，早上抓紧时间在床上开了个晨会。一次团结的大会，一次胜利的大会。

郑雨晴满腔爱意，无法表达，一定要高飞晚上回来吃饭，自己给他做最爱吃的西红柿鸡蛋面。

但高飞空等了一晚上，饿到前腔贴后腔的时候，郑雨晴回来了，但那传说中的面，没跟着她一道进门。

郑雨晴早把西红柿鸡蛋面忘了。汇报自己去纪委交耳环，活灵活现地学着张国辉的丑模样，又说自己效率高，搂草打兔子，搞定了一项合作。高飞闷闷地问："你什么时候做晚饭？"

郑雨晴一捂嘴，尖叫："天啊，你到现在还没吃！"

高飞一脸尴尬加无辜："你早上说让我回来等你下西红柿鸡蛋面的。我都答应你了，怎么能吃呢？"

雨晴不好意思了："哎哟，你真认死理，饿了叫外卖嘛！"

高飞有点火："我去！你这叫言而无信知道吧？是你让我等，我要是不等，就是不守信！我们都是亲人了，怎么能不守信呢？天天在外头骗来骗去钩心斗角的，但家里不能啊！"

郑雨晴惊了："啊？我没给你下面就是不守信钩心斗角啊！我的妈呀，这高度！得得得，我给你做！你等着啊！"

这个临时的家又像曾经那个正式的家，啥吃的都没有。换了一个男人，日子过得还是不像日子呢。她抱歉地给高飞打了杯果汁，为掩饰心虚还跟高飞扯养生，晚饭少吃一口，能活九十九，你要是少吃一顿，你跟彭祖就一个寿命了。

高飞已经有气无力，也不指望面条了，他喝着果汁，还替郑雨晴担心："你平时在单位不这样吧？咱们当领导的，不要轻易允诺，一旦答应了，一定要兑现，否则不能服众。"

郑雨晴说："你忘了吗，转正投票我差点全票通过的，群众基础好着呢。"

高飞口气哀怨："那你就是欺负我！知道我是忠犬八公，饿饭都赶不走。"

郑雨晴又笑着发誓："今天实在对不起，明天晚上我一定……"

高飞作揖："听女人说话，真是如沐春风。"

郑雨晴警惕地问："你什么意思？"

高飞坏笑："一阵风，刮过就刮过了，不必当真！"

《都市报》又犯错了，这次周长林不点明错在何处，态度温和，只让郑雨晴他们先自查。查到了，过来解释。

郑雨晴恨不得领导霹雳震怒，直接点题。她也有经验了，暴风骤雨来得快去得快。而这种温柔的猜心游戏，倒像窗外滴滴答答的牛毛细雨，纠缠。她玩不来。小粟也玩不来。两个人对着报纸愁眉苦脸，已经将了好几遍了，没觉得哪条稿件有毛病。

他们只能牵强附会，揣测圣意。周长林收下检查却说，回去继续反思自查。意思是，郑雨晴找的方向不对。

郑雨晴这段时间，经常抽时间回去看萌萌，还真不是因为那天看到小徐姑娘。是吕方成那句话，孩子成长的每一天都不想缺席，让她感触良多。

这天，等萌萌睡着之后，郑雨晴去书房地铺上盘腿坐着，蹭着吕方成桌上的灯光，继续哗啦哗啦翻报纸自查自纠，查不出所以然，不自觉地唉声叹气。

吕方成在电脑前备课，听到郑雨晴的动静，扭过头问她："你遇上什么难事了？跟我说说。"

郑雨晴点点头，又摇摇头："没啥，唉，你对报纸工作也不熟悉。算了，不说了。你备课吧。"

吕方成："你不相信我的智商？你那些数学考试，哪次不是我帮你解决疑难杂症？"

郑雨晴递上报纸，你看看，哪里不对劲？

吕方成只瞟了一眼，果断对着头版上的大照片说："你真是眼大无神，这么大的 bug 看不见？"

郑雨晴愣住了。想了想，她冲吕方成伸出大拇指："你小眼聚光啊。别干小饭桌了，你过来给我当第一读者吧，帮我审稿子。"

"嘁，掉片树叶下来，你都怕打着头，活得战战兢兢的，哪有我小饭桌自在？我马上要扩大规模了，你在宣传口万一混不下去，我可以赏你个饭碗。"

郑雨晴听了此话，赶紧说："那你先把周部长家孩子收进去吧？"

吕方成立即扭过头，不再搭理她。

郑雨晴一脸惶恐去周长林那里做检查："领导！没想到天气预报也会绊人一个大跟头！"

周长林语重心长："你头条刷着创建成功的消息，二条放张阴雨绵绵的照片，又配上'春雷响雨倾盆，我市将进入持续性大范围阴雨天气'那样的文字，会给人非常不好的联想。你们连起来的意思是，创建成功，普天同悲！"

郑雨晴既佩服吕方成的眼光，又给周长林的话吓半死，赶紧承认失误："我们错了！错了！绝对没这个意思！这版面语言，真是害死人！我回去就让编辑下岗，他那两只眼睛，难道是喘气用的？！罚他到资料室去，永远不给上版！"

周长林摆摆手："差不多意思一下就行了。我也知道，这阵子你那里走了不少采编人员，再让一个永不上版，你手下还有人干活吗？"

郑雨晴这次是打心里称赞周长林英明。

周长林更加英明地补充道："你以为我不知道？那些犯错的记者，一天也没在资料室待过，都是化名上版！唉，小郑啊，做报纸的时候，你不仅要想着读者怎么看这篇报道，更要想着，假如我是省委领导市委领导，我读这个报纸是什么感受。要学会换位思考，你只有把自己拔到跟领导一个高度，你才能把报纸办好！领导们日理万机，每天还要雷打不动地阅读各类刊物，你要考虑到领导彼时彼刻的心情。工作，要做得更细致一点。啊？"

郑雨晴哭笑不得。难啊，头上领导那么多，我又不是蛔虫，咋能猜到他们都想些什么呢？

世界是三七开的

卖二手书的增知书店要倒闭了。吕方成最先得到消息。他并不是消息灵通人士，只是喜欢逛旧书店，这几次去逛总吃闭门羹，一问边上的水果摊主，原来是朱老板生了重病。

当学生时吕方成就爱去这里，还带郑雨晴去过。工作之后去得没那么勤了，但每年还是会去淘儿本旧书。在他人生跌在跌停板上，孤单的心灵被寂寞小虫啃噬得斑斑点点时，吕方成有一阵天天泡在增知书店里。这里适合疗伤，旧书旧报旧杂志，很配他这个失意的人。老朱呢，好像能看穿吕方成的境遇，每次见到他，点点头，不说话，只上茶。

可这个善解人意的老朱，现在得了绝症，书店面临关张，生计眼看维持不下去了。吕方成非常伤感，无法排遣的伤感，和老娘女儿无法交流，和小徐二霞也没办法沟通，栏杆拍遍，无人会，登临意。此时，只有郑雨晴。在彼此重合的生命线里，那些喜怒哀乐，吕方成无法与外人分享。

郑雨晴接到吕方成电话，果断说，我们一起去医院看看老朱！

老朱脸色腊黄，看到吕方成二人，明显很高兴："哎！你俩怎么找来了？我没事儿！一时半会儿还死不了！"

郑雨晴看看好多人挤一起的病房，跟老朱商量："你那么好的市口，不如盘给我？我钱一把给你，也方便你治病。"

没想到卖了一辈子旧书的老朱，早已经浸润了深刻的文人情怀，生死已经看得很淡了："增知是江州最后一家旧书店，我总要给江州的读书人留点文脉。再说了，那一屋子旧书，跟小精灵一样。我要是卖了店，它们上哪儿去？都要化纸浆了。不卖！"

吕方成临走，把一个信封塞老朱枕头下面："这个留你这儿，加加餐。我得空就来看你。"

老朱却坚决不要。还说："你们要真想做好事，就替我把店门看着，按时开。只要还有一个人惦记我的书店，就得给他留着门。"

郑雨晴和吕方成，眼眶突然就有些湿了。吕方成想都不想地伸手说："钥匙。"

增知书店的新闻第二天就见了报，何亮亮写的消息标题是《江州人，请一起看守最后的旧书店》。

郑雨晴自己也没料到，如今的报纸还有这许多读者，还有如此大的影响力。《都市报》又做了一系列的公益活动，老朱的治疗费有了着落，门店有了志愿者的看守，店里的二手书供不应求，然后进货渠道也打开了。增知书店忽然进入良性运转。真的是，一城读者一城心，增知书店留葱青。这个系列报道，被转来转去，最后又上了央视新闻。

吕方成自是活动的热烈支持者和响应者。他把从前在增知书店里淘的书，全部翻出来，打个包，完璧归赵。又对郑雨晴说，自己的小饭桌，刚拿到预融资，正好想发一个整版的广告。通过对增知书店的报道，他发现贵报力量不可小视，所以，决定广告投在《都市报》上。

郑雨晴立即说："我给你打折！"然后装作不经意地说，"周部长亲戚孩子的事情，你看……"

吕方成挥挥手，让她一码归一码。郑雨晴略带愤怒和哀怨，但也只好一码归一码，生怕两件事搅和在一起，把到手的整版广告也整飞了。

周部长喜不自胜，对增知书店的报道大加称赞，几次在宣传会上点名表扬《都市报》和郑雨晴。

周部长很少这样喜形于色，他说："我们有的同志，总在抱怨，说我们新闻宣传纪律管得过严，弄得束手束脚，这也不能做那也不敢搞。说什么版面上只敢有规定动作，你们看看《都市报》，学学郑社长，他们是怎么做自选动作的！上次我们是花钱做了个城市宣传片，这次，我们一分不花，就上了新闻联播！同志们哪，做事用点心！报道才有深度！心里有花才能看见花，心里有屎你就只能看到屎！"

　　一贯注重养生修炼的周部长，突然在大会上就屎尿屁了。听众不习惯，他自己也觉得太粗鄙，赶紧改口："王阳明说得好，你未看此花时，此花与汝同寂，你来看此花时，此花颜色一时明白起来。暂时还看不到花的同志，你们赶紧要检视一下自己的内心。"

　　这还没完，散会之后，周部长又叫去郑雨晴，拿着一提精美的礼盒，感谢吕校长的关照。这个死吕方成，原来早把领导的任务完成了，还瞒着她。害得郑雨晴在周部长面前差点儿对不上口径，搞得很被动。

　　徐文君再次光临工作室，一副报喜鸟的模样："老吕，吕校长！你的预融资我给你拉来了！"徐文君手扒门框，两个脚后跟对搓两下，蹬掉鞋子赤脚走进来。一套动作熟练又粗俗，像个乡野村妇，和她之前搔首弄姿的装腔作势判若云泥。

　　人和人之间，如果进入不装 B 模式，那就比较不同一般。徐文君现在就是这样。吕方成也不装 B，抬手甩给她一张学生登记表："拿去！"

　　两个人前半辈子的恩怨争斗，就此画上了一个句号。

　　徐文君接着跟吕方成了断了一桩谜案。他上柜第一天少的那 500 块，是在吕方成接电话分神的时候，徐文君偷偷替他夹在存折里，眼看着吕方成递给储户了。

　　虽然这不叫偷，但吕方成还是又惊又疑："你为什么要这么做？"

　　徐文君凄惨一笑："我不得已。很多你看来唾手可得的东西，我需要付出巨大的努力。你一进单位，就是行里培养的接班人对象，顶着高才生状元的光环，而我，从出生那一刻起，一张薄薄的户口纸就决定了我是农民。我小时候去读书，不吃早饭要爬五公里的山路，放学回家的路上，还要采菌子。我家有三个妹妹，我老大。我妈在我小学毕业的时候，就让我辍学务农。我不同意，一件行李不带就去了镇上的初中。从那时候起，我就自立了。你以为我不如你？我也许没你那么聪明，但我考一个跟你一样的大学没问题。我上中专，是因为我没钱。"

　　小徐和二霞从厨房出来，手里拿着菜篮和锅，水滴得哩哩啦啦，她们站在门口听得入了神。脸上全是"黑转路，路转粉"的表情。

　　"为什么全世界都把平等作为追求？那是因为我们从来都没有平等过。非洲的孩子从落地起，人均拥有就比美国孩子少两万五千美金。

你是状元，你能轻轻松松用英语表述那些金融术语，而我第一次接触ABC，是我上县里的高中。我知道你瞧不起我，你们眼里，智商高就是优点，像我这样去巴结人，讨好人，看人眼色行事说话就是缺点。你工作之余可以无忧无虑地谈恋爱看电影打游戏，而我却在补各种专业知识，把挣的每一分钱寄回家，让我妹妹像我一样识文断字。你出口成章引经据典，你高雅；我陪人喝酒，陪人打牌，我低级；可你们越是瞧不上，我越是有股心劲，总有一天我要和你们平起平坐！"

吕方成："徐副行长，我哪能和你平起平坐！你已经把我们都踩在脚下了！你这算是，天道酬勤吧。不过，为了达到自己目的，你不择……你不顾……"吕方成发现形容徐跳奶没啥好词，便突然语结。

徐文君接上："哼，不择手段不顾廉耻？这两个词是形容Loser们的！评价我这样的大V你得换词，我这叫放下身段勇往直前！"徐文君双手叉腰，一副扬眉吐气的样子："吕方成，我花了十几年的时间，终于可以和你一起喝杯咖啡了！"

如果是当年的状元吕方成，肯定对徐文君嗤之以鼻。但现在是小饭桌吕方成，经历了沉浮，他对人生宽容了。

但他仍然瞧不上徐文君的下作手段，压榨属下，拍马逢迎，那算什么本事？可又得承认营业部自打她接手之后，确实在行里江湖地位有所上升。那满满几面墙的锦旗奖状，没有实打实的业绩，是换不回来的。

人性复杂，参差多态。世界是三七开的，就像社会的财富分布呈纺锤状，中间大两头尖一样，除了真正的坏人和君子，吕方成认为，我们都属于大多数：渺小与高大并存，良善与小恶交织，一念云起，一念尘落。为名奔忙，为利辛苦，为了让自己和家人活得更好的，营营苟苟的大多数。

他缓缓地说："你的经历，倒也是一部农村子弟的奋斗历程。"

徐文君粲然一笑："其实我们俩是一样的人呢，我不好说自己是女版的吕状元，但是你呀，绝对就是男版的徐文君！"

吕方成吓一跳："这怎么可能！我哪点像你了！"

徐文君撇嘴："嘁，像我能委屈死你？！"

吕方成从心里挺感谢徐文君，没有她，哪来这个工作室？他越活越觉得老话说得有理，比如他妈说的这句，克你的妖精正是度你的菩萨。他妈还说，你是核桃就得榔头敲，你是芝麻就得上磨子碾！他妈又说，老天爷看你是块材料，才发给你那些苦难，一辈子过得舒舒服服的，你能有啥大出息！

吕方成突然有了出书的打算。书名就叫《我妈说》。自己的妈，是充满智慧的金句王，这位生活在身边的老太，随便一句话，就能炖出一锅心灵鸡汤。如果老娘会上网，必定是一位网红。此书不卖，专供小饭桌学生提高作文水平，再拉两百本送给书店的朱老板。

规划局局长被江宏晾在一边，像被打入冷宫的正牌娘娘，忍辱坐在主席台的正中听副局长指手画脚报告，他无心听会，脑海中万马奔腾：清宫冷院的萧条，门前冷落鞍马稀的境地，以及，永无出头之日的黑暗……这一切，居然都是因为自己坚持了原则！

局长左思右想，从会场拂袖而去。他回到办公室，拉开一个抽屉，从隐秘的角落里，抽出一张新卡，打开手机外壳换上，拨通电话："报社热线吗？我要报料……"

何亮亮在电话那头，表情严肃地做着记录。

郑雨晴惊喜地发现，李保罗的病好了。一副健康活泼的样子，全身披挂着相机和镜头，一本正经地对她说，要投入工作，要出门采访。还略带幽怨地说，郑雨晴啊，我俩都这些年的老关系了，你都还从来没亲过我，还闺密呢！

郑雨晴说，闺密也要注意分寸！

保罗又说，就当是我健康出院的祝贺！

郑雨晴还犹豫不决，李保罗拽拽她的胳臂："我爹妈都在楼上盯着我呢。我就想让老头老太放心，让他们知道我没骗他们，这个世上有女人爱着我的。"

郑雨晴噢了一声，她凑近李保罗踮起脚，在他耳根附近飞快地啄了一下。那里有动脉的跳动，有皮肤的弹性，有保罗的体温，还有他身上淡淡的香烟味和汗腥气……

然后，郑雨晴就惊醒了。

她愣了一会儿，意识到什么，眼泪大滴大滴滑落，开始失声痛哭，她拿起手机，泣不成声地给吕方成打电话。

吕方成睡意深浓的声音："雨晴，你怎么了？跟高飞吵架了？"

郑雨晴哽咽："是保罗，他刚才来我梦里了……他来跟我告别……"

吕方成呼啦一下从床上起来："你待那儿别动啊！我过来接你上医院。"

深夜的街头，吕方成开着车，带着郑雨晴向医院疾驶。

病房里，李保罗身上所有的管子器械都拔掉了，他安静地躺在那里，形销骨立的身上覆盖着白单子。

郑雨晴帮他出的那本书，放在枕边。

李妈妈坐在儿子身边，面无表情。

郑雨晴相信人是有灵魂的，相信在保罗的心里，一直对自己和报社有着牵挂。她决定，趁着保罗的灵魂还没有走远，为他办一个小型影展。

周部长带队外出学习，郑雨晴跟着领导四处借鉴媒体整合成功转型的先进经验。应了部长说的那句话，心里有花眼就见花，心里有屎眼睛只能看到屎。可能保罗离世，让郑雨晴心生哀伤，现在她看啥都充满悲壮：全世界的媒体都在摸着石头过河，目前为止，有哪家真正渡过难关，走上彼岸了？就像竹简被纸张所代替，我们纸媒人赖以生存的这张新闻纸，真是走到尽头了。

没等郑雨晴调整情绪走出伤感，新的焦虑到来了。

高飞太辛苦了。他脆弱的颈椎终于不堪重荷，在出差途中疾病发作，猝然倒地，被紧急送回江州，连夜施行手术。此时郑雨晴人在千里之外，得知情况，恨不能插根翅膀飞回江州。

高飞不让她回来，我一堂堂总裁，连个身边照顾的人都没有？还需要你千里飞回？你踏实做你的事情，这边不用你管。

郑雨晴团团转。总裁的团队，职场精兵强将能抓出一把，能鞍前马后床上床下伺候他的，真没合适的。郑雨晴抓瞎，情急之时，觍着脸向吕方成求助，她是打算被一口回绝的，没想到，吕方成居然同意了。

春风得意亿万富翁高飞，成功人士商界奇才高飞，广告精英青年才俊高飞，现在像个残疾，半瘫在床上，吃喝拉撒都指着人伺候。

吕方成接到求助电话，最先的情绪，是看笑话。但真的站到高飞的病床前，看到他那副尿样，又充满了同情。有钱有势又怎样？你有健康吗？

吕方成挺直腰杆，转转脖子，突然有了强者心态。

接着，吕方成回想到，是高飞把自己从交警支队赎回来的，嗯，这个家伙，对自己是有恩的。

最近尽做捐弃前嫌的功德，从郑守富，到郑雨晴，到徐文君，再到高飞。吕方成突然就发现，在这个世界上，自己居然没有对立面了，这是要功德圆满立地成佛的意思啊！

而佛是没有女人的。没有女人的掺和，男人的世界就单纯了。哥们儿感情立即就回来了。

好饭吃着，好话聊着，还有好哥们儿的大度和宽容，这种养法，郑雨晴出差还没转完一圈，高飞已经出院。吕方成一踩油门，把他送回了出租房。

高飞进门有些不好意思，自己讪讪地说："你来过？"

吕方成淡淡地答："你出差那晚，我就过来了。"

现在轮到高飞打鼓了。

吕方成答："李保罗那天黎明去世了，我载雨晴去医院给他穿衣服，送他一程。"

高飞有些疑惑，想不起李保罗是谁。

好像是送君千里，终有一别。高飞出院了，吕方成光荣完成郑雨晴的嘱托。他精心准备了一桌好菜，又开了瓶干红，算是对这段时间做个总结。

几杯下去，高飞开始聊正事。在高飞眼里，前几天那些哥们儿调侃，不过是预热，至此，才算进入主题。所有不聊事业的谈话，都是瞎扯淡。

他主动问起吕方成创业的事情："你好好的，怎么想起来创业了？创业，可麻烦多了。"

"人这一辈子，就是在自讨苦吃中磨炼自己。比方说健身，比方说虐恋，比方说养娃，比方说创业。其实走着走着，也就熬过去了。就怕什么苦都没吃，什么事都没做。写讣告的时候都填不满一张白纸。"

高飞一笑："我俩这样的，要好几张白纸才够。"

吕方成大度一笑："也不一定，情史那块儿，可以合并同类项。"

见他这么说，高飞乐了："喝酒！我俩的血液里，流着同一品牌的红酒。"

俩人相视一笑，叮的一声，干了。

你的情敌是个孩子

保罗的影展低调又有格调。没有领导剪彩，没有嘉宾助阵，甚至连主持人都没有。地点也特别，放在省图书馆的一个小憩园地里。

阳光透过玻璃，斜斜地打进会场。粉红色的玫瑰，围绕着一根立柱，立柱上方别着话筒，每一个想说话的人，都可以上去说两句。

背景音乐里是甜美的邓丽君："啊，南海姑娘，何必太过悲伤……"

与会的观众和朋友同事们，都打扮得光鲜靓丽，胸前都别一朵粉色的玫瑰，每个人手里端一杯气泡酒。

郑雨晴了解李保罗，他是个快乐的人，平生爱热闹。最喜参加各种PARTY，所以她定下基调，影展也是愉快的聊天会，让大家都说说跟保罗有关的高兴事。

刘素英先站上去，开口就是："我曾经为保罗背了一个大处分……"听众们惊诧，这事有啥高兴的？

刘素英接着说，但保罗却得了全国摄影银奖。这事，我替他高兴。

多年以前，李保罗为拍照，把自己吊在坝街的大钟上，结果把钟弄坏了，为了不影响这位新人的前途，刘素英替他担下责任。那张照片却因角度刁钻，构图新颖，获得全国摄影银奖。

刘素英像抖包袱一样说完，最后来了一句，"他的奖金居然不带我分哪！"

"他没法带你分。"老傅坐在轮椅上，被夫人推着走到前台。老傅说："之后李保罗为了拍河流污染的片子，在河里浸泡的时间过长，相机进水了，那银奖的奖金，刚好拿来赔相机。"

郑雨晴笑了，笑得眼泪都要掉下来："其实那次保罗自己也泡坏了，污水让他全身长满疱疹，奇痒难耐。老傅，咱们社好像不人性化嘛，看机器比看人重！"

老傅也笑："因为机器贵呀！人嘛，你看，我坏了，你继续干，干得比我还好。"全部笑场。

高飞出现，让郑雨晴意外。高飞终于从自己脑海深处，打捞出关于李保罗的陈年旧事：郑雨晴的男闺密、吕方成婚礼上的伴郎、吕萌萌的干妈，那个跟郑雨晴一同掉进悬崖，被自己和吕方成救上来的人。

他为大家回忆了这段往事，同时公布了一张独家珍藏的秘照："当时保罗和雨晴——哦！郑社长，挂在悬崖边的一棵树上，我低头一看，妈呀！后有追兵，前有悬崖，俩人挂一棵树上，树都要断了，他们还在唱歌呢！这不就是传说中的禅宗画卷吗？我让救援队别动，别急着把他俩吊上来，我先捏张照……"全场大笑。

郑雨晴又气又笑："禽兽啊你！我们都快死了，你还拍照？"

高飞温柔地冲郑雨晴一笑："雨晴，你的未来有我相伴，你的过去，不光有方成参与，也曾经与我有过很重要的交集。"

聊天会结束，大家纷纷去看影展。在一幅照片前，郑雨晴与高飞站定。这是李保罗与郑雨晴的合影。雨晴靠在他身上，保罗一手拿着相机，一手揽着雨晴的肩膀，两个年轻人的头发被风吹乱。他们青春无敌，笑容灿烂，眼神清澈。

郑雨晴看着相片上年轻的自己，一时有点羡慕保罗。他退在报纸最辉煌的年代，没有看到纸媒现在被动的狼狈样。

高飞见她沉默，以为郑雨晴在叹时光匆匆如流水，便说："好女人，是个宝。天行健，地势坤。越老越有味道。"

背后有同事指指点点，其中一个人拿出手机准备拍高飞和郑雨晴的背影。高飞本能地拉开郑雨晴一点距离。雨晴果断地拉起高飞的手，高飞有些犹豫，这是雨晴的主场，满屋子都是她的朋友同事，高飞有一刻想松手，但雨晴不放。高飞突然，就那么坚定地，紧紧地，像握住郑雨晴的生命一样，不再躲避。

郑雨晴与高飞相视一笑，俩人微微转身，冲偷拍的同事大方地一起摇摇手。本地微信群里，这样一张俩人愉悦牵手不逃的照片，满天飞起。

　　小徐姑娘的手机里，也被推送了这条今日热门，"本市最被期待的爱情"，本市首富高飞与都市传媒集团霸道女总裁郑雨晴终于牵手！自然还有那张照片。

　　她把手机移到吕方成眼皮底下。吕方成看了一眼，脸色微变，不说话。

　　小徐轻轻呢喃："他们好了……"

　　吕方成故作毫不在意地一边整理教学资料，一边答："我知道啊！"

　　小徐走到吕方成背后，迟疑了一下，轻轻、轻轻地环绕着吕方成的腰，将脸贴在吕方成的背上："那你知道我的心吗？"

　　吕方成有些犹疑，不知如何反应。

　　高飞来找吕方成，到工作室，他正要敲门，小徐姑娘流着泪出来了，看他一眼，赶紧擦去，安静地走了。

　　吕方成跟刚干完一样大事一般,虚脱地抱头撑桌面上。高飞问他："小徐这是怎么了？你怎么她了？"

　　吕方成哭笑不得："我就是没怎么她，我要是怎么她了，她就笑着走了。"

　　高飞秒懂地坏笑："那你干吗不怎么她呢？这样不是各得其所吗？"

　　吕方成懒得搭理高飞："管好你自己的事，我的事，不用你管。"

　　高飞一扬手："哎！我今天赶过来，恰恰是多管闲事来的。"

　　无意中听郑雨晴说起吕方成在首轮融资，高飞的心就焦了。不识庐山真面目，只缘身在此山中啊。高飞太清楚做大做强的背后，意味着什么了。看上去很美，听上去很响，但是，不实惠。

　　高飞说："你听我一句：如果你既好为人师，又好为人吃，你就经营你眼前这一亩三分地。千万别为图个好听，给别人放个大炮仗。"

　　吕方成问："什么意思？"

　　"做大，就不强了。做强的，一定不是大。你，就做一个小而美的家庭作坊式小饭桌，这是最好的结果。"

　　吕方成白高飞一眼："干吗？这么怕我的崛起？我不影响你吧？"

　　高飞很诚恳地答："我上市的故事，你是知道的。去敲钟前的那半小时，我咬着牙才签下 PE 的协议，一口血差点没吐出去。他们笑着走出我房间的门，祝贺我成功的时候，我哭得像个鸟人一样给你打电话。"

"那是你尿。你太想成功。"

"如果你只是想过梦想中的生活，为什么要把自己最后逼上跟我一样的路？你以为上市以后，你还能在这间屋里做饭教书？据说我是本市首富，可我狼狈的样子，你见过无数。我现在，没有一天，是为自己活着，过自己想过的生活。"

吕方成笑了："人和人不一样。你是只有七分的力，你非挑十斤的担。我干的事，游刃有余。"

高飞见吕方成很坚定，就带着哄骗的语气："既然你心意已决，我能提一个请求吗？"

"入股我的小饭桌？"

"对。"

吕方成拒绝了："我俩的关系已经够复杂了，千万别再加上金钱的纠缠。"

"别呀！我们要相互亏欠，我们要彼此纠缠。说好的一辈子呢？"

"那好吧！我们仨人，继续藕断丝连。"

高飞："说男人的事，让女人走开。"

吕方成笑，像骄傲的游吟诗人一样优雅地冲高飞一举杯。

按高飞的意思，吕方成不要引进外援，他一个人投资小饭桌。不是高飞想要垄断吕方成，其实他是为方成着想。所有的投资都是要求回报的，达不到回报吕方成就要赔钱，而为了达到投资人的发展要求，吕方成最终会忘记初心。

高飞说："你是想办一个最好的学习工作室，对不对？而我，我喜欢看到一个对社会，对家庭，对孩子有好处的这么一个新芽慢慢生长，优雅开花，不疾不徐，保持你原来的样子——我等得起。即使你在发展的路上遇到各种困难，根据我对你的了解，我知道你的能力，我保证，我只参股，不参与管理，工作室，永远是你的。"

吕方成："你真的……一点私心都没有？"

高飞沉吟半晌，思忖怎么说："如果说有，那就是，我希望你，过上你心目中想过的生活。我已经废了，我这一摊子，就贡献给社会了。我所有的希望，都寄托在你这儿。你过得好，雨晴才不会担心。另外——"

高飞故意停了停，吕方成歪着脑袋等着他的下文。

"我能把我儿子高兴送来吗？"

吕方成扑哧笑了。

高飞心满意足回家，感觉像取得了一场胜利。这是一场没有敌我双方的战斗，参与的两方为了一个共同的目标并肩作战。他和方成，不分彼此，同舟共济。

而家里两个女人的战争，虽无硝烟，气氛却紧张到一触即发。前几天郑雨晴给奶奶带了一只大蛋糕，嘴馋的奶奶吃完消化不良，被送进医院抢救。从此以后，奶奶再也不开金口，任郑雨晴使尽浑身解数，就是一口不吃——鸡蛋不吃，青菜不吃，稀粥不吃，还指着端上桌子的肉圆子，阴森森地说："你给我下毒了。"一见高飞进家，奶奶就率先告状，而郑雨晴抱着头，一筹莫展。哄着奶奶吃了睡了，高飞接着来哄郑雨晴。

高飞解释，老人家这样作天作地，让亲人们头疼苦恼，是想让大家在她走了之后，能如释重负，高高兴兴。然后，忘记她。

郑雨晴眼泪一下就下来了，眼泪把高飞吓了一跳："雨晴，我这乱糟糟的家，让你受委屈了。"

郑雨晴心疼高飞，那么多事，那么多人，都需要你，你这么善良通透，却连个分担的人都没有。

高飞虽然术后恢复很好，仍然整天上着脖套。现在一天将尽，总算可以摘下透气："被人需要，才是真真切切的存在。你们都是我的亲的爱的。为你们，我愿意。"

采编大厅里，何亮亮对着电脑思考问题，右右伸头看电脑口中念道："一块地皮的变更，从养老院到生物孵化工程……你这选题为毛不带上我？你跟孙菲菲去？"

"热线打来的线索，连影子都没有的事情，我正在做功课呢……奇怪，这个老人院，前面手续都齐备了，为什么没开工？这个项目的投标人是……"他双肩一抖，把右右从自己身上抖掉，"光天化日之下，你注意点影响！"

右右问："你的意思是，白天不行，晚上才行？"

何亮亮叹口气："你什么时候才能正经点？这是工作场合。"

右右嘀咕："亮亮，我想跟你说点正经话，但我不会用很正经的方式表达。"她忽然有些扭捏，但也很坚定："你给我个准话，你到底愿意不愿意做我男朋友？我这一辈子，很高傲的，没服过软，也没求过人。"

何亮亮一下就愣了，不知该怎么接话。

右右突然就单膝跪地在何亮亮面前："亮亮，我知道，我有一身的毛病，我长得不太像你心目中的翩翩仙女。但我，我是真心宣（台湾国语"喜欢"的发音）你。你已经长在我心里了。我想过了，我愿意为你，长发及腰；我愿意为你，变成淑女；我愿意为你，脱胎换骨改变我自己。希望你，看在我宣你的分儿上，委屈一下你自己，就从了我吧！"

门口孙菲菲和一干人进来，看见跪在地上的右右大惊地咋呼："右右，你在干吗？求婚吗？"

右右吓得双膝跪地满地乱爬："我在捡东西，我刚才一块橡皮掉了，还有曲别针……"

孙菲菲哈哈哈哈大笑："算了吧右右，我们都看半天了！太精彩了！我特地拍了照，等下上传江州娱乐圈啊！"

右右跪在地上，眼泪唰地就落下来，她蹿起来，擦了眼泪就往外跑。刚蹿出去没两步，被亮亮冲过去，拨开桌椅一把扑住，厉声问："你去哪儿？！"

右右疯狂地捶打亮亮："放开我！你放开我！"又踢又咬。但亮亮把右右的头埋在自己怀中，使劲搂住她，面色严厉地跟孙菲菲说："请你尊重我女朋友，这是我俩的事情。"

右右一下就安静了，真的像淑女一样，眼噙泪花仰头看着亮亮。亮亮对孙菲菲说："你现在可以大大方方拍摄了。不用像贼一样躲门后。"

亮亮单膝跪地，仰望着右右说："右右，我宣你。我宣你很久了。我一直不敢讲，因为我们俩之间差距太大。你是市长的女儿，我连正式职工都不是。我不敢告诉你我喜欢你，因为我怕别人说我高攀你。我很抱歉我不是你内心里的王子，能够杀掉喷火的恐龙，飞越天际来拥抱你，我今天，终于可以在别人面前，说出我内心的感情。请你，像我爱你一样爱我。"

右右大喜地抱住亮亮，眼泪鼻涕全擦亮亮身上："我也宣你！"

亮亮却大叫:"疼疼疼!"一撩衣服,全是乌青,刚才为了追右右回来,他给桌椅碰得不轻。

高飞有点心不在焉。跟郑雨晴聊天明显慢半拍,话不走心,嗯,这几天连肾也不走了。郑雨晴故意逗他:"不谈钱你就不来高潮是吧?"高飞一脸愣怔的样子,回她一个字:"啊?"

高飞的脾气也变得焦躁,弄得郑雨晴直嘀咕,怕是早更了,脾气倒比眼睛大。总是这样不正常,郑雨晴就要问他,是不是有什么心事?怎么一脸不高兴呢?

没想到高飞居然还烦了:"女人啊,怎么到最后都一样烦人呢?疑神疑鬼的。"

郑雨晴颇委屈。她一委屈,高飞就服软。然后刚才那点不愉快,跟着就翻篇了。

这天郑雨晴在家做肉圆。一半炸一半蒸,晾凉了,放在冷冻室里。她对高飞说:"碰上我不在家,你要吃,就自己用微波炉叮一下。"

高飞最爱看郑雨晴这样,像小女人一样操持家务,他突然叫:"雨晴!"

郑雨晴正端着碗盆去厨房,便停下脚步。

高飞笑笑:"没事。就是想跟你说,我特别满足,特别喜欢现在这种普通人的平凡生活。"

郑雨晴温柔地走过去,在高飞的脑门上轻轻吻了一下,调侃地说:"得多自命不凡的人,才能说出这么矫情的话。"

普通人的平凡生活,很快就被工作打断了。粟主任来电话,有紧急任务下乡采访,请郑雨晴去值夜班。

放下电话,高飞的小女人,变成了大女人郑总裁。临出门还给高飞派任务:"剩下的活归你了。记得打扫战场。就像这一切从未发生一样。"

高飞连连点头,等郑雨晴下了楼,他给自己秘书打电话:"赶紧地,订五斤做好的肉圆给我送来。今晚必须送来。"

等郑雨晴签完样子回到家里,一切都收拾停当。厨房擦洗得锃亮,肉圆子们整齐地坐在冰箱里,像士兵等待她的检阅。而高飞,却没在家里。

一连好几天，都没见高飞的人影。打电话，关机；发微信，没回音；打开邮箱搜索，也没有高飞的邮件。想到之前高飞那些不正常的表现，郑雨晴疑惑地想，莫非，高飞外头有人了？他没办法跟自己直说，采用这种方式，暗示我，让我自动退出？

郑雨晴面对一冰箱的肉圆，有点伤感。才几天时间哪，那个老老实实饿着肚皮乖乖等一晚上西红柿鸡蛋面的男人，现在不辞而别了。留下一堆肉圆，让她无计可施。可见，家有个家样，不在于冰箱里有没有食物，而在于屋里有没有亮着灯等你回家的人。

她拎着几盒肉圆子，去了吕方成家。她一个人消化不了这些，请吕方成一家帮忙。萌萌见到妈妈，立即狂奔过来，拉着她就往里屋走："妈妈妈妈，我要问你一件事！"语气非常恳切。

可是郑雨晴发现自己的拖鞋没了。方成妈听见前儿媳在问拖鞋，接话道，那鞋穿的时间太长了，我给扔了。又叫方成找双宾馆的一次性拖鞋出来，给萌萌妈穿。

郑雨晴心里不舒服，索性光着脚跟着孩子进了屋。

萌萌进屋关上门便问，妈妈，你和爸爸离婚了吗？

郑雨晴心里轰地一下，她之前也做了心理建设，也有过演练，但当真面对孩子担忧的眼神，她却支吾了。只是问萌萌，你听谁说的？

"我自己猜的。是不是妈妈？"

"如果是呢？"

萌萌眼眶盈着泪，假装坚强地耸耸肩，自己背手擦一下眼眶，别过身不让雨晴看。郑雨晴心一下就碎了。

"萌萌难过了？"

萌萌不看雨晴："我没有啊！"

雨晴扳过萌萌的身体，萌萌眼泪唰地掉下来："你讨厌！我没有哭！"然后放声大哭。

雨晴一把搂住萌萌："爸爸妈妈离婚，又不代表我们不爱你。爸爸还是你的爸爸，妈妈还是你的妈妈，你……"

吕方成拿拖鞋进来塞雨晴脚下："凉！赶紧穿上。你干什么呢你？要么不回来，要么回来就惹孩子哭。萌萌，妈妈又怎么批评你了？我们萌萌表现好得很！妈妈你要表扬我们。"吕方成讲话声音都变得奶声奶气。

萌萌哭得上气不接下气，明显对吕方成更亲一点，毫不压抑与克制地，用脚踹爸爸，还尖叫："我不要你们离婚！我不要你们离婚！"

郑雨晴眼泪一下就下来了。她有点手足无措。不知道是继续说实话，还是圆个谎话让孩子止住哭泣。

吕方成却很淡定地搂着萌萌晃："不离婚，不离婚，谁离婚了？我们有萌宝呢！爸爸妈妈不会离婚的。"

现在愕然的是郑雨晴了。

萌萌停下哭声，不信地问郑雨晴："真的？你们没离婚？"

吕方成严厉的眼光看过来，都能戳死郑雨晴。

郑雨晴顿时没勇气了："妈妈逗你玩呢！就算是离婚，又不是死，你又不是看不到我们了，哭那么可怜干吗呀！"

萌萌坚决而果断地说："你们要离婚，我就死！"

郑雨晴跟吕方成空前地异口同声："胡说八道！你疯了！谁教给你的！"

生命换来的烫山芋

萌萌见到爸爸妈妈真的紧张了，口气突然就犹犹豫豫了："嗯，是，是赵凯来，他说，他说，他每次一说要自杀，爸妈就害怕了，不敢离……"

郑雨晴怒了："赵凯来是谁？你班同学？你怎么不跟好的学，净跟……"

吕方成拦住郑雨晴："你先出去，我跟萌萌谈。"

郑雨晴还想反抗，看吕方成坚决的态度，只好咽下没说完的话，走出卧室。

吕方成为萌萌擦着眼泪，声音非常柔和："萌萌啊，生命不像动画片，什么时候想看都可以回放。生命是一张单程车票，我们每个人都只有一张，过去了永远不会再重来。萌萌，我们不可以拿生命当筹码去吓唬爸爸妈妈或别的人。"

萌萌拧着身子，小声反驳："我才不是吓唬你们……你们要是离婚我就真的去死！"

吕方成两手扶着萌萌的肩膀，很认真地盯着孩子的眼睛："萌萌，那爸爸就真要批评你了。你是为爸爸妈妈而活吗？你有要好的朋友，你有喜欢的书和音乐，未来，你还有自己的爱人和孩子，这些，都不值得你珍惜吗？你要是死了，只能让爱你的爸爸妈妈难过，不关心你的人，才不介意你是死还是活呢！你真的不想看到你以后的宝宝长什么样吗？"

萌萌被吕方成的话吓怕了，她点点头，小嘴一撇，又要哭。吕方成赶紧把孩子抱在怀里拍："爸爸妈妈永远爱你。你要答应我们，必须死在我们后面，你作为我的小棉袄，要给我养老送终的。我就你这么一个孩子。"

萌萌一哼："才不会。奶奶说，你以后会跟别的阿姨有弟弟，我会当姐姐。你让我弟弟给你养老送终吧！"

吕方成一下就怒了："别听你奶奶胡说八道。我老了就靠你了。你乖乖地赶紧去睡觉。"

萌萌发嗲："我要妈妈陪。"

方成走出来冲郑雨晴喊："要你陪睡。"

萌萌在郑雨晴的怀里腻着耍嗲，像个小动物一样又蹭又闻："妈妈身上的味道真好闻……这是妈妈味！"郑雨晴回应着，把鼻子埋进孩子的头发里，深深嗅着那股熟悉的奶香。

"妈妈，你搬回来住吧！我要你每天晚上陪我睡觉。"

郑雨晴眼泪都要掉下来。

萌萌睡着了，郑雨晴却一直抱在怀里没舍得松开。她心里对孩子怀着深深的愧疚。

吕方成看她一眼，低声道："你过来一下。"起身去书房。

吕方成声音哑哑的："萌萌现在很敏感，我们离婚的事，你能再等等吗？等她再大点儿，懂事了，再告诉她。"

郑雨晴抱歉："我没料到萌萌的反应那么过激……"

吕方成翻眼看看她："这算过激？"

萌萌的表现算是平和了。那个赵凯来也是小饭桌的，这孩子为了不让父母离婚，又是出走又是自杀。还故意考不及格，大冬天不穿棉袄把自己冻病。他这种自戕行为，让父母感到紧张害怕。郑雨晴听了吕方成的话，很惊愕。问，这孩子这种闹法，对父母也不公平吧？

"那你生孩子的时候，又没跟孩子商量，也没告诉她几岁以后就要缺爹少妈，对孩子公平吗？"

郑雨晴不吱声。

吕方成态度很诚恳："雨晴，我不管你怎么谈恋爱，高调牵手也罢，网上秀恩爱也好，这些，我都不问。你做的一切，我都能接受并尊重。但我有底线，我的底线很低……我的底线就是萌萌。我不许任何人伤害到我的孩子。"

郑雨晴眼睛立即潮热，脱口而出："萌萌也是我的孩子！"她抑制不住内心的伤感，赶紧闪去厨房。

"肉圆我做多了，一个人吃不完，带给你们尝尝。"郑雨晴说。

吕方成尝了一个，又尝了一个，表情古怪。拿起盒子看了一眼："你做的？"

郑雨晴有点心虚："是我做的，怎么了？噢，是我拌好了馅，让高飞做的。"

吕方成笑："这肉圆啊，肉馅肥瘦比例是三比七，注入大骨高汤，顺时针手工搅打至少三十分钟以上，待肉馅起劲儿后混合马蹄粒……你知道要放马蹄？"

郑雨晴傻傻地："我放的是香菇。"

"放香菇不如马蹄，吃到口里爽脆不腻。你尝尝？"

郑雨晴咬了一口，确实，爽脆不腻："那我的肉圆哪去了？"

吕方成耸耸双肩："你回去问高飞。"

那天高飞秘书小陶晚上九点多跑到小饭桌，紧急求助，说不多不少要五斤肉圆，高总急用。吕方成感觉很纳闷儿，没想到，居然过了几天，在自己的家里，又和这些肉圆重逢了。

吕方成冲着肉圆说台词："村上春树说得对，相逢的人总会相逢。"

郑雨晴没说话。连肉圆都和吕方成相逢了，可是高飞已经一星期没消息了。她形容憔悴，开始疑神疑鬼，从一开始怀疑高飞有了新欢，到现在肯定，高飞遭遇了不幸。大家秘而不宣，是因为担心她受不了。所有人都知道了，只有对她保密。中医理论说：喜伤心、怒伤肝、思伤脾、恐伤肾。郑雨晴觉得自己的五脏六腑，现在全挤在胸腔里，地方逼仄，塞得胸闷气短，全身上下哪一块都不好了。

她拿着花木大剪刀，咔嚓咔嚓，对着窗台上的一盆植物开始发泄。恶狠狠地剪，脱口骂："妈蛋！玩儿人间蒸发！你以为自己是 FBI？CIA？真实的谎言？搞什么搞！老子全面拉黑你信不信！"全然忘记一边的陈思云。

陈思云轻声："郑社，您说谁啊？"

"没说谁啊！"郑雨晴回过神来，哎哟一声把剪刀放下，"刚打的芽苞，一失手给我全剪了！"

陈思云肯定地说："您有心事。"

郑雨晴摊开手，盯着被大剪刀磨出的水泡。下嘴恶狠狠地咬一口，水喷涌而出，鲜红的肉露出来，疼得她倒吸凉气。

陈思云微微一笑："为男人，不值当。"

陈思云虽然年轻，经历的事情却不算少。她的男友有一次就是这样，无端失联一个星期，后来说是去 halfdone 爬山，其实，是遇到了一个谈得来的女驴友……

郑雨晴问她："你是怎么熬过来的？"

"和你一样。搜遍所有网站，打电话给他全部亲人，哭得半死不活，以为他再也不会回来。据说 halfdone 每年都会死好几个爬山的人，尸体都找不到。"

"然后呢？"

"然后他回来了，怪怪的。有很长一段时间，心在情妇那儿。"陈思云还能轻快地开玩笑。

郑雨晴有些难过："你……你做了些什么？"

"我什么都没有做。给他足够长的时间选择，然后他回来了。"

郑雨晴走过去，忍不住抱抱陈思云："真想不到，你这样沉得住气。"

陈思云一笑："我不能接受他死去。既然他活着，那他擦枪走火肯定比死了这样的结果好。"陈思云意味深长地看着郑雨晴："我是真爱他。真爱，就是要等的。"

郑雨晴想了半天，忽然恶向胆边生地做一个斩杀的动作："我肯定不是真爱。他要是敢跟别的女人……像他爹那样……我就，祝贱人们幸福！"

两人都很解气地哈哈大笑。

郑雨晴终于等回了高飞，须发无损的高飞。她急得眼泪都快掉下来了："你跑哪儿去了！电话不接，微信不回，还以为你出事了！"

高飞一把将郑雨晴揽在怀里："出差那地儿没信号，哎哟，别担心了。"

郑雨晴抬起头说："没信号就玩失联？"她叹了口气，"你饿了是吧，去吃肉圆吧！"

看到高飞在冰箱里一通狂找无功而返，郑雨晴揶揄："别找了，肉圆回它娘家了。"

高飞不吭声。郑雨晴追问道："你就不对那晚的肉圆，给我个解释？"

高飞告饶："坦白从宽！抱歉，你一走，我就扔了。我吧，对干活，真没什么兴趣。"

郑雨晴腾地站起来，激动得有点结巴："不算我的人工费、辛苦钱，光那五斤肉，就，就六七十块啊！你说扔就扔！你，你考虑过肉的感受吗？"

高飞真的不理解了，不过五斤肉，发这么大的火干吗。又不是扔不起，挣这么多的钱，不抽不喝不赌不嫖，拿来买点时间，这总可以吧！

"高总，你好大方啊。你是有钱，你扔得起！可是有钱就可以浪费吗！一粥一饭当思来之不易！"

高飞笑了："雨晴，我们又不是贫贱夫妻，何必为五斤肉这点俗事拌嘴？我还告诉你，我不仅扔了肉，我连装肉的盆也一起扔了！"

郑雨晴指了指厨房："那，那……"

高飞："网上找了三个小时工，喊里喀喳半小时就给干完了。"

雨晴急了，高飞赶紧拿手指堵她嘴，"按照你的要求，就像这里什么都没发生过一样！"

"高飞呀高飞，叫着要过家庭生活的是你，讨厌干家务的，也是你！是谁说的，'我喜欢过普通人的平凡日子'？哪个普通人舍得扔五斤肉圆还叫一堆人来打扫卫生？"

"我呀，我就是不普通，我才渴望过普通生活啊！我有普通生活不耐受综合征。"

普通生活不耐受综合征？郑雨晴想到，自己曾经瞎诌过一个叫生活不耐受的病，看来高飞比自己病得重啊！

"屁！你就是找借口逃避干家务！嘴上说要过夫妻双双把家还的小日子，身体却很诚实！"

高飞立即贴上去："是啊！我的身体很诚实！不信你过来试试！"

"你讨厌！"

…………

吵架突然就变成了开会。

郑守富快过生日了。也不是啥逢五逢十的大生日，但是大家都对这个生日，各有盘算。

　　吕方成投其所好，早早就答应给前丈人送方好砚台。

　　高飞表示要献上 60 年的陈酿。

　　郑雨晴爹妈盼着女儿女婿能破镜重圆。

　　郑雨晴要利用这次机会，让高飞领到爹妈的入门证。

　　许大雯说："高飞也是我看着长大的。不是坏孩子，我对他没意见。但我觉得吧，整个社会，都有一个概念，为富不仁。哪怕他辛辛苦苦干出来的，所有人都盼他出点事儿。这就是仇富心态，虽然阴暗，但你挡不住大家都阴暗啊。孩子啊，你政治上这么进步，又得领导赏识，你千万别学那些妖精明星，天天上花边新闻头条博知名度。那样不稳重。你以后，还会往上升的。你呀，你就，算了，你哪怕一个人单过，尽量跟高飞，拉开点距离吧！"

　　许大雯从来思想达不到这样的高度，显然是在郑守富的授意下，才说出这番话的。郑雨晴听了好笑，也不戳破她在鹦鹉学舌。但是爹妈难得团结一致，郑雨晴觉得，高飞亮相的时机还不成熟。

　　高飞得知自己失了生日宴席的门票，脸色立即变了："你什么意思？你不想让你家人知道有我的存在？"

　　"我俩的存在，还有谁不知道？我爹不同意我跟你好。他钦点了吕方成陪他过寿，让他带萌萌过去乐乐，我不想招惹他。"

　　"我非得招惹他！"

　　郑雨晴说，你跟这种没情商的老头有啥计较？他过生日，就让他任性一回好了。

　　高飞突然自卑："我到今天，在别人眼里都这么配不上你？"

　　郑雨晴安慰道，都知道是我高攀你。我爸这种心理，也是怕你如此声名显赫，玩弄我感情。你要理解老人对闺女的舐犊之情。

　　高飞有些伤感，他不知道，到什么时候，自己才能完全走进郑雨晴的生命里。

　　郑雨晴想了想，郑重地答："你已经在我的灵魂里了。"

　　高飞得了些许安慰，忽然又回到无赖模样："我更希望在你的肉体里。"

　　郑雨晴不好意思得脸红了，高飞吻了吻她的手："那你欠我个情分。我伤心了，你得还我。"

郑雨晴爽快答应："商人嘴脸。什么事？"

"下个月是我悦信传媒成立十五周年的庆典,我不能没有老板娘站台。"

郑雨晴一脸娇羞,抽回手去翻手机上的行程："行！本姑娘有档期,就陪你走一趟亮个相！"

高飞加码："庆典活动四天,还安排了论坛和旅游。"

郑雨晴立马变身女总裁："逢五逢十这样的大事,贫家小户都要摆一桌庆祝庆祝。你们悦信那么大的家业,怎么也得在我这里上几个整版硬广告,否则交待不过去啊高总！"

高飞嘬着牙花："你才商人嘴脸！"

郑雨晴去吃老头的生日宴,在等红灯的时候,看见吕方成像拖着老鼠串儿一样,领着郑家父母和女儿萌萌过马路,手里拎着大包小袋。看上去,不像前女婿,倒有点像亲儿子。

萌萌这半年明显跟吕方成更亲昵了。小孩子,谁陪得多,跟谁好。郑雨晴坐在车里,老远看到,父女两人过马路还在玩游戏,萌萌装盲人,吕方成装导盲犬。

郑雨晴人坐在车里,心早跟着这一队人一起往远处走。后面的车都嘀郑雨晴了,她才意识到灯已变绿。

从饭店出来,萌萌拉着郑雨晴的手说："妈妈,你跟爸爸一起带我去植物园划船吧！我要写作文,'与爸妈一起进行的一项活动'。"

吕方成打圆场："你妈忙,她单位好多事,爸爸陪你活动。"

郑雨晴大方地说："妈妈今天休息,陪萌萌一起去植物园。"

郑雨晴和吕方成一人拉着萌萌一只手,在植物园里有说有笑。萌萌跟雨晴说学校的趣事,雨晴惊讶不已,发现小小的毛孩子,都会斗心眼玩政治了,还团结谁打击谁。忽然萌萌大喊："高兴哥哥！高叔叔！"

顺着萌萌跑出去的方向,郑雨晴看见高飞一家老小坐草地上陪妹妹玩球。

高飞看见郑雨晴和吕方成在一起,一下就从草地上站起来了。三人站成奇怪的三角形。

高飞片刻后打破冷场："一会儿,我把高兴送回去,晚上,咱仨一起吃饭？"

吕方成一脸为难的表情。

郑雨晴抱歉地说："刚才我答应萌萌晚上回去陪她做乐高，我以为你今晚住爷爷奶奶家。"

高飞立刻说："没事，你去忙吧！我一会儿，自己回去。你陪萌萌睡完了再回。"

吕方成赶紧喊："萌萌，你不是要去划船吗？"

高飞孤零零一个人回到空空荡荡的家里，打开音响，翻翻手机，给郑雨晴发微信留言："我已经回来了，你……路上注意安全。"

夜里，挂钟指针到 12 点。

高飞百无聊赖又心里堵得慌地不洗不漱就躺在床上，再微信："你晚上不回来了吗？"

想想再发语音："雨晴，我们得谈谈了。"

高飞睁眼，天已蒙蒙亮，郑雨晴仍未回来。他有些恼，有些怒，微信语音里压抑着不快："雨晴，你有什么变化，你要明确跟我说，你这样不回我话，让我干等，我会担心你。"

想想，拨通了吕方成电话，在未接通时，他又挂了。

郑雨晴的电话来了，声音里带着疲惫和恐惧，以及无限的哀伤："高飞，我单位一个职工出车祸了。我在医院守了一夜。"

高飞立刻原谅郑雨晴了："你……你声音不好。他情况怎么样了？"

"人没了。刚刚走。"电话那头，郑雨晴眼泪一下掉下来。

高飞："我马上过去。"

郑雨晴："你别过来了，我还有其他事要处理。我回头跟你说。"

高飞再见到郑雨晴，已经是几天后的晚上了。

郑雨晴两眼红得像兔子一样进门，几近虚脱。

她把头深深埋进高飞怀里："我不知道，我只是当一个领导，要面临这么多的生与死。"

"人各有命。你不能因为一个职工，把你所有的精气神都搭进去。走，进去躺着。"高飞拖着郑雨晴躺床上。

"我失去了一个好员工，我还失踪了另一个好员工。到底发生了什么事，我脑子不够使。"

高飞："什么意思？"

郑雨晴："我一直跟你说的，两个我很喜欢的孩子。这俩孩子，你都见过。曾经到你们公司找你要过赞助。何亮亮和右右。"

高飞一惊："谁死了？谁失踪了？他俩不是一对吗？"

"何亮亮被车撞了，在滨湖开发区那儿。身上什么都没有，连手机也不在。我听说他俩一对儿，想问问右右出什么事了，结果，两天了，没见她人，手机也关机。问她爸爸，她爸爸是江市长，说没见到她。你说，这难道不奇怪？"

高飞很严肃地看着郑雨晴："你确定是车祸，不是殉情？右右会不会跟那个何……吵架了，跳滨湖了？"

郑雨晴惊得坐起来："我打110问问。"很快她又反应过来："不会。不会跳湖。"

"你怎么知道？"

"我有一种直觉，我觉得右右爸爸知道右右在哪儿。"

"为什么？"

"如果是我，三天没回家，单位领导打电话来问下落，我爸会急疯了。我感觉江市长，非常冷静。只说没见到她。根本没问出什么事了。女儿三天不回家，正常吗？"

像是回答郑雨晴的问题，她的手机响了，右右惊恐又痛苦的声音："老大，我要见你。"

郑雨晴："你在哪儿？"

"在你上次赎回我和亮亮的地方。你一个人来。"

高飞坚持要陪同郑雨晴，雨晴坚拒："你刚才都听到了，我答应她一个人去。"

高飞更坚决："我绝对不可能放你们两个女人夜里在外面。你们聊，我在旁边守着。"

派出所门口，角落的阴影里，蹲着瘦瘦小小像受伤小动物一样的右右。郑雨晴走过去，右右一抬眼，满眼的绝望惊恐和痛苦，眼睛肿得像桃子。

郑雨晴一下就心疼了，蹲下去抱着她，晃啊晃。俩人都不说话。

最后郑雨晴拍着右右的背，说："接受已经发生的。走，我带你吃点东西。"但怎么拉，右右都不动。

"那……我带你回我家吧！你睡一会儿。"

右右还是不动。

"我家，就我一个人。"

右右略有迟疑地抬起头，看着郑雨晴。

"你等我一分钟，我马上来接你。"郑雨晴走到巷子外，敲敲车窗，对车内的高飞说，"你能把车借我吗？我要把右右带回家。她现在的状况，不适合见生人，看着好可怜的。吓坏了。你要么……"

高飞立刻下车："这车，你会开吗？这里是启动，这里是P档。你要不试一下？我自己打车回家。我晚上住我爹妈那儿。你们慢慢聊。有什么事，你招呼我。"

雨晴把右右接回家，让她坐床上，又从衣柜里拿出一套睡衣，对右右说："你把身上衣服脱下来，我给你洗洗。"右右不搭话。

雨晴声音温柔又稳定地说："你躺下歇会儿。我去给你下点儿馄饨。你要是睡着了，我就不叫你了。"

右右傻傻呆呆也不回应她，沉浸在自己的世界里。

雨晴端着馄饨进卧室，发现右右还是刚才那姿势坐着。她走过去，把右右头揽在怀里，轻轻地说："吃饱了就舒服了。吃吧！"

右右眼泪忽然掉下来："我看见了。"

"什么？"

右右又说："我看见的。"她掏出一个碎屏手机，交给郑雨晴。

夜里，右右蜷缩成一团，在郑雨晴床上睡得深沉。现在焦躁的是郑雨晴了。

她一个人在房间里来回踱步，如困兽般，头脑要炸裂。想了半天，她打开房间门，在走廊上给高飞打电话。手机刚响，高飞就接了，明显在等候中。

郑雨晴把门虚掩上，压低声音跟高飞说："我需要你的帮助。你能回来一趟吗？我有惊天的事情要跟你商量。"

高飞和郑雨晴蹲在家门口的楼梯间里，郑雨晴回头望望关上的房门，开始跟高飞讲右右的故事。

"亮亮被撞的时候，她看到了。"

高飞惊诧："她为什么跑？不报警？"

"因为她看到一个人。"

何亮亮带着右右去正在建设的孵化器工地。依着两个人的约定，何亮亮去打探消息，右右在马路对面的树丛里做接应。

事情一直进行得很顺利，何亮亮头戴一顶安全帽，操着一口方言，在工地上转来转去，没人怀疑他土方经理的身份。他看见一间房子，有人忙着擦桌抹凳，仿佛是要开会的样子，便趁乱把手机藏在房间里，打开录音键。

他自己退出房间，掩藏在楼梯拐角，听陆续有人进房间，接着，他们的谈话断断续续飘出来。

"老宋为人最诚恳了。这段时间投资收益很好，您的那个三百万，最近都多少了？老宋……"是张国辉的声音！何亮亮心一惊！

老宋的声音隐隐传来："钱，我给您单独记账。我投的项目呢……"

然后，一个平和稳重的声音响起。江市长！何亮亮听到自己的心，咕咚一声，好像撞到地上。

亮亮焦躁不安，他心里有点乱，得赶紧拿了手机走人。

一个服务员远远走过来，满怀抱着水果。何亮亮主动去帮他，将水果送进会议室，趁机取回手机。刚走到门边，忽然张国辉问："这位是……"

何亮亮含糊地答："王庆方。"拉了门欲出，被张国辉叫停："你不是何亮亮？"

何亮亮拉了门就往外跑。

这下连江市长都站起来了："何亮亮？！你们新闻部的何亮亮？！"

全场追出去。

何亮亮跑得飞快，瞅准马路的车辆间隙，穿梭过去，他跳上中间的隔离栅栏，喊对面树丛里隐藏的右右："右右，接着！"

右右闻声跑出来，看见天空中抛过来一个手机，被挂在隔离栏上的亮亮在奋力挣脱，他身后有一路追兵……

右右捡起手机的同时，一声尖锐的刹车声。她抬起头来，血肉模糊的何亮亮翻滚在大货车的轮下。

马路对面，江市长张国辉，都到了货车旁。

右右跟一条马路之隔的江市长，对视一眼，开始撒腿跑路，手里攥着那个碎屏的手机。

郑雨晴把那个碎屏手机塞进高飞手里，可怜巴巴地看着高飞："怎么办？"

高飞对手里的手机凝视半天，深深地叹了口气。

每个人都是媒体人

　　高飞和郑雨晴还蹲着。

　　郑雨晴的腿已经酸了，她站起来跺跺脚："这手机交不交？你好歹给个倾向性意见啊？"看高飞动都不动，只好又陪着蹲下。

　　高飞愁眉苦脸："你要问我的意见。不动。"

　　"那亮亮不是白死了？"

　　"雨晴，你成熟点。不是每一次死亡都要有人买单。那个大货司机已经自首了，人家就是没看见。行车记录仪也证明，司机最多是民事处罚。你难道因为亮亮死了，就要把江市长送进监狱？"

　　"可……可……可他有……"郑雨晴指了指手机。

　　"有违法行为？你就凭这个录音，去把人家检举了？说实话，我没听出市长有什么不可告人的秘密。就是一笔投资款，300万。不能是人家自己的钱吗？领导干部都不能投资了？"

　　郑雨晴有些赌气加委屈："我觉得能跟张国辉混在一起的，就不是什么好人。"

　　"你不要把个人好恶带到对人的有罪推论里。张国辉是不是好人，临离开这世界的时候，自有老天评判，你不要扮演判官的角色。他不好，自有天收，你做好你自己就行了。你现在去检举揭发，万一告不倒呢？以前这个亏，又不是没吃过。他出来以后，只能跟你更加离心离德，给你制造更多麻烦。"

　　郑雨晴噘嘴不说话。

　　"还有右右，一边是她死去的爱人，一边是她活着的爸爸。她没办法选择。就把问题交给你。你不要到最后，让她既没了爱人，又没了亲爹。

她会恨你的。"

高飞有一种背井离乡的哀愁。右右一直不肯回家，她仍然在逃避，不想面对父亲。可右右不回家，高飞也不能回家。

郑雨晴也不知道怎么办，右右那么可怜，难道能狠心把她赶走？

高飞："这日子过的！哎，周五的活动，我接你一起去。"是高飞公司十五周年的庆典，郑雨晴这阵太忙了，已经把这事忘在了脑后。

她跟高飞商量："能不去吗？我心里不静，单位这阵事太多。"

高飞："可是，你答应过我出席庆典，人不能言而无信。"

"非得去吗？"

高飞有些难过，停了半晌说："雨晴，我们俩之间，难道永远只有你的事业才是事业吗？"

雨晴敏感地听出高飞的哀怨，她立刻让步："好好好！我去！不过我当天上午还有个会，不能和你一起出发，而且，我不能陪你们耍那么久，我顶多周日就得回来。"

高飞想了想说："好。"

周五快到中午的时候，郑雨晴才风尘仆仆赶到庆典的大酒店。

高飞问："发给你的衣服呢？"庆典有服装要求，出席者一律穿公司统一的休闲服。郑雨晴穿着一身上班的衣服，和大家明显不搭调。

郑雨晴抱歉地答："早上走得急，忘记带了。"

幸好公司徽标她是放在手包里的，赶紧拿出来别在胸前。这样，勉强也算跟团队有了点联系。

俩人走到酒店后面的沙滩排球场地，高飞一走近，球场一片欢腾，看得出，集团员工，对高飞这位老总，既尊重又喜欢。

高飞和雨晴在海岸边散步，不时有员工走过跟高飞打招呼。

郑雨晴好奇地问："你们有万把来人，这个酒店会议厅能坐下？"

高飞笑说："坐不下。所以我们分批开，一共开八场。同样的话说八遍，我都恨不得录像放给他们看。"

雨晴有些感慨："我觉得，我配不上你。"

高飞疑惑地看着郑雨晴。

"高飞，我在这个位子上，站得羞愧。今天你所拥有的一切，没有一丝荣耀是我与你共同创造的。我和这些人之间，没有情感的纽带，在他们眼里，我们俩是强强联合，不是相濡以沫。其实，今天，你该让吴玲来，吴玲才是那个，从你开始创业，给你和你的队伍做饭做后勤的人，这里的一切，属于她。"

高飞："我的过去，你已经来不及参与了。但我们的未来，还很长。"

"要不……我辞职吧！你我现在的样子，根本没有进入生活状态。你需要一个照顾你生活的人，而不是一个天天跟你讨教治理企业的学生。"

高飞："我要的，不是一个保姆。我也不想剥夺你在职场游刃有余的天赋。"

郑雨晴自嘲："我都顾头不顾腚了，哪里游刃有余？"

"你相信我的判断。我走的路比你多，我爬的山，比你高，我站在现在的位子俯看你，但我内心知道，你不可估量。你的未来，在我之上。"

郑雨晴扑哧一笑："你指体位吗？"

高飞也笑。

郑雨晴说："我没有那么大的野心。我最近，感觉心灰意冷，力不从心。累的时候，就特别赞自己的眼光，把后半生的退路都找好了，至少不想干了还有你。我打算，未来把你伺候好，其他都往后放。"

高飞看着远远的海说："你看，海浪来的时候，灰鹊拍拍翅膀就逃离了，海鸥却很笨拙，它们从沙滩飞到天空，要花很长的时间，但真正能穿越大海的，却是海鸥。你是海鸥，你永远做不了灰鹊。不要毁了自己，去挑简单的事情做。"

郑雨晴好奇地问："高飞，你从来没有偷懒的念头吗？"

高飞笑："我年轻的时候不理解，为何王永庆那么多钱，要用烂丝瓜一样的毛巾，冯小刚那么有名了去饭店只点一碗担担面。现在我懂了，人真正的成熟，是让自己舒服，按自己喜欢的方式生活。年纪越大，我越能接受，我就是干活的命，我愿意创造价值，让别人分享我的价值，这才是我的快乐。所以，勤奋，是我骨血里带来的。我喜欢工作，干吗要偷懒？"

郑雨晴怅惘地说："妈的，你的境界，我永远达不到。"

高飞抱了抱郑雨晴说："我爱你，是因为骨子里，我们是一类人。"

清晨，当高飞被窗帘缝里的一缕阳光照亮眼帘的时候，他揉揉眼，用手捞捞身边的雨晴。

那半边床，是空的。

手及之处，有一个信封。

那是郑雨晴后半夜里，坐在卫生间的地上，给高飞写下的心里话。

飞，那天，你跟我谈起方成的小饭桌。你说，所有的创意，都要落地，才能创业。这句话一直在我心中萦绕。我想的是另一个问题：所有的爱情，都要落地，才是婚姻。而你我，注定走不进婚姻里。

我们都太忙了，忙到在一起，慰藉的只是彼此的灵魂，而我们的生活，颠沛流离。我和你，都很享受灵魂碰撞的瞬间，你懂我，我懂你，我们彼此提携着前进。但是，像我们这样的两个人，为什么一定要在一起生活呢？当生活的细琐走进感情的时候，我们人到中年了，还要在习惯上彼此妥协适应。

我们已经把所有的耐心，给了责任。

我这两天，有心病。我不能陪萌萌做作业，我把生病的你交给方成护理，我不知道怎样去爱西西，我也不敢想象，在我纷乱的生活里，还要掺杂进我爹我妈你爹你妈和奶奶。

我每天都活在对爱的歉疚里。我把时间给了责任，给了我穿越大海的雄心，却不能把贴身的照顾给我爱的亲人们。

飞得再高的鹰，都要有歇息的巢穴，你和我，最合适的相会地点，就是在空中刹那的遥望，彼此会意。

请你接受，我们做回朋友。请你接受，我在灵魂上爱你。

雨晴

高飞看完信，深深地吸了口气，又缓缓地舒出去。

他拿起手机，微信上回雨晴："我接受你一切的决定。只因我习惯了远远地爱你。"

郑雨晴回到江州第一件事，是去找吴玲。

吴玲犹豫地请郑雨晴进了门，让茶、切水果，又拿了靠垫塞在郑雨晴的腰后，让她在沙发上坐得更舒适一些。她很安静，默默地做事，并不多话，根本不问郑雨晴来的目的。

郑雨晴笑了："你都不问我来干什么？"

"我不问，你也会说的。你总不会来是为了看我。"

郑雨晴说："我觉得，你和高飞正配。"

吴玲诧异地看着雨晴。

郑雨晴这样说，是有根据的，因为她一走进这个屋子，感觉自己被高飞附身。高飞在公司累了一天，说了一天的话，回到家里，接受吴玲安静的照顾。郑雨晴由衷夸赞吴玲："真好。"

吴玲淡淡地说："好什么呀！"又没话了。

"你是不是一直话很少？"

吴玲一笑："所以我帮不了他什么。我不擅交际，有时候他需要出去应酬的时候，该我说话了，我就紧张。我们家的话，被他一人说完了。"

郑雨晴好奇地问："你没打算再找？"

"你知道人们离婚的原因是什么吗？"

郑雨晴摇头。

吴玲："结婚。我好不容易摆脱婚姻了，不想再找一个男人来烦我，还得让我伺候。"

郑雨晴一下就接不下去茬了。半晌，她才惴惴地说明自己的来意，她想劝吴玲回到高飞身边。因为原生夫妻对孩子对家，都是最好最合适的。

吴玲一愣，忽然笑了。先是轻轻笑，然后捂住脸，倒在沙发上大笑。

吴玲说："你不如我。我和他在一起，12年，才忍不住分手。你俩好了才几个月啊，你就想丢这个烫山芋。"

郑雨晴也笑了："我不是丢烫山芋啊！我觉得高飞真的挺好。"

"他好，你干吗不跟他，却要把他塞回给我？"

"因为，我不如你好。"

吴玲肯定地答："那当然。"

郑雨晴："嗨嗨嗨，谦虚点。"

"你知道，我和他离婚，是我提出来的吗？"

郑雨晴反问吴玲："你知道高西西是他爸爸的孩子吗？你冤枉他了，西西不是他的孩子。"

吴玲淡然答："我知道。"

郑雨晴又被颠覆三观了。

"夫妻生活那么久了，他外头有没有人，我都看不出，那我不是白当老婆了？他抱高西西回来那天晚上，为难的样子，和生分的样子，我大概就猜到了。"

"你都知道他那么可怜了，你还忍心跟他离婚？"

吴玲反问："你也知道他那么可怜了，你干吗跟他分手？"

郑雨晴有些不好意思："我太忙了，要担待的人和事太多，照顾不过来这些。"

吴玲："我也是。我从认识高飞起，就把一个东西藏起来了。这个东西，叫自我。他需要我给他团队烧饭的时候，我就去烧；他需要我去照顾他客户的时候，我就去照顾；他需要我当一个妈的时候，我就当；他需要我代替他孝敬的时候，我就孝敬。我时间表里只有一个安排，就是高飞的需要。我以前给自己设定的底线是20年，等高兴一上大学，我就过我自己的人生。那时候，家里老人估计也走差不多了。结果，又来一个西西。我等不到那个时候了。我想做我自己。"

郑雨晴方明白过来，原来，每个女人心里，都藏了一只海鸥。

吴玲说："我现在，过的是我梦想的生活。家按我喜欢的装修，时间，儿子之外的我自己支配。我既享受了高飞赚的钱，还不必看他脸色，顾忌他的情绪，那么爽的日子，你给我一个回去的理由？"

郑雨晴无功而返。

郑雨晴回到自己租的房子，右右在卧室里，沉静地看一本书。雨晴怜惜地摸着她的头问："你还没有跨出这道门的勇气吗？"

右右抬眼看看雨晴问："你还没有跨出那道门的勇气吗？"

郑雨晴愣着了，不知怎么接话。

右右："我每天都在等着你回来跟我说，我交出去了。你还没有。"

郑雨晴有些难过："你希望我交？"

右右点头："你比我勇敢，也没有我那么……疼。"

"这一步一旦跨出去之后，就没有回头路了。"

右右："我想知道真相。就像亮亮也想知道一样。哪怕，那个结果是我不想面对的。"

郑雨晴一把搂住右右："孩子，你比我勇敢。我想得比你复杂多了。"

右右抬头，冲雨晴透彻而俏皮一笑："爽快点！反正没有谁可以活着离开这世界！别婆婆妈妈的！"

郑雨晴抱着右右笑，眼里有些泪光泛起："一路走来，我发现，女人比男人强大。"

郑雨晴带着手机，走进省纪委巡查小组的办公室，把手机交给纪委巡视组长王闻声。

宋经理在工地上被带走。

张国辉在女儿婚礼上被带走。

江市长在市常委扩大会议上被带走。

王闻声跟卢书记说："我看，郑雨晴，是块璞玉。这样好的玉，要放在你身边雕琢才成器。"

卢书记笑说："我也有此意。这个小女子，浑身上下都是劲儿！敢想，敢干，敢承担责任，敢说真话。她没有我们这里常见的匠气和迂气，新生代的血液，就靠这样的人来输送了。"

王闻声说："而且，这个姑娘啊！格局大，都市集团这样的地方，盛不下她。"

"那好，我们努力一下。她可不是那么好调派来调派去的。当年升她当社长的时候，她也是拧着脖子不肯干。"

王闻声大笑："那哪由得了她？葡萄怎么酿成葡萄酒的？"卢市长跟着一句："雪菜怎么变成雪里蕻的？"俩人齐声大笑。

郑雨晴站在卢书记办公室里，有抵触情绪："我正在跟新媒体决战呢！我们的自媒体平台刚有点模样，我还想把社区报和相亲网站结合起来，我还有好多计划刚起了个头，你能不能缓一缓？"

卢书记微笑，但坚定地答复："不能。刻不容缓。人才培养，从今天下午……"卢书记看看手表："三点半开始抓起。你都市报集团的办公室，已经给收了。"

郑雨晴心情复杂地回到都市集团自己的办公室。

陈思云指指里间的办公室，竟然一个下午，资料文档电脑，一切一切都被搬空了。

郑雨晴叹息："太快了，以至于灵魂都追不上。"

桌子上还有一张纸。郑雨晴走过去一看，竟然是陈思云的辞职报告。

"思云，你干吗要走？我已经跟上面推荐了粟主任，这是让我调走谈的条件。小粟，也是一位好领导。"

陈思云叹口气："领导，其实，我早有去意，每天陪着你东征西战，一直舍不得你一个人闯关。现在来了粟主任，他好歹是男人，我不至于放不下。老板，你对我，有知遇之恩。在你告诉我，我就像你的妹妹的那一刻，我就决定追随你，到你离开这个办公室的时刻。现在，终于轮到我离开了。"

"你要去哪里？"

陈思云说，男朋友为了自己回到国内，海归创业小有起色，正等着她这个老板娘去辅佐一臂之力。

郑雨晴对着空空的房间感叹："都走了。我们……都走了。"

粟主任敲门进来："你们都走，剩下的岗，我来站。"

郑雨晴忍不住扑哧笑了："我感觉你好悲壮，好像阵地上的王成，拿着喇叭筒喊，向我开炮。"

粟主任笑："任风云变幻，我初心不变。再说了，报纸优势仍未写尽，我岂能自唱挽歌呢？"

刘素英和小李站在门口。

郑雨晴很吃惊："干吗？你们这些新闻逃兵，怎么搞得好像还在一线一样，消息这样灵通？"

刘素英："你这一举一动，我都尽收眼底。雨晴啊！受那些捶打干吗呀！你这种从没自由过的人，不晓得自由有多么快活！你也别干了，到我这儿来！我这个位子，交给你做！你的能力，带着我们，不出三年，新三板上市不成问题啊！"

小李也说："郑社，是你帮助我，完成我开饭店的梦想。我最近也搞到融资了，在做网上点单外卖服务，我呢，能力不强，就喜欢做饭，我想把管理这一块儿，丢给你。你做主，你当家！"

郑雨晴白了小李一眼："你这是作践我。我不给国家当职业经理人，给你个作坊当职业经理人？"

小李嘿嘿一笑："国家请你当职业经理人，给你原始股吗？"

郑雨晴有些底气不足地讲："谈钱，伤感情。大家都是读书人，好歹有点士大夫精神。就算女人，也要有点情怀嘛！"

郑雨晴有些迷惘地去了方成的家。吕方成："听说你升官了？为啥又是一脸不情愿？没有升迁的喜庆啊。"

郑雨晴抑郁了："我不想去。"

"你还真跟别人不一样。秘书长啊！这是使劲栽培你的意思。说不定过两年，你就是小民的父母官了。"

"可我不想当官。"

"为什么？多少人都靠送礼溜须才能得到的位子。"

"方成，我这一辈子，都没有过自我。"

吕方成大惊："妈呀！你还没有自我，你想把你那庞大的自我搁哪儿呀？"

郑雨晴面有难色地说："这个词，是吴玲告诉我的。她说，她离婚，是因为没有自我。我其实……心有戚戚焉。我也没有自我。我从落地起，我爹妈就要我学文科……"

吕方成大笑："那是因为你爹妈比你了解你自己。"

"可我都没有选择过。我上大学，学新闻，是我爹妈给我选的。我工作单位，是我爹妈给我找的，我当报社社长，是领导要求的，现在，又要我去当官，我没有一天，是为自己活着。"

吕方成很严肃地看着雨晴，说："当初你跟我结婚，也是我逼迫你的？"

郑雨晴笑了："这个，是自愿的。"

吕方成说："你学文科，是因为你理科真的不行；你当记者，是因为你真正热爱这个行业。我觉得你非常适合当领导．你不想当官的真正理由，是高飞不让你去？"

郑雨晴摇摇头："我和他分了。"

"为什么？"

"不知道。就是感觉，俩人在一起，不是天生地长的，是嫁接的。"

吕方成哈哈大笑："你是想说，我俩天生一对儿？"

"我真没有那个意思。我是说，人到中年，重新开始，背负的东西太多。我现在哪儿都不轻松，不想再背负更重的担子了。"

"你要是不想当官，你想去哪儿？"

"去刘大姐那儿。她让我跟她一起做物业。"

"那你不如，回我这儿，给我小饭桌当掌柜。"

郑雨晴眼睛又瞪上了。

"我这里要大发展，缺个秤砣。我觉得你性价比合适，便宜又耐劳。"

郑雨晴说，煲仔饭小李也请自己去，还给股份："你给我多少干股？"

吕方成说："我今后所有的钱，要么给萌萌了，要么以后就捐了。你看你能来干吗？"

郑雨晴自我解嘲了："呵呵，呵呵，原来是给我闺女打工啊！说说看，你想让我干什么？"

吕方成叹口气："雨晴啊，我特别理解你说的天生地长。我俩，是原生夫妻，有多少分歧，一到闺女这儿，就都统一了。高飞，给我 A 轮投资了。"

郑雨晴头一下就大了："哎妈……绕不开了。"

"我直到拿到他的钱，才知道他说的每一句话，都是过来人的经验。我有些后悔，为什么要做大做强。我当时还不如就做这个小作坊。"

"都是亲同学，你后悔了就退给他。"

"退不了。"

"为什么？"

吕方成没有退路了。现在这个社会，你不前进，自有洪流推着你前进。吕方成的工作室成名之后，全市呼啦啦跟着起来二十来家小饭桌，有退休校长办的，有学校自办的，有企业家专门做这条产品线的。吕方成说："现在这个社会，你动作慢一点，吃屎都赶不上热的。"

"可我们为什么要吃屎呢？"

"问题就在这里——我们都来不及分辨，我们在吃的是什么。我这个品牌，是全市最早的，原本是口碑最好的。但如果不迅速复制，就不仅仅是被别的小饭桌吃掉的问题了，而是也许再过一年两年，那种全国连锁的、上市的小饭桌，直接把我们的旗帜给拔了。高飞早早就看到了我的痛苦。而我，是走上这条路，才知道，拉弓没有回头箭了。"

郑雨晴若有所思地点点头。

郑雨晴去市政府上班第一天，居然迟到了。

卢书记问秘书："奇怪，今天早上开会，竟然没有看到郑雨晴。她是不是还没适应自己已经是政府官员了？竟然政府办公会议，她这个秘书长没出席。"

秘书笑："她这算不算渎职？"

郑雨晴在门口喊："不算。我辞职了。"

卢书记心一惊，脸色变了："胡闹。都多大人了，还闹情绪？你以为工作是过家家，你在家里跟你男人撒娇吗？"

郑雨晴笑得很二的样子："我这个人吧！跟工作，从来不开玩笑。领导，谢谢您的赏识与栽培。但我的志向，真的不在仕途上，我已经立意辞职了。刚才去递交了申请，所以没参加我的第一场会议。"

卢书记赶紧让郑雨晴坐下，语气缓和："今天早上，我还有四十分钟的空。我们俩好好聊聊。我，做做你思想工作。你说，我手下女下属，也不少，怎么就你这么有个性呢？"

郑雨晴又嘿嘿笑了："领导，要不了四十分钟，五分钟就够。上周五，我回单位，发现您动作比我快，把我办公室都收了。我内心里知道，您赏识我，爱护我。可我觉得，您爱我的方式，像我父母一样野蛮。"

"哦？野蛮？"

"我从小，没有按自己的意愿生活过一天，都是听老师的，听父母的。他们没有尊重过我。我的爱人，哦，前夫，我和他好的原因，是因为他是第一个把我当大人尊重的人。他为了我，没有去上北大清华，陪我上了本地大学。后来又为了我和孩子，推掉了外地银行的高薪聘请。他的恩情，值得我一辈子为他当牛做马。我今年，37 了。我的孩子，马上要二年级了。我自从被推上前台，对家庭，对小孩照顾很少，对父母，对前夫的工作，也没有尽到责任。我前夫，创建了一个教学与生活相结合的小饭桌，他想扩大，想找到复制的模式，但苦于家庭的拖累，很难往前再走一步。我思来想去，政府，不缺我一个官员，但前夫的事业和我的女儿，却缺一个掌门人。这个角色是任何人都不能替代的。所以……我想追随他，开个夫妻店。"

卢书记笑了："你们都离婚了，怎么开夫妻店？"

雨晴又笑得很二："梦想还是要有的，万一实现了呢？"

"你不要拿你惯用的一套，跟我打哈哈。说你真实的心里话。"

郑雨晴一看表："那我就要超时了。再占用您五分钟。"

卢书记："我不赶时间啊！"

"这是我最近一段时间的思考，尤其是在我们报纸与新媒体对决过程中发现了一些问题。移动互联网时代，讲求颠覆，一切传统终将被打破。但这些打破，包括不守法律，商业欺诈，抄袭造假和一切对仁义礼智信的破坏吗？科技的进步，金钱的增加，并不能给我们带来更多的幸福感。我们的幸福感，来源于内心的平静。

"以前，我们说，学而优则仕。但现在的环境，越来越鼓励有才能的人离开四平八稳的生活，下海创业，过动荡但有可能改变时代的生活。我虽然是一介女子，也有士大夫的魂魄。我的魂魄，不在仕途上，而在商战里。我不想，错过这个时代。我把我的仕魂，放在商才里。干干净净做企业，漂漂亮亮挣钱，最终，回馈给这个社会，给孩子们一个内心平静的幸福世界。这，就是我未来想做的事情。"

卢市长想了很久，说："好一个商才仕魂。我不如你啊，小郑。"

郑雨晴吓坏了："别别，哪儿呀！万一撞得一头乌青，我再回来给您打工。"

卢书记笑了："你当我这是人才市场？来去自由？"

郑雨晴笑："您心胸大！"

郑雨晴走到小饭桌门口，门口有一张招聘启事："世界这么大，你不来看看？"

郑雨晴揭了它，走进吕方成的教室。笑盈盈地对吕方成说："老板，我来看看了！"说完挥挥手里的招聘广告。

"我应聘职业经理，负责状元及第工作室的市场运营。这是我的简历。哦！电子版，发你邮箱了。"

"你开什么玩笑？"

郑雨晴温柔一笑："我辞职了。那天，我看到萌萌揪着你的衣领把你当狗牵着过街了，我觉得，在扮演动物方面，你不如我有天赋。以后，萌萌的导盲犬，换人了，哦！不对！换犬了。我不能让你成为她的专宠。"

吕方成忍住笑说："我这里庙小，容不下大社长。工资低，待遇差，不提供住宿。"

"我有住宿，我到我闺女床上蹭住。"郑雨晴看了一眼身边的小徐，忽然笑了，"我有一句话，不知当说不当说。"

"你说。"

"我觉得你该把菜品外包给小李，让合适的人做合适的事。小徐，做财务挺好的。"

吕方成眼睛一亮："你现在知道我为什么需要你了吧？你总是一眼看清错位的财富。来吧来吧！至少你能天天看得着闺女。"

郑雨晴问吕方成："你需要我做什么？"

吕方成回答："我现在把精力放在教师培训上，小徐把精力放在菜品研发上，我希望你能制订出行业标准。当我们成为标准的制订者，那么，我们就赢在前头了。"

小徐的脸越来越难看。吕方成注意到，安慰地拍拍她的肩膀。

小徐低声说："吕校长，萌萌妈来了，我就走了。"

吕方成和郑雨晴一起问："去哪儿？"

小徐看着吕方成说："这里，不需要我了。"

吕方成还没表态，郑雨晴先表态了："小徐，这里需要你。我也就是一个打工的，你是联合创始人啊！"

吕方成想了想，跟小徐说："小徐，很多人，这一生的承诺，不一定是爱情，而是彼此依靠。你始终是我，最可以依靠的人。留下吧！"

郑雨晴嬉皮笑脸地说："小徐，你不能走，你想撵走我，也不可能。我不但有十八般武艺，我还是萌萌娘胎里自带的程序，我是她亲娘，这个是删除不掉的。不如，你就把我当益生菌，跟我和平共处吧！我知道，你喜欢萌萌爸爸，我俩，现在在同一起跑线上。咱俩无论是工作，还是感情，各凭本事！"

小徐挑衅地看着郑雨晴："无论谁当了老板娘，都不拿股份。"

郑雨晴伸手击掌："一言为定！"

吕方成干涉："定什么定？定什么定？股份在我这儿呢，哪轮到你俩分了？说不定胜出的是第三者呢？"

俩女人一人揪吕方成一只耳朵。

门外，咣当一声响，吓仨人一跳。

郑雨晴本能反应，抄起手机就奔出去，对着街口两辆相撞的汽车进行多方位拍照，打120打110，然后开始发微信，在微博上@江州在线。

她曾经对高飞说过，自己的血液里自带了新闻记者的基因。诚哉斯言。

街头，刘素英拿着手机在拍照。

街头，小李拿着手机在拍照。

街头，陈思云在拍照。

街头，右右在拍照。

在这个时代，我们每个人，都是媒体人。而媒介，是我们每个人。

全文完

2015 年 5 月初稿

2015 年 7 月二稿

图书在版编目（CIP）数据

女不强大天不容：小说版 / 六六，九枚玉 著 .－－武汉：长江文艺出版社，2016.1
ISBN 978-7-5354-8284-6

I. ①女… II. ①六… ②九… III. ① 长篇小说—中国—当代
IV. ① I247.5

中国版本图书馆 CIP 数据核字（2015）第 311784 号

女不强大天不容（小说）

六六　九枚玉　著

选题产品策划生产机构 | 北京长江新世纪文化传媒有限公司
选题策划 | 金丽红　黎　波　安波舜
责任编辑 | 张　维　　　装帧设计 | 郭　璐　　　媒体运营 | 刘　冲　刘　峥
助理编辑 | 梅若冰　　　内文制作 | 张景莹　　　责任印制 | 张志杰
总 发 行 | 北京长江新世纪文化传媒有限公司
电　　话 | 010-58678881　　　　传　　真 | 010-58677346
地　　址 | 北京市朝阳区曙光西里甲 6 号时间国际大厦 A 座 1905 室　　邮　　编 | 100028

出　　版 | 长江出版传媒　长江文艺出版社
地　　址 | 湖北省武汉市雄楚大街 268 号湖北出版文化城 B 座 9-11 楼　　邮　　编 | 430070
印　　刷 | 北京正合鼎业印刷技术有限公司
开　　本 | 710 毫米 ×1000 毫米　1/16　　　　印　　张 | 23.75
版　　次 | 2016 年 01 月第 1 版　　　　　　　印　　次 | 2016 年 01 月第 1 次印刷
字　　数 | 360 千字
定　　价 | 39.80 元